EL CEREBRO ARGENTINO

UNA MANERA DE PENSAR, DIALOGAR
Y HACER UN PAÍS MEJOR

EL CEREBRO ARGENTINO

UNA MANERA DE PENSAR, DIALOGAR Y HACER UN PAÍS MEJOR

FACUNDO MANES

MATEO NIRO

Manes, Facundo
   El cerebro argentino : una manera de pensar, dialogar y hacer
un país mejor / Facundo Manes ; Mateo Niro. - 1a ed . - Ciudad
Autónoma de Buenos Aires : Planeta, 2016.
   432 p. ; 21 x 13 cm.

   ISBN 978-950-49-4433-1

   1. Neurociencias. I. Niro, Mateo II. Título
   CDD 616.8

© 2016, Facundo Manes y Mateo Niro

Edición publicada en coedición con Libros del Zorzal
© 2016, Libros del Zorzal

Diseño de interior: Esteban Bértola
Diseño de cubierta:
Departamento de Arte de Grupo Editorial Planeta S.A.I.C.

Todos los derechos reservados

© 2016, Grupo Editorial Planeta S.A.I.C.
y por esta edición Malkok S.R.L.
Publicado bajo el sello Planeta®
Independencia 1682 (1100) C.A.B.A.
www.editorialplaneta.com.ar

1ª edición: mayo de 2016
De una tirada total de 80.000 se imprimen
en este taller 20.000 ejemplares

ISBN 978-950-49-4433-1

Impreso en Arcángel Maggio - División Libros,
Lafayette 1695, Ciudad Autónoma de Buenos Aires,
en el mes de abril de 2016.

Hecho el depósito que prevé la ley 11.723
Impreso en la Argentina

Nota

Más allá de que estamos atravesando la era del papel y la era digital con tranquilidad y buen provecho, el libro sigue teniendo en este tiempo ese carácter de lo permanente, de *que lo escrito, escrito está*. También está el afecto por ese elemento que puede guardarse en la mochila o tenerse en la mesa de luz, verlo, tocarlo, arrugarlo, dejarle la huella de la lectura en la marca del lápiz cuando roza el papel. No es que la lectura que uno hace en Internet no tenga sentido, claro que es fundamental. Solo decimos que este es un libro que quisimos hacer de esta manera.

Cuando escribimos *Usar el cerebro* y salió publicado, no imaginábamos que iba a generar tantas lecturas, tantos comentarios ni tantos nuevos libros sobre temas afines. Pero lo que más nos sorprendió alegremente fue que se volvió un modo de estar cerca. Nos pasó que muchos amigos nos enviaban instantáneas de gente en viajes de avión, de tren, de subte y en colectivo, en bares, en plazas y en la playa, que lo estaban leyendo. También se transformó en un registro del cariño: en conferencias, charlas y presentaciones, muchos venían con el libro y ahí quedaba consignado el afecto que, sin dudas, era mutuo.

Este libro no es la continuación de aquel pero se complementan. Si el otro llevaba por subtítulo "Conocer nuestra mente para vivir mejor", este podría haberse llamado: "Vivir mejor todos juntos". Quisimos poner el foco, esta vez, en lo que hace el ser humano con los demás, en lo que somos cuando conformamos comunidades. Y como los autores nacimos y vivimos acá, pensamos que la mejor manera de anclar esta reflexión era justamente en cómo somos los argentinos, para pensarlo y discutirlo. También preguntarnos cómo podemos ser una mejor sociedad: más desarrollada, más unida, más solidaria, más inclusiva, más feliz. No se trata de que este libro sea la única o la principal herramienta para esto, pero sí intenta hacer un aporte para que esto suceda. El objetivo desde la primera línea hasta la Proclama final fue, más que generar respuestas, abrir debates y propuestas. Ojalá que lo logremos con esta y muchas otras lecturas.

Queremos agradecer de manera especial a quienes nos acompañaron y ayudaron para que este libro sea posible, especialmente a Daniel Low y Natalia Bengochea. También a Florencia Sartori, Daniel Sánchez, Fernando Torrente, María Luz González Gadea, María Roca, Martín Maximino y Esteban Bertola que colaboraron con ideas, datos, apreciaciones y ajustes. En cada uno de los temas abordados, especialistas, investigadores, asistentes, compañeros y amigos nos acercaron opiniones, citas y borradores e intervinieron en propuestas y comentarios. De esta forma nos ayudaron una vez más a trabajar en un clima de equipo. Para ellos también, y algunos que seguramente omitiremos involuntariamente, un inmenso agradecimiento: Lucas Sedeño, Agustín Ibáñez, Teresa Torralva, Alicia Lischinsky, Francisco Klein, Jesica Ferrari, Marcelo Savransky, Ezequiel Gleichgerrcht, Iván Spollansky, Sebastián Foglia, Fernando González, Diego Bernardini, Pablo López, Tristán Bekinschtein, Marcelo Cetkovich, Diego Bentivegna, Luciano Olivera, Fabio Quetglas, Rafael Veljanovich, Viviana Dirolli, Jorge Álvarez, Teresa Laffaye, Victoria Marenco, Catalina Raimondi, Pablo Abdulhamid, Anabel Chade, Eugenia López, Vladimiro Sinay, Mariu González Toledo, "Richard de INECO", Diana Bruno, Sandra Báez, Sofía Oneto, María Agustina Martini, Brenda Schimpf, Federico Adolfi, Micaela Santilli, Martina González Vilas, Jazmín David, Sol Vilaro, Andrea Abadi, Paula Tripiccio, Carolina Zeballos, Esteban Carmuega, Sebastián Lipina, Juan Sorondo, Celeste Schweiger, Florencia Salvarezza, Liliana Traiber, Sol de Vita, Julián Pessio, Sergio Kaufman, María Agustina Ciampa, Pablo Bereciartua, Lisandro Kors, Juan Marengo, Gustavo Grobocopatel, Gerry Della Paolera, Fernando Straface, Mariano Napoli, Pablo Garibotto, Tomás Proe, Fernanda María Suppicich, Adriana Fiorino, Adrian Yoris, Teresa Esparza, Laura Deanesi, Eugenia Hesse, Daniel Pastor, Noelia Pontello, Juan Pablo Kovacevich, María Fernanda Giralt Font, Sol Esteves, Facundo Flores, Clara Pinasco, Paula Celeste Salamone, Florencia Alifano, Máximo Zimerman, Pablo

Richly, Julián Bustin, Alfredo Thomson, Jorge Mandolesi, Eduardo Lede, Roberto Favaloro, Liliana Favaloro, Analía Calle, Rafael Kichic, Dolores Cardona, Mauro Rafaldi, Mariana Vicente, a todos los miembros de los departamentos de neuropsicología, psiquiatría, neuropsiquiatría y psicoterapia cognitiva y neurología de INECO, a los residentes del departamento de neurología del Instituto de Neurociencias de la Fundación Favaloro, a los miembros del INEDE, INE, LPEN, INECO Oroño Rosario, Educación para Poder, INDELO, el Instituto de Neurociencias de la Fundación Favaloro, Universidad Favaloro, Núcleo Universidad Diego Portales-Fundación INECO para las neurociencias en Chile y Fundación INECO. También agradecemos especialmente a Gastón Etchegaray, Ignacio Iraola, Mariano Valerio, Sebastián Ansaldi, Mónica Hanesman, Claudia Reboiras y todo el equipo de editorial Planeta por haber confiado en nosotros nuevamente. Por último, un merecido elogio a todos los investigadores, escritores y artistas que a través de sus estudios científicos, textos literarios y tramas cinematográficas nos proveyeron de los insumos necesarios para este libro, con una mención particular a Pedro Luis Barcia y Gabriela Pauer y su *Diccionario fraseológico del habla argentina*, de donde extrajimos muchos de las frases, dichos y locuciones.

Prólogo
de Facundo Manes

Un libro nunca nace de la nada. Este, por ejemplo, nació de las voces que me guiaron y acompañaron durante todos estos años. Son voces diversas, que a veces susurraron y a veces vociferaron, pero que en todos los casos me sirvieron para andar.

Es la voz de mi padre, el doctor Pedro Manes, la que solía escuchar cuando agitada me decía que otra vez tenía que salir a atender una emergencia porque una persona así lo requería, que para eso el país lo había formado y le seguía confiando esa responsabilidad. Él era médico rural, y amaba profundamente su trabajo y su país. Mi padre fue un gran hombre, a quien recuerdo y extraño. Él solía decirnos a mi hermano Gastón y a mí que en la vida había dos cosas que valían la pena: el conocimiento y el amor. Y eso era así porque ambas provenían de las dos cualidades más lindas y nobles que podía tener un ser humano: la inteligencia y la generosidad.

Ahí están también las voces de mis amigos mayores de Salto, de esos que nos esperaban cuando íbamos de pibes con Gastón de una punta a la otra del pueblo y nos contaban sus historias y aventuras, nos confesaban conquistas o males de amores y nos prodigaban, aun sin proponérselo, sabios consejos. En esa infancia ocurría el milagro de escuchar a los grandes que, a sus maneras y con sus humores, sabían mostrar distintos caminos por dónde andar. Recuerdo especialmente a mi querido Néstor Rollin, quien me dejó esta temprana enseñanza: "En un país en el que se abusa de la retórica es recomendable desconfiar de los elogios, más aún si estos son demasiado enfáticos y grandilocuentes". Esto me decía mientras, con parsimonia provinciana, armaba la tipografía de algún volante en su imprenta.

Crecer en un pueblo me dio la posibilidad de escuchar todas las voces todo el tiempo. Tuve la dicha de vivir a solo cincuenta metros de la casa de Guillermo "el Chino" Cepeda, una leyenda futbolística local, aquel que alguna vez, en una final, erró a propósito un penal, porque el árbitro se había equivocado al cobrarlo e inspiró el relato de otro amigo escritor de Salto, Antonio Dal Masseto. Grandes valores, todo a la vuelta de la esquina. Fue el mismo "Chino" Cepeda, el que, ya en su vejez, en las mesas del Club Compañía de Salto, nos enseñó a jugar al ajedrez. Un ajedrez hecho de tiempo, no de codicia. Se aprende así.

Mi secundaria se dio en pleno albor de la democracia. Ahí estaban las voces de los que volvían del exilio, los discursos de los políticos que pasaban en campaña, las de los compañeros con quienes vivimos la experiencia de crear el Centro de Estudiantes de nuestro colegio. Fue un ambiente único donde pudimos expresarnos y descubrir, juntos, la renovada posibilidad de vivir en libertad. La escuela me enseñaba por la mañana y la imprenta "Gutenberg" de los hermanos Rollin, por la tarde, donde encima de aprender escuchándolos, me ligaba unos pesos por la ayuda que podía darles. En los meses de diciembre, por la cosecha de trigo, hacíamos unas changas con mis primos Blazevich.

Ya hemos sabido que uno recuerda lo que emociona. Por eso es inolvidable para mí el ruido del tren en el andén poniéndose en marcha para traerme hasta la estación de Once a estudiar la extensa, sacrificada y fascinante carrera de medicina en la Universidad de Buenos Aires. La ciudad me recibió como recibe a propios y extraños: con intensidad, con cariño, con furia. Ser un saltense en Buenos Aires me impactó más que, luego, ser un porteño en Cambridge. Nuestro país es tan grande como un mundo. Me resonaban las bocinas, las sirenas, los ecos del subterráneo, pero también, aún hoy, la voz del profesor Tomás Mascitti cuando me decía "hay que lograr tener la sabiduría vertical del árbol, que logra equilibrar sus raíces con su follaje". Él supo impulsarme en el estudio de ese órgano único y misterioso que es el cerebro humano; y también transmitirme la pasión por nuestro país. Lo escuchaba como lo que era, un líder que tenía muchas inquietudes, que le interesaban la ciencia, la literatura y la Argentina. Tener grandes maestros es tener la mitad del camino recorrido.

Cuando terminé la Facultad decidí perfeccionarme en el exterior, en Estados Unidos e Inglaterra, para poder volver lleno de experiencias con colegas de otras universidades y laboratorios del mundo. Por ese entonces, en Cambridge tuve el privilegio de dialogar largo tiempo con César Milstein y así escucharlo de cerca. Me hablaba de nuestro país con gratitud, justo él que le había pagado con un premio Nobel. Era una persona sencilla y generosa, como toda la gente verdaderamente sabia, que con su tono de voz pausado me decía: "Repatriar a los científicos maduros es difícil, pero se deben generar las condiciones para que la gente joven que quiera hacer algo por su país pueda regresar".

Durante los fríos días en Inglaterra también solíamos tener reuniones con otros investigadores. Estar ahí, entre profesionales que en su mayoría eran egresados de los institutos más distinguidos del mundo, debatiendo sobre complejos temas científicos en inglés, era un gran desafío cotidiano que podía retacearme el ánimo, no solo porque a veces no se trataban mis temas más próximos, sino porque el idioma inglés lo aprendí de grande. Un día, recuerdo, discutíamos sobre problemas estadísticos sumamente complicados y, en medio de la reunión, volvieron esas voces de la adolescencia para darme fuerzas: "Ellos vendrán de los mejores institutos, pero ninguno trabajó en la imprenta Gutenberg de Salto".

Volví en 2001 porque este es mi país. Es una sensación única sentirse en el lugar de uno. La cosa estaba

muy difícil para todos por acá, cómo olvidarlo. Volví
porque estaba convencido de que era el momento que
debíamos exigir a la voluntad, al esfuerzo y a la inteligencia para enseñar, para alimentar, para curar, para re-
componernos como sociedad. Pero ¿por dónde empezar?
Intentaría hacer lo mejor posible aquello en lo que me
había preparado, una manera de militar por el país desde lo específico. Así surgió el proyecto de crear un instituto que estudiara con el método científico, no solo
enfermedades neurológicas y psiquiátricas sino también
procesos cerebrales humanos como la toma de decisiones, la memoria, el aprendizaje, las conductas morales y
sociales, entre otras. En la Argentina, en ese momento,
había, por un lado, expertos neurólogos y psiquiatras que
investigaban clínicamente y trataban enfermedades, e investigadores de ciencias básicas estudiando la memoria y
otros procesos cognitivos en animales; y, por el otro, el
psicoanálisis. Pensaba que era necesario ampliar los modos de abordar estos estudios y, a su vez, que mi sociedad
comprendiera que eso era factible. Teníamos la ilusión
de que nuestro país apareciera en el mapa mundial de las
neurociencias cognitivas humanas y se transformara en
un faro mundial en esta área. Estaba convencido de que
podríamos lograrlo. Decidimos armar equipos locales
que produjeran, desde acá, investigaciones que tuvieran
impacto mundial. Recuerdo las palabras de Gastón, mi
hermano, que una tarde de esas me preguntó con su generosidad y su sabiduría que mezcla el pueblo, la ciudad

y el mundo: "¿Qué necesitás?, hagámoslo y punto". Así fue que junto con él, su socio Marcelo Savransky, amigos y colegas como Teresa Torralva, María Roca, Alicia Lischisnsky, Marcelo Cetcovich, Fernando Torrente, Tristán Bekinschtein, entre otros, fundamos el Instituto de Neurociencias Cognitivas (INECO). Solía repetir cuando contaba este sueño: "¡Vamos a hacer un Instituto Di Tella de las ciencias!". ¿De dónde venía esa idea? De la posibilidad de ver instituciones, laboratorios e investigadores en el mundo. Pero también me resonaba la voz de ese prócer llamado René Favaloro: "La ciencia es una de las formas más elevadas del quehacer espiritual pues está ligada a la actividad creadora del intelecto, forma suprema de nuestra condición humana".

Aprendí a querer al doctor René Favaloro gracias a mi padre que admiraba entrañablemente a este médico, científico y referente social que pensaba en el país y su gente antes que en él mismo. Para quienes, como yo, somos médicos egresados de la universidad pública, el concepto que engloba la misión de Favaloro "Medicina de excelencia para todos" es un juramento hipocrático íntimo, personal y público.

Poco tiempo pasó para que esa voz se hiciera más próxima aún. Las autoridades de la Fundación Favaloro nos invitaron a colaborar para hacer realidad el sueño de René de estudiar interdisciplinariamente cerebro-corazón y aportar así nuestro granito de arena para continuar el legado de una de las personalidades claves del siglo XX argentino. Primero creamos el Instituto de Neurociencias de la Fundación Favaloro y luego me honraron con la posibilidad de ser rector de su universidad. Un gran equipo lo hizo, como se hacen las cosas que tienen valor.

Hoy la televisión, los diarios nacionales y las grandes editoriales se interesan por las cosas que podamos llegar a decir ligadas a nuestro campo. Pero esto no habla tanto de quien las dice sino mucho más de quienes escuchan. De esta posibilidad de comunicación a gran escala, sé que lo más fructífero no está en lo dicho sino en su eco: cada mensaje de correo electrónico o de redes sociales que me hacen llegar, la conversación con cada uno después de cada presentación, el abrazo afectuoso. Todas son voces que no hacen más que comprobar esa frase que Jorge Luis Borges le dijo a Raúl Alfonsín hacia 1983: "Los argentinos no solo tenemos el derecho sino el deber de la esperanza".

Este libro está hecho con las voces que escuché durante toda mi vida. Esas que enseñaron, que aconsejaron, que protegieron. Ojalá sea un eslabón de una cadena que permita, en algo, servir a los más jóvenes. Como una carrera de postas, hoy somos nosotros los responsables de hacer un país mejor, más que por nosotros, por ellos. Y todavía estamos en deuda. Necesitamos pensar un país para los que vengan. Es nuestra responsabilidad. Estoy convencido de que podemos lograrlo también.

Para eso, debemos pensar y debemos actuar. Estas acciones no son contrapuestas sino complementarias.

Nuestro país supo tener una tradición en la cual la actividad política y la intelectual no estaban escindidas. Grandísimos ejemplos de esto son Alberdi, Sarmiento, Bartolomé Mitre o, ya en el siglo XX, el propio Perón, Jauretche o Frondizi. Un presente presuntamente partido de una reflexión teórica por parte de los líderes no solo constituye una crítica a los políticos, sino también a los pensadores. ¿Puede existir lo uno sin lo otro? Quizás sí, pero uno y otro campo quedan empobrecidos. La reflexión entre cuatro paredes sin esa capacidad de poner a prueba las teorías se puede volver recursiva, endogámica. Y la práctica política o social sin reflexión abstracta se puede volver sosa, superficial, ramplona.

Y hablando de voces y de personalidades de la historia, a veces me pregunto qué dirían de esta Argentina actual estos grandes argentinos si vivieran. Estoy seguro de que ellos también verían el futuro con esperanzas. Nuestra historia de siglos, y también lamentablemente nuestra historia reciente de la cual muchos de nosotros somos contemporáneos, estuvo signada por la sangre, la violencia del Estado, el argentino *lobo* del argentino. Que hoy estemos viviendo en paz y en democracia es algo por lo que debemos sentirnos felices y a partir de eso pensar un futuro mejor.

Por último, quiero dedicar este libro a mis afectos cercanos –mis hijos, Manuela y Pedro, por recordarme que hay mucho más en la vida que la pasión por el cerebro y la Argentina, y Josefina, mi mujer; mi hermano y mejor amigo Gastón; mi madre Dora; mis asistentes Cecilia Biquard, Paula Asorey y Paola Buratti; mis amigos– y a quienes en estos años de mi vida me enseñaron, me protegieron, me estimularon a seguir un camino, a respetar al otro, a querer a mi país. Por supuesto, también a mi amigo Mateo, por su paciencia, inteligencia, tenacidad y sabiduría de la que me beneficio –y disfruto– inmensamente en este fructífero intercambio diario y trabajo colectivo que tenemos desde hace ya muchísimos años. Y también quiero dedicarlo a tantos jóvenes que, como aquel de hace algunos años que esperaba en el andén el tren, tienen fe y confianza, pero también incertidumbre y miedos. Y sueños, sobre todo sueños. Porque este libro es una invitación a pensarse él mismo con los demás, a pensarnos todos nosotros, a reflexionar en comunidad, a dialogar y hacer un país mejor. Una manera de imaginar el futuro que deseamos y a comprometernos en hacerlo realidad juntos.

Prólogo
de Mateo Niro

Una vez más le agradezco a Facundo por permitirme acompañarlo y así aprender de él, con él, de tanto y de tantos. También a mis amigos y a mi gran familia: mis padres, Raquel y Domenico; mis hermanos, Sergio, Ana, Lucas y Mariana, cuñados y sobrinos; a Gastón, que así como para Facundo es también su amigo, para mí es también mi hermano; mi mujer, Daniela, y nuestros hijos, Lorenzo, Helena y Julia; todos tan amados. La verdad es que por ellos y por muchísimas cosas más, la vida viene siendo muy generosa conmigo. De hecho, hace varios años sufrí una delicadísima situación con mi salud (en mi cerebro argentino, justamente) de la que, de manera casi milagrosa y por la gracia, pasión y profesionalismo de los médicos que me trataron, lo único que ha quedado es la experiencia. Pero como digo una cosa digo la otra. Hoy no puedo dejarle pasar la desatención de este tiempo, porque se ha ido mi amiga Gabriela Halpern. Como diría Miguel Hernández en su famosa elegía, temprano levantó la muerte el vuelo. A ella y al recuerdo de su dulce y poderosa voz, quiero dedicar este libro.

Introducción

Introduction

El cerebro argentino es igual al del resto de los seres humanos. Los mismos rasgos biológicos generales, estructuras anatómicas y funciones están en todas las personas de todas las culturas. Pero, al mismo tiempo y aunque parezca contradictorio, todos los cerebros son diferentes porque la interacción de los genes con el ambiente –el contexto social, los gustos y las experiencias– hace que el cerebro de cada uno esté cambiando permanentemente a lo largo de la vida.

A veces pensamos que tomamos decisiones de manera autónoma, pero en realidad muchas están moldeadas por las experiencias almacenadas en nuestro cerebro. Aunque no seamos conscientes de que ocurre, la cultura influye en la forma en que vemos el mundo, en la manera que enfocamos los problemas y cómo los resolvemos. En todo ello inciden la relación con el pasado y el futuro, la moral y las emociones, la interacción con el otro, el modo de entender y buscar la felicidad. Es así que la toma de decisiones está fuertemente atravesada por las acciones y pensamientos de quienes nos rodean de manera próxima pero también por la sociedad en la que vivimos, por las historias comunes y por las normas sociales establecidas.

La cultura es el conocimiento adquirido para afrontar la vida, es compartida por un grupo específico de personas y se trasmite de generación en generación. El cerebro funciona como *la sede de la cultura* ya que es ahí donde se almacena ese conocimiento. Algunos definen la cultura como "las creencias habituales y valores que los grupos étnicos, religiosos y sociales transmiten de forma casi inalterada de generación en generación" o como "la conformación de un repertorio o juego de herramientas, hábitos, habilidades y estilos con los cuales las personas construyen las estrategias de acción". Personas de diversas culturas a menudo hacen las cosas de manera muy distintas. Esto no significa, como dijimos, que el cerebro sea anatómicamente diferente según la nacionalidad, sino que todo este conocimiento aprendido (el valor de la amistad y la solidaridad, la puntualidad o impuntualidad, el gusto por el asado) se almacena en nuestro cerebro de manera particular. Las culturas difieren en sus normas (lo que se supone que la gente debe hacer en ciertas situaciones), en sus valores (proteger el honor de la familia) y en sus formas de pensar.

Nuestro cerebro es una gran máquina de aprender y tiene la capacidad de modificarse a sí mismo constantemente para mejorar nuestras respuestas frente al ambiente. Una manera en que realiza esto es formando modelos de respuesta frente a ciertas situaciones típicas o repetitivas. Identifica regularidades del ambiente o contextos específicos y desarrolla paquetes de información y patrones de conducta más o menos fijos para esos contextos. Pensemos en cuando vamos al supermercado, allí sabemos qué vamos a encontrar y de qué manera vamos a comportarnos. La psicología cognitiva llamaba a estos modelos mentales "guiones", porque organizan nuestra conducta de un modo predecible y estructurado. Pensemos ahora también en un género musical: cuando escuchamos un tango, unos pocos acordes nos permiten saber qué podemos esperar luego, y podemos saber también de qué temas nos hablarán sus letras. Como estos hay muchos ejemplos de cómo nuestro cerebro forma patrones mentales sobre eventos, que nos permiten identificar más rápido ciertas situaciones y actuar en consecuencia. Esto hace más eficiente nuestro sistema cognitivo, evitando que tengamos que volver a procesar una misma situación una y otra vez como si fuera nueva. Algunos de estos mecanismos son muy simples y automáticos, como los hábitos motores, y otros muy complejos, como los esquemas cognitivos que formamos sobre nosotros mismos y sobre el mundo. Estos esquemas son sistemas de creencias y actitudes profundamente arraigadas, que se construyen en la infancia a partir de los diferentes modelos (familia, escuela, cultura, sociedad y otros significativos) y que se viven como verdades *a priori*. Estos patrones nos permiten organizar nuestra experiencia y nos dan un marco para entender el mundo.

Son importantes creencias y sentimientos acerca de uno mismo, de los demás y del mundo. Tendemos a relevar la información que los confirma y a desestimar la que los cuestiona. La formación de esquemas contribuye, a su vez, a organizar y preservar la identidad personal. Estos son centrales en el concepto que tenemos de nosotros mismos, por eso son muy resistentes al cambio y tienden a autoperpetuarse. Es como si usáramos lentes de un color determinado y entonces generamos una tendencia a ver las cosas de ese color (por ejemplo, sentimientos de imperfección, tendencia a sacrificar las propias necesidades por las de otras personas, dependencia no saludable, etc.). No se trata solo de las ideas, sino también de respuestas emocionales. Vemos el mundo a través de esquemas, y transitamos por él, intentando confirmarlos. Nos aferramos a ellos, incluso cuando nos perjudican. Todos construimos esquemas que nos sirven porque funcionan como ordenadores de los datos de la realidad. Cumplen una función práctica y económica. Concentran información, son cómodos, seguros y resultan familiares. Pero existen ciertos esquemas que están armados en base a creencias disfuncionales construidas a partir de necesidades emocionales no satisfechas en la infancia, experiencias tempranas y el temperamento biológico innato de cada uno. Estos esquemas al ser muy rígidos y difíciles de cambiar, crean un modo disfuncional de interpretar las situaciones, produciendo sufrimiento en la persona y en el entorno, conllevan sentimientos intensos como la tristeza, la ira y la ansiedad y suelen ser activados por experiencias ambientales relevantes o coherentes con un esquema concreto, que los gatillan.

El modelo cognitivo plantea la hipótesis de que las percepciones de los eventos influyen sobre las emociones y los comportamientos de las personas. Es decir, lo relevante no está puesto sobre las situaciones que la vida nos presenta, por fuera de las personas, sino más bien en la interpretación que se realiza de esas situaciones. Ante una misma situación, diferentes personas pueden atribuirle significados diferentes. ¿Cómo se explica esto?

Estos sesgos mentales funcionan como una suerte de atajos que nos permiten resolver de manera simple y sin demasiado esfuerzo cognitivo problemas en la vida cotidiana. Para entender mejor este concepto, podemos imaginarnos que nuestra mente es como una cámara fotográfica que cuenta con ajustes manuales y automáticos. Estos últimos nos sirven para captar rápida y fácilmente un paisaje o una escena. Los sesgos actuarían análogamente de esta manera. Más adelante volveremos con esta comparación.

Existe una amplia variedad de sesgos cognitivos que suelen responder a la evolución y fueron de gran utilidad para la supervivencia humana. Así, la preferencia por la comida que tiene sabor dulce frente a la de sabor amargo descansa en el hecho de que en el mundo vegetal son numerosos los alimentos dulces que contienen fuentes de energía y muchos los alimentos amargos que contienen veneno. Por su parte, un sesgo frecuente es el pensamiento dicotómico, que plantea oposiciones *blanco o negro*. Se expresa en una concepción extremista de los eventos que, por ejemplo, asume que nunca les va a ir bien o cuando asume que determinado político es bueno o es malo. Otro sesgo del pensamiento es la minimización o maximización de los hechos. Consiste en amplificar los aspectos negativos de una situación a la vez que se minimizan los positivos, por ejemplo, si se consiguió un ascenso laboral, se asume que se trata de suerte y no de un logro personal. Algunos investigadores proponen que los sesgos pueden *filtrar* la memoria, en consecuencia, sostienen que las personas con depresión recuerdan predominantemente la información negativa.

Otro sesgo es el "efecto halo", que nos lleva a trasladar de manera directa una cualidad particular de una persona hacia el resto de sus características (*si es bueno para una cosa, es bueno para esto otro*); otro es el que otorga mayor intensidad al dolor por una pérdida que al placer de una ganancia (aversión a la pérdida).

Estas formas de construir la realidad guían las emociones y las acciones de las personas. Los sesgos existen porque la mayoría de las veces estos mecanismos permiten hallar respuestas en forma rápida y efectiva y, generalmente, producen respuestas aproximadamente acertadas para sobrevivir. Sin embargo, como no son flexibles, es probable caer en equivocaciones. Por ejemplo, las fallas que se cometen comúnmente al realizar juicios de probabilidad fueron estudiadas por los psicólogos israelíes Daniel Kahneman –el primer psicólogo en ganar el premio Nobel de Economía– y Amos Tversky. Según ellos, estos errores corresponden a limitaciones en el procesamiento de la información. Las personas suelen desconocer las reglas de la estadística o no tienen la capacidad para realizar los cálculos en forma mental de modo de poder llevar a cabo un razonamiento estadístico acertado. Por lo tanto, hacen inferencias movidas por la intuición, siguen en realidad reglas heurísticas que, incluso, tienen la apariencia de juicios razonables.

Diversos estudios señalan que las personas tienden a tomar distancia de los hechos que van en contra de sus creencias. Y en el caso de que ese sistema de ideas se vea amenazado, la respuesta suele ser negar la trascendencia de esos datos que la contradicen. Generalmente, no se cuestionan las creencias porque conforman la propia visión general del mundo que nos permite sentirnos seguros. En este sentido, es interesante detenernos en el denominado "sesgo de confirmación". Consiste en un comportamiento habitual que se basa en buscar y, por lo tanto, encontrar pruebas que nos sirven para apoyar nuestras propias creencias. Partimos de ideas previas y en las discusiones y los debates buscamos la información que las confirme. Tendemos, entonces, a negar o ignorar las evidencias que las contradicen. Este sesgo también atañe a la interpretación. Se considera que existe una interpretación sesgada cuando ante pruebas ambiguas o neutrales se interpretan los datos unidireccionalmente de acuerdo con la propia postura. El sesgo de confirmación interviene en el afianzamiento de los estereotipos que construimos sobre las personas. Cuando conocemos a un extranjero vamos a preguntarle por los gustos y las actividades que asociamos como típicas de su país. Es decir, vamos a buscar la información que reafirme nuestros estereotipos. Al respecto, la psicóloga estadounidense Catherine Sanderson explica cómo actúa la selección de la información que tomamos o que ignoramos. Afirma que dejamos de lado y olvidamos aquello que se contrapone con nuestros supuestos; mientras que tendemos a aceptar y recordar los datos que son consistentes con los estereotipos. Así, nos parece obvia nuestra postura; pero, en realidad, no estamos recordando los argumentos que existen en contra. Más allá de las pruebas de laboratorio, podemos recordar cualquier discusión que hayamos tenido en algún bar de Córdoba, Buenos Aires o Mendoza entre amigos por una cuestión determinada: muy probablemente, después de interlocuciones airadas, argumentaciones sesudas y apelaciones a la falacia argumentativa *ad hominen* (lo que comúnmente llamamos "chicanas"), al concluir, nadie haya cambiado su opinión inicial. Todo esto se exacerba si se trata de asuntos que afectan las emociones o que atañen ideas muy arraigadas. Como resultado, lo más común es que no solo no hayamos cambiado de opinión sino que se refuerce y aumente la confianza en el propio sistema de creencias.

Este libro, entonces, más que *El cerebro argentino*, podríamos haberlo llamado más apropiadamente *El sesgo argentino*. Es ahí donde queremos focalizar, ahondar, problematizar y, en tal caso, intentar cambiar.

Reflexionar sobre las ideas que guían nuestro comportamiento personal y social y, en el caso necesario, modificarlas es dificultoso, incluso cuando se trata de hábitos perjudiciales para nosotros mismos, porque implica abandonar la zona de *confort* conocida por algo nuevo que puede, al principio, generar cierto malestar. Para hacerlo tendríamos que sacar la mente del "modo automático" y aunque sea trabajoso, ponerla a trabajar de "modo manual". Flexibilizar y poner en tela de juicio nuestros pensamientos, especialmente aquellas cogniciones que interfieren negativamente con nuestra vida es una estrategia de gran ayuda para cada uno y para la comunidad.

▶ **¡Yo, argentino!** *fr. pr. coloq.* Expresión indicativa de que no se desea intervenir en algo para lo que se es requerido. Implica "lavarse las manos" ante un asunto. *Obs. La frase habría nacido, según algunos autores, con la Primera Guerra Mundial. Los argentinos de viaje por Europa, al ser detenidos o interrogados o en cualquier trámite en que se consultaba*

> *su identidad nacional, la decían, con*
> *lo que señalaban que no pertenecían*
> *a ninguno de los dos bandos en pug-*
> *na. Se sigue usando con igual sentido,*
> *más allá de situaciones bélicas. Otros,*
> *en cambio, la refieren a la revolución*
> *que encabezó José E. Uriburu, el 6 de*
> *septiembre de 1930. Los transeúntes,*
> *al ser sorprendidos por tropas de uno*
> *u otro bando, decían la frase para in-*
> *dicar su neutralidad en la contienda.*

La necesidad de pensar en nosotros mismos

Toda revolución tiene un orador y la de 1810 lo tuvo: el abogado Juan José Castelli, vocal de la Primera Junta de Gobierno. El escritor Andrés Rivera recrearía sus últimos días en la novela *La revolución es un sueño eterno*, ganadora del Premio Nacional de Literatura de 1992, conmovido por el simbólico hecho de que quien fuera el orador de la revolución muriera de cáncer de lengua. Rivera imagina un Castelli que, como ya no puede hablar, escribe sus pensamientos y reflexiona sobre ellos. Así comienza la novela: "Escribo: un tumor me pudre la lengua. Y el tumor que la pudre me asesina con la perversa lentitud de un verdugo de pesadilla. ¿Yo escribo eso, aquí, en Buenos Aires, mientras oía llegar la lluvia, el invierno, la noche? Escribí: mi lengua se pudre. ¿Yo escribo eso, hoy, un día de junio, mientras oía llegar la lluvia, el invierno, la noche?".

Esta habilidad que tenemos de reflexionar sobre nuestros propios pensamientos y de evaluar la precisión de las decisiones que tomamos se denomina "metacognición". Es aquella capacidad que nos permite emitir juicios sobre nuestras propias ideas. La metacognición también interviene en el aprendizaje cuando abstraemos una estrategia que sirvió para un problema del pasado y lo aplicamos a un problema nuevo. Así intentamos proceder en este libro: pensar cómo pensamos los argentinos. Esta es su motivación y su objetivo. Y si fuese posible, a partir de eso, hacer(nos) un país mejor.

En la década del 70 el psicólogo norteamericano John H. Flavell definió "metacognición" por primera vez como el conocimiento que tenemos sobre nosotros mismos, nuestras actividades y las estrategias que utilizamos cotidianamente. Cuando *hacemos esto*, nos convertimos en audiencia de nuestro propio desempeño intelectual, nos volvemos observadores activos y reflexivos de nuestro pensamiento. "Yo, ¿quién soy? Yo, que me pregunto quién soy, miro mi mano, esta mano, y la pluma que sostiene esta mano, y la letra apretada y aún firme que traza, con la pluma, esta mano, en las hojas de un cuaderno de tapas rojas": así es como se mide el Castelli de Rivera. Dos aspectos fundamentales están involucrados en esto. Estos son, por un lado, la habilidad de pensar sobre lo que pensamos, aprendemos y conocemos; y, por otro, la capacidad de planificar, autorregular y monitorear la manera en la que lo hacemos.

Si bien todos tenemos esta habilidad metacognitiva, no somos igualmente exitosos al momento de ponerla en práctica. Diversas investigaciones exponen que quienes son eficientes en la resolución de problemas tienen más desarrolladas estas habilidades metacognitivas. Por lo tanto, suelen reconocer los errores en el propio pensamiento y monitorear los procesos de reflexión. Ahora bien, también es posible estimularla y desarrollarla más eficazmente. Por este motivo, sería muy beneficioso que se la considerara más, especialmente, en el ámbito educativo. Los educadores, al transmitir conocimiento, pueden contribuir con múltiples estrategias a su impulso. Si los alumnos reflexionan activamente sobre su propio proceso de aprendizaje y pensamiento, pueden ser más conscientes, por ejemplo, para la autocorrección. Además de tener un impacto positivo en la educación, la ciencia de la metacognición contribuye a la reflexión sobre culpas y castigos en el ámbito judicial, sobre los tratamientos en las enfermedades neurológicas y psiquiátricas, y en la interpretación de la propia naturaleza humana.

Una sociedad que le atribuye relevancia a la propia conciencia, puede también reflexionar sobre sus decisiones, sus procesos, sus juicios, sus errores y sus proyectos. Nosotros podemos hacerlo. Así, en soledad y en sus últimos días, lo exhibe el Castelli de la novela de Andrés Rivera: "En esas desveladas noches de las que te hablo, pienso en el intransferible y perpetuo aprendizaje de los revolucionarios: perder, resistir. Perder, resistir. Y resistir. Y no confundir lo real con la verdad".

¿Cuál es la realidad?

Contrariamente a lo que entendemos de manera intuitiva, nuestras percepciones no son copias directas y fieles del mundo que nos rodea. El cerebro no es una cámara filmadora que capta de manera pasiva nuestro entorno, sino que elabora representaciones y modelos de esos eventos externos. Toma información y la tamiza para encontrar patrones y así construir, como un *show multisensorial y tecnicolor*, nuestra realidad.

Existe cada vez mayor evidencia neurocientífica de que lo que percibimos no es lo que es el mundo en sí sino un modelo y una predicción de lo que nuestro cerebro cree que *el mundo debería ser*. Después de estar expuesto a fenómenos asimilables muchísimas veces (el movimiento de objetos, las reacciones interpersonales, la próxima palabra de nuestro interlocutor, la manera en la que se combinan los colores, etc.), el cerebro se entrena para predecir lo que va a suceder momentos antes de que efectivamente suceda. Y funciona así para minimizar la sorpresa que puede generar nuestro ambiente, un mecanismo sumamente adaptativo en la evolución. El ser humano es capaz de predecir cómo vestirse, según el clima, para no enfermarse y la aparición de un animal al oír determinado sonido desde los arbustos para cazarlo o huir, según el caso. Cuando vemos el animal, no tenemos que reconocerlo de la nada, ya que si vivimos situaciones parecidas a esa o lo hicieron nuestros antepasados, preactivamos su representación mental. En el caso de no existir esa experiencia previa, la información ingresa al cerebro y avanza en forma de *error* para esas predicciones, que a su vez reactualizará predicciones futuras para minimizar la sorpresa.

Desde la perspectiva de la evolución, procesar la información sensorial integralmente requiere más tiempo del que podemos disponer los seres vivos si queremos sobrevivir. Es por eso que, de alguna manera, vivimos en el pasado. El cerebro no puede utilizar solamente la información sensorial entrante del ambiente, ya que sería muy ineficiente y lento analizar con detenimiento todos los rasgos de lo que vemos, oímos y tocamos para poder luego inferir qué se está percibiendo. Esto maximizaría su ineficiencia en situaciones ambiguas, por ejemplo, al preguntarnos cada vez: ¿esta figura alargada es una rama o una serpiente? La evolución priorizó estrategias cognitivas que no necesitaran detenerse para analizar todos los rasgos de un estímulo, sino inferir rápidamente y actuar. Los que se pararon a pensar mucho tiempo no sobrevivieron y no pudieron pasar sus genes a la siguiente generación.

El arte, desde el cine y la pintura hasta la literatura, muchas veces busca explotar este error en nuestras predicciones. Las obras artísticas buscan generar una ilusión inicial y agrandar lo más posible la sorpresa subsiguiente. Los teóricos de la literatura llamaron a esto "extrañamiento". Por su parte, el cine de terror constantemente busca generar una sorpresa e inducir el miedo mediante situaciones riesgosas, pero en la situación segura del cine o el hogar. Es probable que estas películas capten tanto nuestra atención porque nos permiten simular los riesgos del mundo sin padecerlos. Esto es muy adaptativo biológicamente por más inverosímil que sea el *thriller*. De hecho, a algunos les cuesta dormir a la noche después de una hora y media de estar aterrorizados. El cerebro no puede dejar de asimilar estos *peligros* del mundo como verosímiles aunque no lo sean, para anticipar su aparición en el futuro, un legado de la evolución.

La percepción de la realidad tiene menos relación con lo que pasa fuera que con lo que está dentro de nuestra mente. El cerebro crea la realidad, por lo cual al describir el mundo externo también estamos hablando de nosotros mismos.

▶ **De cabeza**. *loc. adj. rur.* Con ahínco, con dedicación.

La imposibilidad de reconocer

Otro concepto de las neurociencias que resulta fundamental traer a cuenta para este libro sobre nosotros mismos es

el de la "anosognosia" (del griego *a*: sin, *nosos*: enfermedad y *gnosia*: conocimiento) o la imposibilidad de reconocer una enfermedad. La anosognosia es un síntoma
que se presenta en diversas enfermedades neurológicas y
consiste en la falta de reconocimiento de una dificultad
como, por ejemplo, la parálisis de un miembro o de la
falla en funciones cognitivas.

Veámoslo primero desde la ciencia. El primer caso en
el que se mencionan los síntomas de la anosognosia se
puede encontrar en una carta del filósofo de la Antigua
Roma Séneca donde le describe la sintomatología que
padece una señora a un conocido. Los primeros casos
descriptos en medicina fueron realizados por los neurólogos Von Monakow en 1885 y Anton en 1896. En
1914 el reconocido neurólogo Joseph Babinski finalmente acuñó el término cuando estudiaba el desconocimiento que tenía un paciente de su propia hemiplejia
izquierda, una parálisis de la mitad de su cuerpo. Algunos pacientes como el de Babinski pueden no tener
conciencia de que no les es posible mover un brazo e, incluso, llegan a no reconocer ese brazo como propio, un
autoengaño denominado "somatoparafrenia". Otro caso
famoso del neurólogo indio Vilayanur Ramachandran
está dado por una paciente a la que le pregunta si puede
mover el brazo paralizado (por supuesto no lo mueve) y
ella le responde que sí. Luego le pide que aplauda y solo
mueve el brazo derecho que no tiene afectado. Le pregunta si mueve los dos brazos y responde otra vez que sí.

Finalmente le pregunta de quién es ese brazo mientras le señala el brazo izquierdo que tiene paralizado y la mujer le contesta: "Es suyo".

La anosognosia puede darse de diversas formas, por ejemplo, en déficits de visión. El síndrome de Antón es una de estas, y se caracteriza por la negación de una ceguera que es causada por lesiones occipitales bilaterales extensas en la corteza cerebral. El paciente está ciego, pero no tiene conciencia de ello. Otra anosognosia que comprende la visión sucede en pacientes que tienen afectada la mitad del campo visual y que, en consecuencia, no lo perciben (afección conocida como "hemiapnosia"). La anosognosia puede involucrar también el desconocimiento de problemas en las funciones cognitivas. Los pacientes que tienen afasia, es decir, una dificultad en la producción o comprensión del lenguaje producto de una lesión cerebral, pueden no ser conscientes de sus fallas para expresarse o comprender. También se presenta en pacientes que poseen un déficit de memoria y no lo perciben. En casos más leves, quienes padecen este síntoma reconocen la alteración de las funciones pero le restan importancia.

La anosognosia no es un mecanismo psicológico de negación. Tiene una base anatómica, que si bien suele identificarse con lesiones en los lóbulos parietales o frontales, también puede coincidir con daño en otras áreas del cerebro. En el campo de las neurociencias conductuales, se considera de manera amplia como un "déficit de conciencia de la enfermedad". Así, se reconoce dentro de este cuadro la alteración en la percepción de los daños que son producto de enfermedades neurodegenerativas, como las demencias, o de un daño cerebral adquirido, como en las infecciones cerebrales, los traumas craneo-encefálicos o los accidentes cerebrovasculares.

Por supuesto que se trata de una condición que resulta sumamente compleja porque afecta la percepción del problema, lo que se transforma en una doble dificultad ya que muchos de estos pacientes no buscan tratamiento. Es tal la importancia de este concepto dentro de la ciencia que nos permite traerlo a reflexiones sociales, porque muchas veces la gravedad de nuestros síntomas radica en que la rehabilitación depende en mayor medida del reconocimiento de nuestro déficit. Por lo tanto, la implementación de soluciones se ve retrasada mientras persista esta condición y, consecuentemente, la mejora de la calidad de vida.

Una metáfora de esto parece el lamento del poeta en la canción que solía cantar Miguel Abuelo "Se me olvidó que te olvidé" cuando dice que, justamente por eso, le volvió a sangrar la herida, a él que nada se le olvida.

> ▶ **Sacar los trapitos al sol**. *loc. vb.*
> *coloq.* Echar en cara *a alguien* sus
> faltas o defectos haciéndolo pública-
> mente para que trascienda a terceros.

¿Quién tiene la culpa? El caso de las culturas individualistas y colectivistas

Si bien tenemos cerebros similares a los de todo el mundo y vivimos en una sociedad globalizada en la que es posible interactuar con cualquiera con absoluta facilidad, recibir noticias, compartir información e incluso videos caseros de cualquier parte, los argentinos estamos atravesados por distinciones moduladas por tradiciones, concepciones y formas de ver las cosas. De hecho, al viajar a otro lado del mundo, es relativamente fácil reconocernos entre muchos por los modos de hablar pero también por ciertas actitudes y conductas. ¿O no somos capaces de coincidir de manera más o menos precisa cuando decimos que *los argentinos somos así*? ¿O no son los demás que dicen *los argentinos son así*? ¿De dónde surge esa idiosincrasia y los estereotipos por lo que muchos (incluso nosotros mismos) nos identifican?

Pongamos como ejemplo en este apartado un caso muy general para que, desde ahí y en lo sucesivo, pueda aplicarse al detalle: investigadores de las psicología social proponen que existen tipos de cultura más individualistas y tipos de cultura más colectivistas, aunque, por supuesto, dentro de ellas existan todos los perfiles y aspectos posibles del ser humano. Según estas teorías, las primeras conciben a las personas como entidades únicas independientes de las demás. Por eso quienes forman parte de estas culturas construyen una imagen de sí mismos de acuerdo con sus rasgos, atributos y capacidades

personales. Consecuentemente, las formas de relacionar-
se suponen determinadas características. Se los describe
como grupos autónomos en los que se privilegia la expresión de la voz propia y el logro de las metas individuales. En cambio, las culturas colectivistas entienden a
los individuos en relación con los otros y con el medio
ambiente. En estos casos, la imagen de sí mismos se vincula con las relaciones sociales y sus seres más cercanos
están incluidos en su visión. Se enfocan, por ende, en la
conexión con los otros, y de ello depende su sentido de
la felicidad. Así establecen relaciones grupales de interde-
pendencia y sus vidas se orientan hacia las metas colectivas. Ahora bien, ¿estas características más individualistas
y más colectivistas las decidió cada una de las personas
que integran esas comunidades y, producto del inmenso azar, coinciden en un mismo territorio y forman una
misma cultura? Claro que no.

Las personas tenemos múltiples necesidades que no
son universales sino que varían según las culturas. Por
ejemplo, la teoría de la autodeterminación, propuesta
por los investigadores Edward Deci y Richard Ryan, in-
daga sobre tres necesidades: la de autonomía, la de rela-
cionarse y la de ser competente. La satisfacción depende
en gran parte del contexto, y redunda en el bienestar y
la salud mental de las personas. Cuando se evaluó esta
teoría en ocho culturas distintas, se encontró que en los
participantes asiáticos la necesidad de idoneidad y autonomía era menor frente a la de relación.

Como referimos brevemente al comienzo de esta introducción, las diferencias entre las culturas influyen drásticamente en la toma de decisiones. Una investigación de la Universidad de British Columbia, de Canadá, reveló la importancia que se le otorga a la felicidad y satisfacción personal al momento de decidir y cómo se observa una diferencia entre participantes occidentales y orientales. Para esto, les mostraron a unos y otros dos actividades, que consistían en juegos de computadora del estilo de rompecabezas, entre las que tenían que elegir. Una tarea se presentaba como divertida pero, se les aclaraba, que no tendría un impacto en las capacidades intelectuales; la segunda tarea se describía como beneficiosa para mejorar el rendimiento intelectual, pero no era placentera. Medían así las preferencias en torno a los valores de utilidad frente a los de satisfacción. Los resultados mostraron una clara tendencia de los occidentales a privilegiar lo placentero por sobre lo necesario. Confirmaban así una diferencia entre culturas en el lugar otorgado a la satisfacción personal.

Los científicos hicieron otro estudio con una vuelta de tuerca: midieron qué rol tenían las expectativas de obtener satisfacción en participantes originarios de países del este asiático, pero residentes en Canadá (es decir, personas que estuvieron expuestas a los dos tipos de culturas descriptas). La prueba, similar en su sentido a la anterior, consistía en que los participantes tenían que elegir un curso académico al que asistir, algunos eran entretenidos

y otros, útiles. Pero antes de administrarla, dividieron a
estos participantes en tres grupos: a los miembros del primero les pedían que leyeran una historia en la que se tomaban decisiones ponderando valores colectivos; en otro
grupo, el texto que les daban a leer privilegiaba valores
individuales; y, un tercer grupo control, no leía nada. Lo
que buscaban observar era si facilitar de manera evidente
una visión colectiva o individualista influía en las decisiones de los sujetos que conocían las dos culturas. En
este caso, concluyeron que esta facilitación daba cuenta
de que los asiáticos brindaban menor importancia al dis-
frute cuando antes eran expuestos a los valores de las culturas colectivistas. En conclusión, los investigadores encontraron que son las diferencias culturales las que hacen
que se le asigne un rol de mayor o menor importancia a la
posibilidad de obtener satisfacción. Y estas divergencias
se vinculan con la representación que tienen las personas
de sí mismas, si se conciben como seres independientes
o interdependientes. Pero la influencia del ambiente no
termina acá, ya que la cultura, como referiremos varias
veces en el libro, también produce modificaciones en el
propio cerebro.

Una investigación midió el nivel de activación de la
corteza prefrontal ventromedial ante el procesamiento de adjetivos que describían a los participantes, a sus
familiares y a extraños. Retomaron la distinción entre
la cultura occidental en la que predomina una visión
de mundo individualista y la cultura oriental con una

concepción colectivista. Observaron así que los occidentales tenían un mejor rendimiento en recordar los adjetivos que se referían a ellos mismos; mientras que los originarios de países orientales tenían un muy buen rendimiento en el recuerdo de los adjetivos que los describían a ellos pero también en los que aludían a los familiares. En ambos casos el desempeño fue menor en lo que respecta a la caracterización de los extraños. Lo novedoso del estudio fue que registró una correlación entre el reconocimiento de los adjetivos y la activación de la corteza antedicha. El buen desempeño en la evocación de los adjetivos coincidía con la activación de esta zona cerebral. Entonces, en los participantes orientales se activaba cuando recordaban los adjetivos que los describían a ellos y a sus familiares; a diferencia de los occidentales en los que solo ocurría en el primer caso. Como cortados por la misma tijera.

▶ **Cortado por la misma tijera.** *fr.* *adj. coloq.* Quien comparte características, comportamientos y actitudes con otra u otras personas.

La ciencia tiene voz
Muchas políticas públicas e intervenciones institucionales para combatir el hambre, la pobreza y la corrupción

deben rediseñarse e incluir una comprensión cabal sobre cómo los humanos pensamos, nos comportamos y tomamos decisiones. Esta reformulación se vuelve necesaria porque esas políticas muchas veces derivan de presuposiciones vagas o concepciones fallidas sobre nosotros mismos, es decir, sobre aquellos sujetos a quienes esas políticas deben estar dirigidas.

Solemos pensarnos como seres racionales, sin embargo, nuestra conducta es mayoritariamente automática, intuitiva y emocional. Los seres humanos tomamos decisiones permanentemente y la velocidad de los eventos que nos suceden hace que no haya recursos cognitivos y datos disponibles necesarios para analizar de forma lógica y analítica. Asimismo, como no siempre es bueno seguir estos atajos, existe también un sistema de toma decisiones lento, racional, deliberado y a largo plazo.

Muchas veces existe la ilusión de que las decisiones colectivas son el resultado directo de la suma de las voluntades individuales. Sin embargo, los sistemas en donde estas decisiones se ejercen son motores centrales de las mismas. Esto se puede ver con claridad en un conocido análisis sobre las donaciones de órganos. En algunos países europeos, la prevalencia de donar órganos es altísima y en otros países vecinos con características culturales, religiosas y sociales similares, es muy baja. En los primeros, los ciudadanos tienen que marcar con una cruz si no quieren donar los órganos, caso contrario automáticamente se obtiene el consentimiento (de esta manera, la gente no marca y dona); en los segundos, los ciudadanos tienen que marcar con una cruz si es que aceptan participar (de esta otra, la gente no marca y no dona). ¿Qué cambia en un caso y en el otro? ¿Es que los primeros son generosos y los segundos mezquinos? ¿Cuál es el elemento más influyente: la decisión individual o el mecanismo en el que la misma debía manifestarse?

No es conveniente para la política pública partir del supuesto erróneo de que las personas somos como no somos o supuestos ideales de que las personas somos como deberíamos ser. La sociedad civil, los gobiernos y las organizaciones comprometidas con la vida social pueden beneficiarse con conocimientos científicos sobre la conducta humana. Y así, mejorar la implementación de medidas que impacten en las decisiones individuales y su contexto y que estas, a su vez, repercutan positivamente en el desarrollo de toda la comunidad.

El capital mental de los argentinos

Este libro pone por caso a la Argentina. Pensemos siguiendo esta idea que algunos de sus principales retos en un mundo cambiante e hiperinterconectado tienen que ver con la necesidad de incrementar las habilidades y conocimientos de quienes lo habitan, nuestra innovación y creatividad. Porque si los argentinos queremos prosperar en un entorno global y dinámico, es vital que demos lo mejor de nuestros recursos. Pero, ¿cuáles son?

Los Estados y las instituciones en general tienen un rol primordial en la creación de un contexto en el que cada uno (otra manera de decir "todos") tenga la oportunidad de *florecer*, es decir, dar lo mejor de sí. La prosperidad personal y de la comunidad, la igualdad y la justicia social en nuestro país dependerán del aprovechamiento cabal del talento de nosotros mismos. Alentar y colaborar unos con otros para potenciar sus capacidades será crucial para el devenir personal pero también social, es decir, nuestro futuro crecimiento y bienestar. Pensémoslo unos momentos.

La ciencia ha progresado asombrosamente en las últimas décadas y permitió tener a disposición de los decisores políticos y económicos renovados conocimientos para brindar apoyo a las personas, a las familias y a las organizaciones en la construcción y mantenimiento de su bienestar y capital mental. Es que uno y otro están íntimamente relacionados.

¿A qué llamamos "capital mental"? El capital mental abarca los recursos cognitivos y emocionales de una persona: su capacidad de aprendizaje flexible y eficiente, las habilidades sociales y de adaptación frente a los desafíos y tensiones del entorno. Por lo tanto, condiciona su calidad de vida y la manera en que es capaz de contribuir eficazmente a la sociedad. Por su lado, el bienestar es un estado dinámico que se ve reforzado cuando somos capaces de cumplir con nuestros objetivos personales y sociales al mismo tiempo que logramos un *sentido* dentro de la sociedad.

Diversos factores que analizaremos a lo largo de este libro afectarán drásticamente al país en las próximas décadas y es necesario tenerlos en cuenta ya. Por ejemplo, la esperanza de vida aumentará de manera impactante. Nuestro concepto de lo que constituye la *vejez* cambiará, y las nociones de *retiro* se resignificarán en respuesta a la vida más extensa. Como ya nos referiremos más adelante, debemos pensar cómo asegurar que el número creciente de personas mayores mantenga en las mejores condiciones su capital mental y, de esta manera, preservar su independencia y bienestar. También es fundamental tomar decisiones para fortalecer dicho capital mental y que la sociedad en su conjunto pueda aprovechar de ese recurso invalorable. Esto, además de fructífero en sí, también es una estrategia muy eficaz para revertir el torpe estigma de la vejez. Por otra parte, las nuevas tecnologías y la globalización seguirán presentando grandes desafíos a nuestra economía y nuestra sociedad cada vez más basada en el conocimiento. Los niveles de habilidades serán críticos para la competitividad y la prosperidad. Para esto será crucial la formación permanente y la promoción de contextos creativos y de innovación con el fin de que todos, cumplamos la función que cumplamos, podamos potenciar nuestras capacidades. La preparación para hacer frente a los nuevos desafíos tiene que comenzar temprano en la vida fomentando la mejor *disposición para aprender*. Ligado a esto, otro punto fundamental tiene que ver con la educación. La relación entre ciencia y educación puede colaborar para el rediseño de políticas educativas y programas para la optimización de los aprendizajes en el mundo actual. Neurocientíficos y educadores trabajando interdisciplinariamente pueden contribuir en la búsqueda de respuestas sobre algunas claves del desarrollo de nuestros niños y jóvenes: cómo piensan, cómo sienten. La inversión en educación de calidad redunda con creces en el capital mental de la sociedad. Esto que parece obvio desde el juego de palabras y desde el sentido común, debe plasmarse como prioridad de nuestra sociedad argentina y que eso se constituya en pilar y política de Estado. De verdad.

La Argentina actual está tejida de una multiculturalidad creciente y un cambio de estructuras familiares y sociales que nos deben impulsar a una interacción cada vez mejor entre nosotros. Se trata de una gran oportunidad para reconocer más la virtud de la diferencia y, también, para conformarnos como sociedad integrada. El éxito en esto puede promover un ciclo virtuoso de oportunidades, mayor inclusión y cohesión social; el fracaso, por su parte, puede alimentar tensiones, aumentar la fragmentación de la sociedad y la exclusión social. No podemos fallar en esto.

Sigamos poniendo por caso a la Argentina nuestra. Debemos estar convencidos de que aquella política que priorice el capital mental es la que nos permitirá el desarrollo y, de esta manera, cumplir con uno de los objetivos que nos exige el preámbulo de la Constitución Nacional:

la promoción del bienestar general. *El cerebro argentino* se trata de eso.

▶ **Hablar en criollo**. *loc. vb. coloq.*
Hablar claro, con franqueza.

Este libro que comienza está organizado a partir de grandes temas que no son más que formas de ordenar una reflexión. Por supuesto que esto no implica un ánimo totalizador ni unívoco. Se trata de una invitación a pensar entre todos cómo somos y, a partir de eso, a encontrar los caminos para lograr el desarrollo individual y social. El primero de estos núcleos es el que aborda nuestra compleja relación con el pasado y la construcción de la memoria social; el segundo, que se llama "enamorados de la crisis", plantea sus causas y consecuencias así como los modos de afrontar la adversidad; el siguiente es el de la relación con el otro, las maneras que tenemos de entender y vivir en comunidad (el trabajo en equipo, la competencia, la violencia, la viveza criolla, la moral); el cuarto capítulo tiene que ver con el trascendental tema de la toma de decisiones personales y generales (intuiciones, libre albedrío, liderazgo, corto y largo plazo); y el último, con la empatía, el amor, la amistad, y, fundamentalmente, las formas que tenemos de entender y alcanzar la felicidad.

A lo largo de todas estas páginas –como ya se vio en esta presentación– los textos se van a ir hilvanando con *frases, dichos y locuciones* del habla argentina que cumplen la función de costura de este entramado, pero también de huella colectiva, como esos senderos silvestres que se dibujan en el pasto de tanto pisarlo. Nos estamos leyendo.

Capítulo 1

Diálogo con el pasado

Lo sabemos: la memoria es clave para el sentido de uno mismo y del mundo. También para manejar las exigencias cotidianas de cada día. Aprender es poner en funcionamiento un proceso de adquisición de información nueva y la memoria es la que hace posible la persistencia de esa información para que pueda ser recuperada más tarde. Por eso, cuando se dice que el ser humano es el único que tropieza dos veces con la misma piedra, de lo que se está hablando, más que de la torpeza de las piernas, es de la vulnerabilidad de la memoria para lograr el conveniente aprendizaje.

Al referirnos al tema de la memoria, podemos abordarlo de manera *literal* (neurocientífica, psicológica, biológica, etc.), pero también en una acepción metafórica. Con la palabra "memoria" también solemos llamar a artefactos tecnológicos, genéricos, jurídicos, etc., con capacidad de registro sobre el pasado: "Memoria y balance", en términos contables; "Mis memorias", como género literario; "Memoria externa", en informática; "¡Memoria, verdad, justicia!", como exigencia y lema político y social. Sin ir más lejos, la invención de la escritura tuvo como una de sus intenciones fundamentales la fijación de la palabra en un soporte externo para que perviviera de manera inmutable a lo largo del tiempo. Aunque con una valoración negativa, la escritura para el rey Tamo en el *Fedro* de Platón se comportaba como un auxiliar externo del espíritu al que se le confiaba la reproducción del recuerdo en caracteres materiales.

Los argentinos solemos tener una relación compleja con nuestro pasado. Una de las marcas más exageradas de esa relación está tratada en la famosa novela *Santa Evita* de Tomás Eloy Martínez, con el derrotero del cadáver de Eva Perón. Sabemos que ese hecho se volvió determinante para las pujas políticas que convulsionaron durante varias décadas a nuestro país, y quizá por eso mismo también fue *cifra* de innumerables discursos, ensayos, documentales de cine y televisión. De modo extraordinario, a su vez, a partir de la muerte de Evita, se ha escrito vasta literatura, tanto que sería posible componer una riquísima antología de los grandes escritores argentinos del siglo XX cuyo nudo del relato fuese ese y solamente ese (de Jorge Luis Borges hasta Rodolfo Walsh, de David Viñas y Leónidas Lamborghini hasta Néstor Perlongher). La relación con nuestros muertos, entonces, se constituye como una manera de discusión permanente con el pasado. Obviamente que, en esta conversación inquietante, el lenguaje cumple un rol primigenio (para que exista diálogo se necesitan al menos dos partes pero también se necesita discurso).

Un importante teórico del nacionalismo, Benedict Anderson, propuso hace varias décadas una definición muy interesante de nación: "Una comunidad políticamente imaginada como inherentemente limitada y soberana". ¿Por qué la llama "comunidad imaginada"? Porque

> aun los miembros de la nación más pequeña no conocerán jamás a la mayoría de sus compatriotas, no los verán ni oirán siquiera hablar de ellos, pero en la mente de cada uno vive la imagen de la comunión.

Uno de los factores primordiales para la consolidación de esa comunidad imaginada es la lengua. De alguna manera, es a través de ella que se logra el *apego* a los frutos de esa imaginación. La lengua nos liga con un pasado sin horizonte. En palabras del mismo Anderson, "nada nos une afectivamente con los muertos más que la lengua".

Discutimos más por el pasado que por el futuro. Es por eso que esa relación permanentemente incómoda aparece en nosotros en un recurrente conflicto, más que por las cosas, por el nombre de las cosas. Es así que una de los acciones más recurrentes en nuestro país, que se manifiesta sobre todo en los albores de los ciclos políticos (sean de administraciones nacionales, provinciales o municipales, pero también de pequeñas instituciones, clubes, sociedades de fomento), tiene que ver con la épica de la denominación (puede ser también por cambiar los colores). En esas disputas que parecerían a simple vista estar en puja porciones del presente y del futuro, lo que más bien está en juego es la redacción de la historia, es decir, el dibujo del camino que nos trajo andando hasta acá aunque no importe bien adónde nos lleva.

Otra expresión fehaciente de la memoria colectiva son los monumentos, porque también hablan de nosotros. En este último caso, se trata por supuesto de elementos físicos que se erigen como símbolos pero no solo en la figura que representan en sí, sino en las autoridades que lo mandaron a hacer y emplazar (¿por qué él y no otro?, ¿merecía esta persona una *monumentalización*?, ¿por qué lo pusieron ahí?, etc.); en el contexto que cambia (¿lo sacamos?, ¿si lo sacamos no estamos faltando el respeto a nuestros antepasados que decidieron ponerlo ahí?, ¿qué hacemos con ese objeto del pasado: una vez que lo saquemos?); y, por último, la problemática por la conservación pública del monumento y el cuidado que hacemos los ciudadanos de él (sus mutilaciones, sus hurtos, sus intervenciones, la indiferencia).

Como hemos visto, el culto a los muertos, los nombres y los monumentos son elementos a través de los cuales los argentinos interpelamos de manera más o menos conflictiva a nuestro pasado y *ejercemos* la memoria. No son los únicos ejemplos, claro. Podríamos explayarnos también sobre los actos escolares, sobre los museos, sobre las canciones patrias, sobre las tradiciones populares como los cantos de fogón o de la cancha de fútbol, entre otros más, pero creemos que estos sirven como botones de muestra.

A lo largo de este capítulo nos vamos a dedicar a la memoria y a la relación que tenemos las personas y las sociedades con el pasado. En un primer movimiento, nos centraremos en los misterios de la memoria individual y en cómo influye la emoción. En la segunda parte vamos a tratar la idea de memoria colectiva, la nostalgia y el "realismo". Por último, otros temas fundamentales en donde la ponderación del pasado impacta en el presente y sobre todo en el futuro: la amnesia infantil, los desafíos de envejecer para las personas y nuestra sociedad y la incesante tarea de prevenir la desmemoria.

Misterios de la memoria

Antes de sumergirnos en la posibilidad de pensar la idea de una memoria común y colectiva es imprescindible traer a cuenta alguna aproximación a la idea de memoria individual. Porque de esta manera un recorrido podrá interactuar, complementar y discutir con el otro, sobre todo a partir de la puesta en cuestión de algunos mitos y costumbres ligados a este tema.

En las series animadas que veíamos en nuestra infancia, era bastante común que representaran a la memoria como un arcón en la cabeza de los personajes en el cual se guardaban los recuerdos. Así, cuando algunos de estos eran requeridos, se recuperaban intactos, se los usaban y de la misma manera se los volvían a guardar. Aunque resulte sorprendente, nada de eso puede estar más alejado de cómo funciona la memoria humana.

Uno de los campos más fascinantes en el estudio neurocientífico es, justamente, la memoria. ¿Qué es lo que recordamos exactamente? ¿El hecho tal cual sucedió? ¿Nuestra percepción del hecho? ¿El último recuerdo sobre el mismo hecho, es decir, recordamos nuestra propia memoria? ¿Cuánto influyen los demás en ese recuerdo? ¿Recordamos de la misma manera a lo largo de toda nuestra vida?

A diferencia de lo que muchas veces se piensa, la memoria no es un fiel reflejo de aquello que pasó sino más bien un acto creativo, uno de los más creativos en el funcionamiento de nuestras mentes. Cada recuerdo se reconstruye de nuevo cada vez que se lo evoca. Aquello que recordamos –una imagen de un paisaje, una frase de nuestro abuelo, un aroma de nuestra infancia– está influido por el contexto de almacenamiento y recuperación que la rodea. La relación entre la memoria y el hecho o elemento que se recuerda es sumamente compleja y apasionante.

Lo primero que debemos tener en cuenta es que cada memoria tiene un patrón de activación neuronal que es capaz de ponerse en funcionamiento incluso cuando el estímulo que originalmente lo provocó ha desaparecido. La descripción de este complejo proceso sería así: la primera vez que percibimos un objeto –por ejemplo, un

jarrón amarillo en la casa de nuestra abuela– dispara la
activación conjunta y simultánea de un circuito determinado de neuronas. Si volvemos a ver el mismo elemento,
la mayoría de las mismas neuronas se activarán, además
de ponerse en funcionamiento una cualidad fundamental de nuestro cerebro que hace aumentar la conexión
entre las neuronas. Algunas neuronas se activaron por
el color del jarrón, otras por el significado, otras por la
forma. Entonces ya no será necesario ver el jarrón para
recordarlo. Solo con ver un color, el lugar donde estaba
o una parte del mismo, será suficiente para evocar la representación completa del jarrón y la información con él
asociada (el olor de la casa de nuestra abuela, su cara y
hasta el sentimiento de ternura que nos provocaba). La
activación de uno de estos rasgos iniciará una cadena de
conexiones neuronales que puede culminar en el recuerdo del jarrón.

Pensemos otro ejemplo cualquiera. Una persona está
en una reunión social con su pareja y se le ocurre contar,
para amenizar la charla, una anécdota personal: el relato
de cómo fue la historia de amor que llevó a conocerla,
las primeras conversaciones, detalles románticos y otras
curiosidades de ese hecho. Imaginemos también que no
es la primera vez que la cuenta, ya que le resulta útil porque permite entretener al resto con un relato ensayado
lleno de vicisitudes, complicaciones y azares. Se nota que
a todos les gusta la anécdota, porque de hecho aportan
comentarios ingeniosos sobre algunas cuestiones y hacen

preguntas disparadoras que dan pie a una respuesta original. Pero luego de despedirse y de regreso a su casa, su pareja le comenta con sorpresa: "Lo que contaste no tiene nada que ver con lo que en verdad pasó entre nosotros". ¿Quién tiene razón? ¿Qué es lo que *en verdad* pasó?

Analicemos qué es la memoria y de qué tipo de memoria estamos hablando en este caso. La memoria es la capacidad para adquirir, almacenar y evocar información. La amnesia, como veremos en próximos apartados, es la falla en uno o más de estos procesos.

Durante varios años se mantuvo el debate científico entre aquellos que conceptualizaban la memoria como un sistema unitario utilizado de diferentes maneras o como una entidad compuesta de varios sistemas, que en conjunto permitieran la utilización del conocimiento adquirido y retenido. En la actualidad existe un consenso sobre la necesidad de subdividir la memoria en sistemas para comprenderla. Sin embargo, aún existen controversias sobre qué es un sistema de memoria, cuántos sistemas son, de qué naturaleza y cómo se relacionan entre ellos. El cerebro trabaja en red. Cuando se experimenta un tipo de memoria no se activa una sola área cerebral, sino varias, aunque, generalmente, hay ciertas áreas –dependiendo del tipo de memoria– que tienen un mayor protagonismo.

El aprendizaje y la memoria ocurren en varias etapas. Primero, mientras se percibe determinado tipo de información con uno de los sentidos (una publicidad visual, una frase escuchada, la sensación al tocar el terciopelo), se codifica esta información. Por ejemplo, cuando miramos una película, el cerebro debe traducir los espectros de luces y colores que llegan de la retina al código del cerebro, es decir, a un complejo entramado de conexiones eléctricas y neurotransmisores. Luego, como resultado de esta codificación, se puede almacenar en la memoria. Finalmente, se puede evocar la información almacenada. El olvido ocurre cuando se intenta evocar información y no se puede. Cada uno de estos procesos involucra circuitos cerebrales diferentes.

Como ya referimos en Usar el cerebro, además de estos procesos de memoria, existen distintos tipos de memoria. Una primera gran distinción se puede hacer entre la memoria de trabajo —relacionada a la memoria de corto plazo— y la memoria de largo plazo. La memoria de trabajo se utiliza cuando hacemos tareas complejas como una cuenta matemática (¿es 6x2-3 igual a 9?); es decir, son tareas que requieren mantener en la mente cierta información y manipularla. Esta memoria puede retener poca información y solo por unos pocos segundos. La memoria de largo plazo, en cambio, puede retener información potencialmente ilimitada durante toda la vida como cuando se le pide a un historiador hablar de su tema favorito.

Dentro de la memoria de largo plazo, una clasificación general distingue dos tipos de memoria. Por un lado, la memoria explícita o declarativa está relacionada a cuando somos conscientes de la información y podemos describirla. Esta memoria explícita se divide, a su vez, en dos sistemas. Uno es la memoria asociada a las experiencias personales ocurridas en un tiempo y lugar particular y se denomina "memoria episódica" (por ejemplo, recordar qué comimos anoche o ¡cómo fue que nos conocimos con nuestra pareja!). El otro es la memoria sobre información relacionada con los conocimientos generales (cuál es la capital de Alemania o saber que un león es un felino) y la denominamos "memoria semántica". Por otro lado, la memoria implícita o no-declarativa es aquella en la que no participa la conciencia, que incluye reflejos condicionados y a la memoria procedural, aquella que involucra saber cómo hacer habilidades motoras como andar en bicicleta o hacerse el nudo de las zapatillas.

Llamamos "memoria autobiográfica" a la colección de los recuerdos de nuestra historia. Esta nos permite codificar, almacenar y recuperar eventos experimentados de forma personal, con el distintivo de que, cuando opera, tenemos la sensación de estar *reviviendo* el momento. Ese componente personal le da una particularidad esencial a la memoria autobiográfica: está definida por lo episódico, es decir, podemos asignarle un tiempo y un espacio a cada una de nuestras memorias, pero también suele involucrar la evocación de información semántica sobre el lugar o hecho que se evoca (por ejemplo, para recordar cuándo fue la última vez que uno fue a comer a un restaurante chino, tiene que recordar primero lo que es un restaurante chino). Cuando recordamos este tipo de eventos, no solo recordamos dónde fue y con quién estábamos, sino también los sentimientos y las sensaciones vividas. Esto tiene sentido porque las estructuras cerebrales que están involucradas en la memoria autobiográfica, como veremos hacia el final de este capítulo, alimentan a su vez circuitos neurales ligados con las emociones. Los hechos autobiográficos con fuerte carga emocional se recuerdan más detalladamente que los hechos rutinarios con baja implicancia emocional. ¿Acaso no conservamos recuerdos muy precisos del día que nació nuestro hijo? ¿O del instante que tuvimos una noticia muy desgraciada o un evento muy dichoso?

Volvamos al ejemplo de la pareja y las preguntas que nos hicimos. ¿Quién de los dos recuerda más *fielmente* el hecho narrado tal cual sucedió? ¿Uno o el otro? ¿Ninguno de los dos? Lo que sucede es que la forma en que recordamos un evento en particular no se trata muchas veces de una recopilación exacta de cómo sucedió originalmente, sino del modo en que lo recordamos previamente. Y si, por ejemplo, la última vez que lo evocamos estábamos más contentos, probablemente hayamos cargado con esos condimentos positivos el recuerdo. Por el contrario, si el ánimo era más bien negativo, el recuerdo tendrá un tinte más pesimista. La memoria, cuando se evoca, se hace frágil y permeable a nuestras emociones del presente.

Nuestros cerebros constantemente nos *traicionan* al transformar la memoria. Cuando uno experimenta algo, el recuerdo es inestable durante algunas horas, hasta que se fija por la síntesis de proteínas que estabilizan las conexiones sinápticas entre neuronas. La próxima vez que el estímulo recorra esas vías cerebrales, la estabilización de las conexiones permitirá que la memoria se active. Al tener un recuerdo almacenado en su cerebro y exponerse a un estímulo que se relaciona con aquel evento, va a reactivar el recuerdo y a volverlo inestable nuevamente por un período corto de tiempo, para luego otra vez guardarlo y fijarlo en un proceso llamado "reconsolidación de la memoria". Así, cada vez que recuperamos la memoria de un hecho, permitimos la incorporación de nueva información. Y cuando la almacenamos como una *nueva memoria*, contiene información adicional al evento tal como sucedió. Es por eso que aquello que nosotros recordamos no es el acontecimiento exactamente tal como fue en realidad, sino la forma en la cual fue recordado la última vez que lo trajimos a la memoria. Esto es como un documento de Word que, al abrirlo y trabajarlo, podemos incorporar y sacarle cosas y, cuando lo volvemos a guardar, queda grabada la nueva versión hasta su próximo uso.

Décadas de investigación científica han establecido que la consolidación de la memoria de largo plazo exige la síntesis de proteínas en los caminos neuronales de la memoria, pero nadie sabía que también hacía falta una síntesis de proteínas después de recordar algo, lo que implica que se está consolidando en ese momento. Esto resultó una excelente pista bioquímica de que, al menos, algunos tipos de recuerdos hay que reescribirlos neuronalmente cada vez que se recuperan. Por eso al evocar una memoria la estamos recreando y así tenemos menor precisión del recuerdo original. Aunque suene contradictorio con el sentido común, la ciencia muestra que si uno tiene una memoria, cuanto más la usa, más la modifica. La memoria no es sobre el hecho que vivimos sino sobre el último recuerdo. En el premiado film de Juan José Campanella *El secreto de sus ojos,* el marido de la víctima se lo dice así al personaje que interpreta Ricardo Darín:

> Lo peor de todo es que me la voy olvidando. Entonces me esfuerzo para pensar en ella todo el día, toda la noche, me desvelo para recordarla... El día que la mató, por ejemplo, Liliana me preparó té con limón. Sí, porque me había escuchado toser toda la noche y me dijo que me iba a hacer bien... Y vuelvo a recuerdos así, estupideces. Y después dudo de si era con limón o con miel. Y ya no sé si es un recuerdo o el recuerdo de un recuerdo lo que me queda.

Las evidencias aquí expuestas abren a su vez interesantes debates en otras áreas del conocimiento, desde las teorías sociológicas hasta la práctica jurídica. Por ejemplo, como nos preguntaremos en próximos capítulos, ¿cuál es la "verdad y nada más que la verdad" que jura el testigo revelar cuando recuerda algún hecho si, como fue dicho, el contexto de un nuevo lugar y tiempo, o incluso su estado de ánimo, permiten que las memorias alteren la información? También puede intervenir en disciplinas como la historiografía, la política y el periodismo, y en lo que comúnmente llamamos "memoria colectiva".

Más que un arcón donde se guardan las fotografías de lo que nos pasó, la memoria humana parece ser un atril que nos permite garabatear, sobre los trazos del pasado, aquello que imaginamos.

> ▶ **A mí no me la contaron.** *fras. coloq.* Presunción propia de veracidad por el hecho de ser testigo directo de un hecho.

Recuerdo con todos

¿Existen las memorias colectivas? ¿Es posible que dos personas tengan recuerdos diferentes sobre el mismo hecho, pero que después de conversar sobre eso, se neutralicen las memorias individuales y alcancen una memoria común? ¿No es esto lo que sucede cuando los medios de comunicación nos recuerdan incidentes ocurridos hace algunas semanas o meses, pero agregan su interpretación y alteran para siempre nuestro recuerdo? ¿No es así cuando se expande un rumor entre vecinos? ¿No es de esta manera cuando *todos* recordamos *lo mismo*?

Investigadores de las ciencias sociales consideran que las memorias colectivas son, en palabras del sociólogo de la Universidad de Virginia, Jeffrey Olick, "símbolos públicos mantenidos por la sociedad". Ejemplos de esto, como vimos, son los actos y monumentos conmemorativos, que se apoyan o resisten desde distintos grupos comunitarios, no individualmente.

Desde otra perspectiva, un marco teórico que nos permite encarar la respuesta a si existe una memoria colectiva es aquel que cuestiona la idea de mente como algo puramente individual. ¿Dónde termina la mente de uno y dónde empieza el mundo? Una respuesta intuitiva nos diría que la mente se encuentra en el cerebro y, por lo tanto, su límite es el cráneo de cada persona. Algunos filósofos han discutido esto al notar que toda cognición y toda acción surge de la interacción entre el cerebro y el mundo (retomaremos esto en el capítulo 3 de este libro). Por lo tanto, consideran arbitrario trazar un límite tan claro entre la psicología, que estudiaría lo que ocurre en la *cabeza* de cada uno, y otras disciplinas (como la sociología), que estudiarían lo que ocurre en el mundo. Por ejemplo, para entender cómo un ciego se mueve por la ciudad, no solo es necesario considerar cómo funciona el cerebro y cómo se distribuyen los nervios hasta la punta de los dedos, sino también tener en cuenta: ¿cuál es el largo del bastón?, ¿cuál es su rigidez?, ¿cuán atenta está su sociedad a las personas con capacidades diferentes?

Si nos enfocamos en la memoria, lo primero que debemos resaltar es que se trata de un producto de la evocación y siempre se realiza en un contexto determinado. Y ese contexto puede alterar el recuerdo, ya que, como vimos, los mismos no son representaciones almacenadas como en una computadora. Un ejemplo de cómo interactúa la memoria con el contexto es la diferencia que existe entre un empleado novato en la barra de un bar y uno experimentado. Cuando una persona empieza a trabajar y debe preparar una serie de tragos, lo que hace para recordarlos es repetírselos una y otra vez. Aun así, si el pedido es complicado y largo, es muy probable que olvide algo. Los empleados con más experiencia, en cambio, usan las diferentes presentaciones de los cócteles para ayudar a su memoria: cuando reciben una comanda, lo primero que hacen es colocar los vasos de distinto diseño donde servirán los tragos. De esta manera, el barman experimentado influye sobre el ambiente para apoyarse en él. Algo de esto también se da en la experiencia de los mozos del Café Tortoni, que ya contamos en *Usar el cerebro*.

La interacción social, como dijimos, puede alterar nuestros recuerdos. El concepto de "contagio" hace referencia a la difusión de un recuerdo, sin importar si es verdadero o falso, de una persona a otra a través de la relación con el otro. El equipo de investigación de Daniel Wright, de la Universidad de Sussex, dedicó un estudio a aproximarse a la manera en que una persona puede intervenir en la memoria de otra. Para ello, a algunos se les indicó realizar una tarea de manera individual y a otros en pareja. A cada uno de los miembros de las parejas se les dio una imagen similar pero con pequeñas diferencias entre sí (los participantes creían que eran la misma). Luego de estudiar las imágenes por separado, tenían que recordarla entre los dos e individualmente decir qué recordaban. Como resultado, los investigadores encontraron que el falso reconocimiento de ítems fue mayor en aquellos que trabajaron en parejas que en aquellos que lo hicieron de manera individual. De esta manera, se evidencia la manera en que *el otro* puede influir a la hora de facilitar la formación de la memoria colectiva.

Una fórmula tautológica sería decir que recordamos más lo que recordamos más. Pongamos el ejemplo cualquiera de la memoria sobre los presidentes argentinos. Si tenemos que hacer una lista, ¿de cuáles nos acordamos? ¿Por qué algunos son más comúnmente olvidados que otros? Veamos por qué. Los investigadores de la Universidad de Washington, Henry Roediger y Andrew DeSoto, analizaron los resultados de un *test* en el cual se les pedía a 415 estudiantes universitarios que recordaran la mayor cantidad de presidentes estadounidenses posible en orden correcto. Este *test* se realizó en 1974, en 1991 y en 2009. La tendencia fue que recordaron a los primeros junto con los últimos ocho o nueve y algunos pocos en el medio que habían gobernado durante momentos *importantes* de la historia. El mismo patrón no solo lo aplicamos para las listas de palabras o para presidentes sino también para eventos históricos, programas televisivos o memorias personales. Esto sucede porque el cerebro evolucionó de forma tal que las habilidades y los conocimientos más útiles están más accesibles en la memoria (como ocurre en un motor de búsqueda de la computadora). La cultura ha imitado este patrón: cuanto menos se *utiliza* un presidente o un hecho histórico, menos accesible a la memoria estará. La pregunta que debemos hacernos inmediatamente es, ¿quién determina la importancia de un hecho? Es por eso que debemos una vez más considerar el rol clave de la educación y los medios de comunicación a la hora de actualizar esas memorias necesarias en nuestra mente. La sociedad debe evidenciar, debatir y poner en cuestión de manera permanente cuáles son los usos y disposiciones de esas memorias.

Que todos sepan mi sufrir

> *Y si a mi pueblito volver yo pudiera*
> *a mi viejo pueblo al que no he regresado*
> *si pudiera volver al poblado*
> *que siempre me llama, que siempre me espera,*
> *si a mi pueblo volver yo pudiera*
> *no lo haría ni mamado.*
> LES LUTHIERS

La mayoría de las personas que visitan nuestro país tienen entre sus planes tomar contacto, de forma más o menos profunda, con el tango y/o el folclore. Y es cierto que si alguien formara parte de la minoría de los que no tienen esas intenciones, lo más probable es que por algún rincón de sus recorridas criollas se topen de improviso y de manera inevitable con algo de eso.

A todas luces, el tango es uno de los fenómenos culturales que más emparentados están con el modelo del argentino en el que tanto los otros como nosotros mismos nos vemos representados. En ese género artístico que atraviesa diversas disciplinas, pero sobre todo la danza, la música y la poesía, sobresalen ciertos rasgos distintivos que lo hacen un tipo de expresión fácilmente reconocible. Uno de ellos es la pena por el tiempo perdido. La nostalgia y la melancolía operan sobre el presente hacia un pasado ideal fatalmente acabado e imposiblemente anhelado.

Pensemos algunos aspectos más de nuestra relación compleja con el pasado que ya anticipamos al comienzo de este capítulo. ¿Por qué el pasado muchas veces parece mejor que el presente? Porque tendemos a pensar de manera mucho más abstracta el pasado remoto que el presente. En la cotidianeidad hay detalles que nos producen cierta sobrecarga y tedio (pagar los impuestos, viajar de un lado al otro, parar en los semáforos, cepillarnos los dientes), y se esfuman del recuerdo, se desvanecen de la memoria justamente por su insignificancia. ¿Qué queda? Los trascendentes momentos pasados. Por otro lado, en esa mirada en perspectiva, también desaparece el estrés de la incertidumbre general del presente, ya que *vemos el partido* con *el diario del lunes*. Y algo muy importante sabemos de ese hecho del pasado: que no nos morimos. En cambio, el hoy nos presenta la amenaza de lo desconocido. Es por eso que la emoción que produce un evento y su relación con el tiempo son elementos fundamentales de cierta idealización de ese pasado.

Lo que dice sobre la nostalgia el *Diccionario de la Real Academia Española* es que se trata de "una tristeza melancólica originada por el recuerdo de una pérdida" y, como otra acepción más circunscripta, una "pena de verse ausente de la patria o de los deudos o amigos." Quizás sea por eso mismo que cierta propensión melancólica de nuestras artes es atribuida a la composición inmigratoria y a la *idealización del pasado*, de aquello que fue dejado. Pero, ¿no lo es también Estados Unidos y Australia?

Lo notable de esta nostalgia es que en el tango (y en nosotros mismos) se elabora con un mérito ambiguo: por un lado, con un culto exagerado del pasado perdido que nos distingue, nos vuelve sentimentales, seres profundos; y por el otro, como un pueblo anclado en triunfos pretéritos, que no puede echarse a andar. En un sentido o en el otro, un ser quejoso, como se dice del bandoneón.

Uno de los tópicos que recorre el tango es el del amor que se esfumó, que solo persiste como figura fantasmagórica. Pero a partir de eso, la acción que propone el canto no es la de la búsqueda sino la del lamento que no puede tener sosiego.

Si un extraterrestre bajara en este momento por algunos minutos, y debiéramos explicarle en pocos minutos esta cosa de nuestro *ser melancólico*, podríamos hacerle escuchar el famosísimo tango "Nostalgias" de Enrique Cadícamo. Ahí confiesa que quiere emborracharse para olvidar un loco amor que más que amor es un sufrir; pero, lejos de eso, termina levantando la copa, ya no para forzar la desmemoria sino para celebrarla, y así brindar por los fracasos de ese y todos los amores del mundo. No sería improbable que el extraterrestre nos pregunte, luego de escucharlo, en qué quedamos.

¿Es posible la vuelta del amor? No, pero como un espejismo, ese ansia de recupero es lo que motoriza el propio arte y como acción paradojal, la felicidad generaría la extinción del poema triste y del poeta romántico y atormentado. La vuelta es imposible, o, más bien, siniestra, como lo narra "Volvió una noche", en el que el poeta esgrime a los cuatro vientos que las horas que pasan ya no vuelven más y solo queda un fantasma del viejo pasado que ya no puede resucitar.

Así como en el tango es el amor, un tópico del folclore es la melancolía por la tierra dejada:

> Nostalgiosa llevo el alma,
> por las calles de la ciudad:
> gusto a polvo, mi silbido largo
> suspirando zambas se me va.
> El recuerdo de mi tierra,

> por la sombra me subirá
> y mis ojos por el cielo lejos,
> con las golondrinas volverán.

Lo dice en forma de canción Jaime Dávalos. Esta realidad, tantas veces tratada por el folclore, se manifiesta por la necesidad del que sale de su tierra en busca de mejores condiciones de vida, y extraña intensamente el lugar en donde nació y se crió (por lo general, el trayecto es del campo a la ciudad: "Busco al fondo de la calle un cerro, pero encuentro el cielo y nada más", un ejemplo de la misma canción).

¿Somos los argentinos melancólicos y nostalgiosos? Puede ser. ¿Queremos serlo? También puede ser. Pero cualquier discusión sobre nosotros mismos no debe mover un ápice las cualidades de expresiones artísticas tan extendidas como el tango y el folclore. Porque podemos poner en cuestión, tal como Borges discutió la relación refleja entre el *Martín Fierro* y los gauchos, la pretendida simbiosis que existiría entre estas artes y los argentinos. Quizás la breve cita de ese mismo ensayo de Borges nos sirva para la reflexión: "El arte no es platónico".

▶ **Mal que mal.** *loc. adv. coloq.* 1. Escasamente, apenas. 2. Aunque mal, aunque esté mal, aunque lo haya hecho mal, etcétera.

Cuanto más tristes, ¿más sabios?

Las teorías cognitivas proponen que en la depresión existe una perspectiva negativa sobre la realidad. Las personas con tendencias depresivas tendrían un tipo de pensamiento negativo sobre sí mismos, sobre el mundo y sobre el futuro (se la llama "tríada cognitiva negativa"). Un pensamiento *tanguero*.

Una hipótesis contraintuitiva surgida en los años 70 propone que las percepciones de una persona deprimida pueden ser más justas, más acertadas, más *realistas* que las de las personas no deprimidas. Por el contrario, las personas sin depresión tendrían una percepción demasiado positiva (no realista, es decir, una ilusión) sobre sí mismas, sobre el mundo y sobre el control que tienen de una determinada situación.

En 1979, las psicólogas estadounidenses Lauren Alloy y Lyn Yvonne Abramson diseñaron un experimento con estudiantes con y sin depresión para comparar la percepción de control que creían tener sobre determinados fenómenos. Los participantes debían elegir si apretaban o no un botón. A veces aparecía una luz verde después de apretarlo y a veces aparecía sin haberlo apretado. Las investigadoras armaron distintas series en las que había mayor o menor frecuencia de aparición de la luz. Al final, se les preguntó a los participantes qué grado de control pensaban que habían tenido sobre la aparición de la luz verde, es decir, cuánto creían ellos que habían influido en el encendido o no de la luz verde. El hallazgo fue que los estudiantes deprimidos eran mucho más eficientes para estimar el control que ejercían en relación a los no deprimidos, quienes solían sobreestimar su grado de influencia sobra la luz demostrando tener una *ilusión de control*. A partir del estudio, se determinó que las personas deprimidas hacen juicios más precisos sobre la imposibilidad de tener control en situaciones donde, en efecto, no lo tienen, lo que se llamó "realismo depresivo".

Pero una década más tarde, las mismas investigadoras encontraron que las personas deprimidas también perciben no tener control en una situación cuando, en efecto, lo tienen. Esto demuestra que su percepción no es más precisa en general, sino solo en ciertas situaciones específicas. En una revisión reciente de todos estos estudios, investigadores de la Universidad McCaster, en Canadá, llegaron a la conclusión de que las únicas situaciones en donde las personas con depresión estiman mejor es cuando la respuesta correcta es decir "no", ya que coincide con el pesimismo típico de la depresión.

Otras críticas a la hipótesis del realismo depresivo surgen de experimentos donde lo que se evalúa son situaciones de la vida real de cada sujeto –y no tareas de laboratorio–, como estimar la probabilidad de llevar a cabo ciertos objetivos en el estudio y el trabajo y que los resultados sean positivos o negativos. Estos muestran que las personas deprimidas estiman situaciones de su vida cotidiana con menor precisión que las personas sanas. También indican que hay una tendencia a sobrestimar valores positivos en personas sanas. Por lo tanto, parece ser necesario que quienes sufren de depresión recuperen una postura positiva; aunque a veces puede ser ilusorio, el optimismo es un elemento clave que nos permite convivir en sociedad y ser más felices (algo que ampliaremos en el capítulo 5).

Al igual que el cínico, el deprimido a veces puede ver el mundo de modo más realista en situaciones negativas, pero con un alto costo personal. Al fin y al cabo, ser poco realista a veces tiene sus ventajas. En ciertas oportunidades, necesitamos un sesgo positivo, es decir, debemos ante todo confiar en nosotros mismos y en la humanidad ya que eso nos lleva a ser proactivos en nuestras vidas y solidarios con los demás. Para lograr objetivos es necesario una cantidad de esfuerzo que requiere de un espíritu positivo para encararlos, superar los obstáculos que se nos presenten y no caer ante derrotas parciales. Más aún, hay cada vez mayor evidencia de que los optimistas consiguen mejores resultados, a pesar de no contar con evidencia de ese éxito cuando comienzan su búsqueda.

La respuesta a la pregunta inicial, entonces, es que ni la tristeza nos hace más capaces para transitar todos los escenarios posibles, ni tampoco la sabiduría nos vuelve fatalmente personas más tristes. No necesariamente tiene razón quien dice que todo es

mentira y que nada es amor, que al mundo nada le
importa.

▶ **Echarse tierra encima.** *loc. vb.*
coloq. Ir contra los propios intereses,
acusarse a sí mismo.

¿Cuál es tu primer recuerdo?

¿Recordás el día en que naciste?

¿Recordás el día que recordaste algo
por primera vez?

"Necesito un gol", de Charly García

Tan pronto como nacemos empezamos a entender y a
aprender nuevas cosas. Este proceso va moderando su intensidad a lo largo del tiempo. Sabemos que cuando se es
niño es más fácil, eficaz y recomendable aprender distintos idiomas. Lo que sucede es que el cerebro de un niño
prioriza el aprendizaje por sobre la formación de recuerdos
episódicos duraderos. La flexibilidad y la capacidad para
aprender nueva información y adaptarse a nuevas experiencias de nuestros cerebros son extremadamente valiosas
para la supervivencia. Una consecuencia de esta prevalencia sería el fenómeno conocido como "amnesia infantil".

Los bebés van desarrollando la capacidad de procesar memorias de largo plazo cada vez más complejas.

Registran los patrones de sonido que escucharon mientras se encontraban en el vientre de sus madres. A los once meses suelen ser capaces de empezar a nombrar algunos objetos, lo que demuestra el desarrollo de la memoria semántica (de la información del mundo). Recién a los dos años de vida, comienzan a poder relatar eventos que pasaron ese mismo día o el día anterior de un modo muy fragmentado. Esto prueba que en los primeros años el sistema cerebral que mantiene la memoria de las experiencias funciona correctamente. Sin embargo, nos acordamos poco de esos primeros años. Todos olvidamos muchas de nuestras experiencias tempranas y los recuerdos anteriores a los tres o cuatro años. Hagamos la prueba, si no, de recordar cuál es nuestro primer recuerdo.

Un estudio de Patricia Bauer y Marina Larkina de la Universidad de Emory observó que el primer recuerdo que chicos de entre siete y once años suelen tener es de los tres años y medio en promedio. Según un experimento realizado por Paul Frankland y Sheena Josselyn y publicado en la prestigiosa revista *Science*, este olvido se relacionaría con las transformaciones en las estructuras cerebrales propias de esta etapa. La capacidad de desarrollar la consolidación de memorias en la infancia está basada, en parte, en la *pérdida* de los recuerdos viejos. El espectacular crecimiento de las neuronas en el cerebro infantil que permite a los bebés aprender rápidamente podría interrumpir los enlaces neuronales que almacenan recuerdos más viejos. Más adelante en el desarrollo, se enlentece el crecimiento neuronal y recién entonces se hace posible la fijación de las nuevas experiencias vividas. Por otra parte, la corteza frontal del cerebro, inmadura aún, no contribuiría adecuadamente al recuerdo de la información del contexto necesaria para la formación de la memoria infantil.

La adquisición del lenguaje podría ser otra de las causas del olvido. Un estudio científico propone que la clave de la amnesia infantil se encuentra en la posibilidad de relatar los recuerdos. Los niños pequeños necesitan una gran estimulación para poder describir eventos, a diferencia de los niños mayores, los jóvenes y los adultos, quienes somos capaces de producir relatos más sofisticados. Dado que los chicos de menos de tres años no poseen la habilidad narrativa que nos permite rememorar recuerdos importantes y retenerlos por más tiempo, sus memorias se van haciendo inaccesibles y son más rápidamente olvidadas. Como un cuento que se desvanece porque nunca nadie lo contó.

Envejecer, un desafío y una oportunidad

Envejecer es un desafío para las personas y también para los Estados contemporáneos. El avance de la educación, de la ciencia, de la tecnología y de los cuidados preventivos en la salud nos permitieron a los seres humanos vivir mucho más y mejor. De hecho, la expectativa de vida se duplicó en solo un par de siglos. Por eso también, así como en un período histórico surgió la *adolescencia* como tal, hoy nos hallamos frente a una nueva etapa de la vida que es la que, por esas costumbres que los nombres conservan, se la llama "pasiva", cuando la realidad de ese tiempo puede (y debe) ser de gran actividad y provecho.

Una de las mayores tendencias sociales de los próximos siglos es el envejecimiento de la población mundial. Se calcula que el número de personas de más de 60 años llegará a 2000 millones en el 2050. Según un informe reciente de la Organización Mundial de la Salud (OMS), por primera vez en la historia la mayoría de la gente puede esperar vivir hasta los 60 años o más. En los próximos 35 años el número de personas mayores de 60 años será casi el doble que en la actualidad. Un niño nacido en Brasil en 2015 puede esperar vivir hasta veinte años más que uno nacido en ese vecino país hace solo cincuenta años. Para el 2020, habrá más personas mayores de 60 años que niños de 5 años. Y la mayoría de los adultos mayores (80%) vivirá en países de *ingresos bajos y medios*. En nuestro país, según datos del Banco Mundial, la población adulta mayor pasará de 10,4% de la población total a 19,3% en 2050 y 24,7% en 2100. Hoy, Argentina, junto con Uruguay, Cuba y Costa Rica, forma parte de los países más envejecidos poblacionalmente de América Latina. A diferencia de la mayoría de los cambios que las sociedades experimentarán durante los próximos cincuenta años, esta tendencia es en gran parte previsible y nos da la oportunidad de planificar.

Uno de los elementos de consideración en el proceso de envejecimiento es el potencial (o no) deterioro de las capacidades cognitivas. Distintos estudios indican que los individuos con niveles más altos de reserva cognitiva pueden ayudar a disminuir el riesgo o enlentecer el proceso de neurodegeneración asociado a la edad. Investigaciones en neurociencias han cuestionado la idea de que el deterioro cognitivo es inevitable y fijo. Aunque se ha reportado que la plasticidad neuronal se reduce durante la llamada "tercera edad", trabajos recientes han demostrado que esta plasticidad se conserva mucho más de lo que se pensaba. Debemos enfocar más, entonces, en la idea de estímulo cognitivo que en la de deterioro.

¿Cómo impacta la circunstancia de la *pasividad* en un cerebro *activo*? La jubilación funciona en el sentido común como un premio merecido al trabajo de toda la vida (de ahí su nombre, emparentado a *júbilo, grito de alegría*). Esto se volvería literal en tanto la recompensa redundara en un beneficio y no un perjuicio para quien la reciba. Según distintas investigaciones, la *pasivización* jugaría un rol fundamental para explicar el proceso de cierto deterioro cognitivo. Los resultados empíricos demuestran que los incentivos a la jubilación anticipada y/u obligatoria causan pérdidas importantes de capital intelectual. Esto se da en el caso de que decrezca un elemento indispensable para la salud cerebral de las personas que es el desafío cognitivo. Es por eso que la persona que se jubila no necesariamente debe morigerar el ejercicio intelectual (incluso puede aumentarlo) con relación a la etapa previa. Desde un punto de vista teórico, la disminución de los patrones de actividad trae como resultado una afectación de las habilidades cognitivas, mientras que las actividades mentales las incrementan. Por eso se vuelve fundamental la inversión de parte del tiempo del jubilado en actividades de *mantenimiento cerebral* (lectura, paseos culturales, desafíos intelectuales, etc.) para lograr un envejecimiento cognitivo saludable. La oportunidad es que aquellas cosas que antes se hacían por obligación o rutina laboral sean las que se interrumpan; mientras que las que daban gusto, se conserven; y las que se querían conquistar pero no había tiempo para desarrollarlas, renazcan. Las personas con un ritmo intelectual exigente pueden disfrutar de una ventaja en términos cognitivos, pero los beneficios rápidamente disminuirían si la persona se *jubila intelectualmente*. Un compromiso permanente con la exigencia intelectual sería uno de los caminos más eficaces para el mantenimiento cerebral.

Muchas veces, la carencia de estímulos no está determinada únicamente por la actividad específica que se deja de hacer, sino por el aumento o disminución de las interacciones sociales y el sentido de autosuficiencia, ambas variables que se consideran factores importantes y que contribuyen al mantenimiento de la reserva cognitiva. La interacción social también es clave para mantener el cerebro en forma.

Si nos concentramos en el efecto general de la pasividad ligada a la jubilación a fin de establecer políticas públicas, hay que tener en cuenta diferentes puntos. Uno de ellos, por supuesto, es el carácter individual de la decisión de jubilarse. Es diametralmente opuesto si una persona se jubila por propia decisión, ya que esperó con ansias este cambio de situación para realizar un emprendimiento, o dedicarse a un pasatiempo postergado por las exigencias laborales, a una persona obligada por las normas o la realidad de una empresa que reemplaza su puesto de trabajo por un individuo más joven. Pero en todos los casos, las políticas públicas deben comprender, intervenir y proteger. El marco político del *envejecimiento activo* que promueve la OMS dice que se debe ofrecer salud y seguridad porque con ella se logra que la persona mayor sea partícipe de la sociedad y no un sujeto *pasivo*.

Un estudio de 2012 de Dana Kotter-Grühn y Thomas Hess, de la Universidad de Carolina del Norte, demostró que los estereotipos positivos y negativos sobre la vejez influyen en la autopercepción que tienen las personas mayores de sí mismas, y que eso se correlaciona con su bienestar y salud. Esto significa que es clave valorizar desde las instituciones y los medios de comunicación estereotipos positivos de la vejez.

Debemos comprometernos con el envejecimiento saludable y generar políticas basadas en la evidencia científica para fortalecer las capacidades de todas las personas. Solo así será posible construir ciudades y comunidades amigas. El envejecimiento es un desafío y una oportunidad para las sociedades. La experiencia y la sabiduría son bienes esenciales que pueden desconsiderarse, y así se estaría desestimando un tesoro incalculable, o aprovecharse. El reto nuestro es que esa *nueva edad* sea considerada en un doble sentido: el de protección de sus propias capacidades a partir de desafíos cognitivos e intelectuales novedosos; y el de servicio a los demás a partir de la transmisión de sus saberes. Las escuelas intergeneracionales, instituciones en las que los adultos mayores cumplen un rol importante en brindar apoyo, contención y experiencia a los niños y jóvenes que asisten, son uno de entre tantísimos ejemplos de esto. Allí el conocimiento se construye socialmente y el aprendizaje se entiende como un proceso de desarrollo de toda la vida.

En la novela de Adolfo Bioy Casares *Diario de la guerra del cerdo* se cuenta la enemistad manifiesta hacia las personas mayores por parte de los jóvenes. Se narra desde la ficción una historia de inmoralidad, pero también de torpeza ("matar a un viejo equivale a suicidarse", dice el mismo relato, como si hiciera falta la revelación). Resulta indispensable cambiar la percepción que tiene la sociedad en su conjunto sobre los adultos mayores. Y que los Estados establezcan una dinámica que permita brindar los mejores servicios a los jubilados (pagas suficientes y dignas, eficacia de los sistemas de salud, actividades sociales, etc.) y los canales necesarios para que integren redes en donde interactúen no solo con sus pares genera-

cionales sino también con niños, adolescentes y jóvenes.
Esto necesariamente se transforma en un círculo virtuoso, ya que esa exigencia genera para los mayores nuevas
conexiones neurales; y, en el mismo movimiento, esa sabiduría y esa experiencia enriquece a las personas jóvenes. Silvina Ocampo cuenta en "Los retratos apócrifos"
que en la infancia le gustaban *los viejos*, porque cuando
miraban "extraían de los más modestos objetos un secreto importante, que tal vez nos comunicaran un día, si los
escuchábamos con atención". En comprender el valor de
esos secretos quizás esté el principal desafío.

> ▶ **Estar de vuelta**. *loc. vb. coloq.* **1**.
> Recuperarse. **2**. *loc. vb. hip. Referido
> a un caballo o a un jockey veterano,*
> estar en decadencia. **3**. *loc. vb. coloq.*
> Persona experimentada que, por eso
> mismo, desestima emociones de cier-
> tos sucesos.

Defender la memoria

"Demencia" es el término que describe un trastorno cerebral progresivo y crónico que impacta en la esfera cognitiva y conductual de la persona, y que interfiere en las
actividades de la vida diaria. La enfermedad de Alzheimer
es la causa más común de demencia. El principal factor

de riesgo para esta enfermedad es la edad. Nuestro país, como dijimos, es uno de los países que está envejeciendo más rápidamente en la región y se calcula que alrededor de 500.000 personas padecen hoy Alzheimer o enfermedades relacionadas. Esta condición afecta también al entorno familiar (entre los profesionales de la salud se los llaman "los otros enfermos") ya que produce en muchos casos el *estrés del cuidador*. Existe consenso científico en que los cambios en el cerebro que ocurren en el Alzheimer se producen décadas antes de que la enfermedad se haga evidente clínicamente; es por eso que se vuelve tan complejo atacarla ya que, cuando aparecen los síntomas, es tarde.

El Informe Mundial sobre el Alzheimer 2015, titulado "El impacto global de la demencia: Un análisis de la prevalencia, incidencia, costos y tendencias" y publicado recientemente por *Alzheimer's Disease International* (ADI), sostiene que existen alrededor de 46,8 millones de personas que viven con demencia en todo el mundo. Estas cifras resultan impactantes, pero más aún las proyecciones que indican que este número se duplicará cada veinte años (se calcula que habrá 75 millones en 2030 y 131,5 millones en 2050). Existen más de 9,9 millones de nuevos casos de demencia cada año en todo el mundo, lo que implica un caso nuevo cada 3,2 segundos. El informe muestra también que el costo social y económico anual de la demencia (en cifras actuales) es de 818.000 millones de dólares, y se espera un costo de un billón de dólares en solo tres años (el costo se ha incrementado un 35% desde el 2010). Si la atención mundial de la demencia fuera un país, se trataría de la 18va. economía más grande en el mundo, y superaría los valores de mercado de empresas como Apple y Google.

El informe destaca el aumento del impacto mayor de la demencia en los países de bajos y medianos ingresos como el nuestro. Se estima que el 58% de todas las personas que viven con demencia hoy residen en estos países, y se prevé que aumente a 68% en 2050, impulsado principalmente por el crecimiento demográfico y el envejecimiento de su población.

El incremento del costo global de la demencia plantea serios desafíos a la salud y a los sistemas de atención de todas partes del mundo (los gobiernos del G8 ya decidieron diseñar y poner en práctica una estrategia conjunta para afrontarla). Esta enfermedad golpea las economías y políticas globales, lo que lleva irremediablemente a un impacto humanitario de gran escala. Estos resultados demuestran la urgente necesidad de que nuestros Estados también implementen políticas activas y sancionen leyes para mejorar el bienestar de sus ciudadanos, tanto ahora como en el futuro. Debemos alentar a nuestros gobiernos a tomar medidas para prevenir la demencia y optimizar los servicios de atención basadas en los conocimientos científicos, la evidencia disponible y la experiencia global. Estas acciones deben tener como objetivos fundamentales:

• la mejora de la calidad de vida de las personas enfermas, de sus familias y sus cuidadores a través de prestaciones coordinadas de asistencia sanitaria y social;

• la reducción del estigma y la discriminación de los enfermos, y el fomento de una mayor participación, inclusión social e integración de las personas que viven con demencia;

• la promoción de avances en la prevención, la reducción de riesgos, el diagnóstico y el tratamiento, de acuerdo con las evidencias científicas actuales y emergentes;

• el apoyo para la investigación (especialmente en detectar la enfermedad cuanto antes y en desarrollar drogas efectivas que modifiquen la biología de la enfermedad);

• la concientización de cada persona para consigo misma y para los demás sobre la conveniencia de llevar un estilo de vida saludable para así reducir el riesgo de deterioro cognitivo;

• y, como es desde hace décadas contra el SIDA, la movilización de toda la sociedad y la lucha a través de todos los frentes posibles contra esta epidemia del siglo XXI: la enfermedad de Alzheimer.

La memoria emotiva

La emoción es un mecanismo adaptativo que tiene como objetivo la supervivencia del individuo. El recuerdo de situaciones emocionalmente significativas tiene como finalidad protegernos frente a situaciones amenazantes y buscar eventos beneficiosos. Si cuando éramos niños metimos un dedo en un enchufe y tras ello recibimos un shock eléctrico, recordar con miedo esta situación nos protegerá de cometer otra vez el mismo error. Este simple mecanismo, el de asociar un estímulo con una emoción particular –en este caso el enchufe y el miedo– nos permite que, frente a la presencia de ese estímulo o a cualquier indicador del mismo, nuestro cuerpo reaccione con dicha emoción avisándonos de alguna manera del probable peligro. Lo mismo ocurre con estímulos placenteros y emociones positivas. Si determinado estímulo, por ejemplo, comer un helado, nos provocó una sensación agradable, frente al paso por una heladería se evocará esa misma sensación agradable con el fin de aumentar la probabilidad de revivirla.

Aprender a través de la experiencia directa que un estímulo es dañino y que, por lo tanto, debemos alejarnos de él, es una fuente muy efectiva de protección. Aunque lo cierto es que muchas veces se vuelve bastante poco conveniente dado que el aprendizaje requiere de haber pasado por esa situación insatisfactoria alguna vez. Es por eso que nuestro cerebro ha desarrollado mecanismos por los cuales podemos conocer las consecuencias emocionales de un estímulo sin sufrirlas directamente; esto se da aprendiendo de la observación de los demás. Coincidentemente, diversos estudios demuestran que las mismas respuestas emocionales se producen cuando uno experimenta directamente el daño de un estímulo aversivo que cuando uno se enfrenta a un estímulo aversivo del cual le han informado su posible daño o cuando hemos observado que produce daños a otros. Esto hace de la memoria emocional un mecanismo mucho más eficiente.

Si bien la relación entre determinados estímulos y la emoción que nos provocan muchas veces está disponible para nuestra conciencia, este no siempre es el caso. Nuestras decisiones más cotidianas que están guiadas –además de por nuestra razón– por la activación de estos recuerdos emocionales, estemos o no conscientes de ello.

Nuestras emociones y nuestra memoria están inexorablemente vinculadas. Por un lado, la memoria emocional se refiere simplemente a la idea de que muy a menudo eventos emocionales son bien recordados. Como es predecible estamos más propensos a recordar imágenes cargadas emocionalmente (por ejemplo, la escena de un accidente de auto o el llanto de alguien) que imágenes neutrales (una taza o una silla). Además, es más probable que recordemos cualquier imagen, si estamos en un estado de gran emoción.

Las memorias *flashbulb* son otro ejemplo de cómo la emoción y la memoria están conectadas. El término se refiere al fenómeno de saber dónde se estaba y qué se estaba haciendo en el momento en que se vivió un importante suceso público. Es muy probable entonces que los argentinos recordemos qué estábamos haciendo cuando nos enteramos de que Jorge Bergoglio había sido elegido Papa. El día anterior o el siguiente, ¿también lo recordamos?

El amor y la música

El músico inglés Clive Wearing, nacido en 1938, estaba en 1985 en el pico de su carrera como intérprete y director de orquesta. Pero ese año fue afectado por lo que parecía ser una simple fiebre. Los días pasaban y Clive no solo no se recuperaba sino que empeoraba. Finalmente, fue diagnosticado con el virus de herpes simple, el cual raramente puede cruzar la barrera hematoencefálica (una especie de protección que tiene nuestro cerebro) y causar, como en su caso, encefalitis en el paciente.

Como consecuencia de la inflamación, sufrió un importante daño en su cerebro, que afectó varias estructuras y especialmente el hipocampo, área clave para el aprendizaje y el almacenamiento de los recuerdos. Clive quedó con una *amnesia anterógrada* que no le permitía formar nuevos recuerdos, y presentaba un período de conciencia de unos pocos segundos a minutos. Luego de esos instantes, todo parecía volver a comenzar. Su esposa Deborah cuenta, en su libro *Forever Today. A memoir of love and amnesia,* cómo Clive anotaba en su cuaderno entradas de memoria de este tipo: "12.17: en este momento estoy despierto, acabo de recobrar la conciencia"; luego tacharía esto, y pondría "12.25:

ahora estoy perfectamente despierto"; tacharía nuevamente y, luego de unos minutos, consignaría: "12.30:
en este momento estoy despierto". Además, la amnesia
de Clive afectó su capacidad de recordar hechos y sucesos vividos (*amnesia retrógrada*), pudiendo evocar unos
pocos eventos de su pasado. La única persona a la que
reconocía era a su mujer. Sorprendentemente, más allá
de haber perdido la capacidad de generar nuevos recuerdos y de no recordar parte de su vida, su memoria
y habilidad musical permanecieron casi intactas: podía
tocar el piano, leer partituras o dirigir su orquesta con
la misma facilidad que antes, aunque no pudiera recordar cuándo ni dónde aprendió a hacerlo, ni aprender
de memoria nuevas partituras. ¿Cómo era posible esto?
Si bien los lóbulos temporales mediales, donde están
ambos hipocampos, son fundamentales en la memoria episódica, pareciera que la *memoria musical*, además
de la procedural, es independiente del daño en estas
estructuras. El hecho de componer o interpretar música involucra estructuras y vías del cerebro distintas
de las que son necesarias para la memoria de eventos.
La memoria, como mencionamos en las primeras páginas de este capítulo, no es un sistema unitario, sino
un conjunto de sistemas que interactúan. En el caso de
muchos pacientes amnésicos, su memoria episódica y
semántica (las palabras y sus significados) puede estar
devastada, pero tienen intacta la capacidad de aprender
o recordar información procedural, como tipear en la

computadora o andar en bicicleta, por más que frente
a una pregunta respondan que no lo saben. Es por esto
que disciplinas como la musicoterapia resultan una herramienta útil para la rehabilitación o estimulación de
ciertos pacientes neurológicos. A partir de casos como
el de Wearing es que la ciencia también logra un mejor
entendimiento sobre cómo funciona nuestro cerebro.
Clive vivía el mismo momento una y otra vez, rodeado
de personas extrañas en un contexto extraño, sin saber
de su pasado ni mucho de lo que ocurría en su presente.
Cada momento, para él, es el puro presente sumergido
en un mundo raro. Pero, como una metáfora de las pa-
siones más intensas, nunca olvidó el amor por Deborah
y por la música.

Seguir viviendo sin tu amor

José Luis tenía solo 19 años en 1982 y estudiaba ingeniería. Un año antes había hecho la *colimba* en La Plata,
pero lo reincorporaron para ir a la guerra. Desde allí, el
7 de junio escribió una carta a su familia que decía, entre
otras cosas:

> Me imagino lo preocupados que ustedes estarán
> por las últimas noticias. Es cierto que los ingleses
> están muy cerca, pero a mi puesto de combate les
> juro no me ha venido ninguno a "visitar" y espero
> no lo hagan. Hay que seguir rezando y pidiendo

a la Virgen para que esto se arregle en "paz" y se acabe ya. Cada vez tenemos más ganas de volver cada uno a su casa sea como sea, ganando o perdiendo, pero volver y pronto. Al final se nos quedó en el tintero el viaje, pobre papá, tanto juntar y organizar y yo le tiré abajo todo, aunque deslindo responsabilidades en el loco de nuestro presidente y su desvelo de grandeza.

José Luis murió en la madrugada del 14 de junio, cuando las tropas se replegaban hacia Puerto Argentino, el día de la rendición. Lo que siguió después fue la desesperación de sus seres amados durante nueve meses sin saber nada de él, hasta que la Cruz Roja Internacional les informó lo irremediable.

Lo supo su familia, lo sabemos todos, que nada vuelve a ser igual cuando muere una persona querida. Ese corte brusco en el devenir mientras el resto sigue como si nada genera una confusión impactante. A veces los síntomas se tornan muy intensos y prolongados.

La muerte de una persona querida transforma la realidad de cuajo. Nada vuelve a ser igual: se convive como se puede con el recuerdo, el dolor y la ausencia de aquel otro que, de alguna manera, le daba sentido a la propia vida. Y, como en otras habilidades, algunos pueden más y otros, menos.

El duelo es un estado de transición que nos permite asimilar que una persona próxima ha fallecido. Se trata de una reacción normal y esperable. Pero esta condición se transforma en lo que conocemos como *duelo complicado* cuando los síntomas se tornan excesivamente intensos y prolongados en el tiempo. Entonces se vive un estado similar (pero al mismo tiempo diferente) al de la depresión o el estrés postraumático. Puede manifestarse como la dificultad para aceptar la muerte o la sensación de no creer que la persona haya fallecido. Es posible sentir que se la ve o escucha. Otros síntomas son tener sentimientos de bronca, vergüenza o culpa de manera intensa aunque hayan pasado años del fallecimiento. La culpa se presenta al pensar que se pudo haber impedido la muerte o que no se brindó la suficiente asistencia. Los recuerdos de esa persona o las imágenes acerca de las circunstancias de la muerte pueden invadir la vida impidiendo el desarrollo de las actividades cotidianas. Los deseos de aferrarse a un objeto o al recuerdo de su voz son maneras de sobrellevar una realidad insoportable.

Muchas veces, quienes atraviesan esta situación tienen creencias que contribuyen a que este estado permanezca. Si el duelo es visto como una forma de demostrar cariño por la persona fallecida, la tristeza que lo caracteriza es una manera de estar más cerca de ella. Por eso las alegrías o las ocasiones de festejo se viven de manera culposa y la persona comienza a aislarse. En este sentido, continuar con los propios proyectos y seguir adelante puede vivirse como una traición hacia quien ya no está. Se siente que los proyectos más importantes ya no tienen sentido y sufre una profunda soledad.

No todos experimentamos los duelos de la misma forma. En algunos casos los entornos piensan que quienes sufren demasiado ante la muerte del ser querido están tratando de llamar la atención. En consecuencia, no se los comprende y se los critica. Como siempre, la contención y el apoyo de la familia y los amigos son claves para poder salir adelante. Necesariamente, siempre adelante.

Veinticinco años después de la carta de José Luis, su hermano la respondió de esta manera:

> José Luis no llegó ni antes ni después de esta, su última carta. Se quedó allí, en las Malvinas, y hoy es una de las tantas cruces de argentinos en el cementerio de Darwin. Hoy ni mi mamá ni mi papá están con nosotros. Se fueron con él, demasiado pronto, demasiado jóvenes, ya que no pudieron soportar una ausencia tan larga. José Luis, mi hermano, no quería ir a la guerra, no quería ponerse la ropa de combate, camuflarse, matar gente… No quería pelear con un enemigo que escuchaba la misma música que él: Queen. No quería ser –como fue su destino– "un héroe de Malvinas".

Y así termina:

> Gracias a vos y a tus compañeros hoy vivimos en una democracia que nos permite decir lo que

en la guerra y en el regimiento no podías manifestar, pero lo sentías. Hermano, debo decirte la verdad: lamentablemente tenías razón, tu patriota de ciudad no te respetó, te mandó a la guerra y te olvidó. Los únicos que te respetamos, que te queremos y no te olvidamos somos tu familia, tus amigos y tus compañeros, "los soldados ex combatientes" que sufrieron y sufren al patriota de ciudad igual que vos. Quedate tranquilo, para nosotros también estás, siempre, siempre, en nuestro pensamiento y en nuestro corazón.

Capítulo 2

Enamorados de las crisis

Entre esos golpes que nos damos en el pecho para mostrarnos firmes y excepcionales, solemos decir que acá sí que nadie puede aburrirse porque en Argentina siempre están pasando cosas. Parece que nuestro devenir extraordinario también está ligado a una crisis permanente con algunos períodos de sosiego, que no son más que un tiempo para rememorar la crisis del pasado con angustia y prepararse con ansiedad para la crisis inminente, que se aproxima, que está por estallar.

Nuestras crisis cargan para sí con doble valoración: por un lado, es algo que lógicamente genera zozobra y trae aparejado un sinfín de implicancias negativas como el miedo, el estrés, la ansiedad; pero por otro, libera la adrenalina dulce de lo impredecible, de la aventura, de estar permanentemente en el baile, en el nudo de la historia, ahí donde más cosas pasan.

Una pregunta que podemos hacernos es qué porción de nuestras crisis se asocia a factores exógenos, es decir, depende de circunstancias ajenas que impactan en mayor o menor medida en nosotros y no somos más que víctimas de las mismas; otra inquietud es qué parte tiene que ver con decisiones propias (de dirigentes, de líderes con apoyo popular, de colectivos organizados, de impulsos sociales); y otra, cuánto es atraída por el mismo deseo de que las cosas, sean cuales sean, sucedan intensamente. Es que algunas veces parecemos enamorados de las crisis.

Muchos de nuestros momentos críticos son el fruto, al menos en parte, de la improvisación, de la falta de diseño y preparación, de la intención de *atar todo con alambre*, de la sobrevaloración de nuestra intuición y buena estrella, de estar convencidos de que al fin y al cabo estamos condenados al éxito. También son el resultado de las permanentes decisiones que privilegian el corto plazo (ya hablaremos más sobre esto). En estas se incluyen las conductas particulares o sectoriales mezquinas porque más allá de su rasgo poco solidario, a largo plazo termina también impactando en ese mismo que había querido *salvarse solo*.

Otra de las razones, muy importante a su vez, es esa impresión común (quizás por el recuerdo patente, quizás por la resignación, quizás por cierto sesgo pesimista, quizás por el deseo de que eso ocurra) de que "algo muy grave va a suceder en este pueblo". Así justamente se llama un famoso cuento de Gabriel García Márquez, en el que una señora se despierta con esa sensación y al contársela a su hijo y este a sus amigos y así sucesivamente, a la larga algo muy importante va sucediendo. La *anécdota* del cuento es justamente esa: la catástrofe pasa porque todos creen y temen que pase, y eso mismo interviene y trastoca la paz de la vida cotidiana. Y pasa.

El carnicero despacha su carne y cuando llega otra señora a comprar una libra de carne, le dice:

—Lleve dos porque hasta aquí llega la gente diciendo que algo muy grave va a pasar, y se están preparando y comprando cosas.

Entonces la vieja responde:

—Tengo varios hijos, mire, mejor deme cuatro libras.

Se lleva las cuatro libras; y para no hacer largo el cuento, diré que el carnicero en media hora agota la carne, mata otra vaca, se vende toda y se va esparciendo el rumor. Llega el momento en que todo el mundo, en el pueblo, está esperando que pase algo. Se paralizan las actividades y de pronto, a las dos de la tarde, hace calor como siempre. Alguien dice:

—¿Se ha dado cuenta del calor que está haciendo?

Esto es lo que llaman comúnmente una "profecía autocumplida". Un ejemplo muy sencillo de la vida cotidiana es que, como es *inminente* la crisis, nadie piensa mucho en el futuro; y como nadie piensa mucho en el futuro, entonces sobreviene la crisis. No es que no tenemos razones, pero sí que muchas decisiones que tomamos tienen que ver con esta sensación y lo que sucede también.

Sobre el otro aspecto, el amor por la crisis, podemos darnos entre todos una alternativa. En tal caso, lo mejor para satisfacer esta épica y esta necesidad de *sal de la vida*, ese ímpetu de estar sumido en emociones intensas, sea ver películas, modernas series por televisión o leer libros. Porque las crisis que ocurren de verdad se llevan vidas humanas, sobre todo las de los más vulnerables, y también arrecian con los sueños, los proyectos, las ganas. Es cierto que en cada crisis hay oportunidades, pero también las hay (y más aún) cuando las cosas se pueden planificar, discutir, pensar con la cabeza fría. Las crisis muchas veces solo son funcionales a los pescadores de río revuelto y a los comités de crisis. Para estos últimos, llamados siempre "pilotos de tormentas", les valdría la frase famosa del poeta chileno Nicanor Parra: "Bien, y ahora ¿quién nos liberará de nuestros liberadores?".

También es cierto que las crisis promueven actos de cooperación como pocas veces se ven (campañas solidarias, actos personales de gran hidalguía, sensibilidad social extraordinaria) pero no olvidemos que también se es solidario cuando se previene la crisis, y que las mismas crisis muchas veces son caldo de cultivo también para la avaricia, para las conductas ruinosas, que las agravan. Nuestras crisis son nuestras, y eso no quiere decir gran cosa. Pero sí vale la pena restringir nuestras reacciones fatales y decir que no estamos en guerra ni nos arrasó un tifón que sumergió al país en las profundidades de ningún océano. Que aquí estamos más o menos andando y que se puede construir lo más bien desde acá.

Este capítulo, como se habrá visto, está destinado a abordar las causas y consecuencias cognitivas de la crisis: enseguida, dar cuenta de sus principales daños, como el hambre en los niños y las adicciones en los adolescentes; luego, otro de sus efectos, el miedo, el estrés y la llamada "habituación"; por último, las maneras de enfrentar la adversidad, la reevaluación y la importancia de personas y sociedades resilientes.

La herida argentina

Sería un escándalo descubrir que alguno de nuestros hijos está desnutrido y sin cuidados mientras nosotros andamos en Babia, miramos para otro lado, nos entretenemos con el nuevo teléfono inteligente y la alacena de nuestra casa está llena de alimentos.

Una nación es la metáfora de una gran familia, y hoy la Argentina tiene la capacidad de producir alimentos para 400 millones de personas. Es una inmoralidad y un fracaso como comunidad que exista en nuestro país un solo chico que no tenga garantizada su buena alimentación y protección. Nada, absolutamente nada puede justificarlo. No existe algo más prioritario que remediar. Un niño desnutrido, malnutrido o poco estimulado tiene el cerebro en peligro. El desarrollo del cerebro, que se produce desde la gestación en el útero de la madre hasta pasados los 20 años, afronta durante ese tiempo diferentes períodos sensibles en los cuales genera conexiones claves. Su desarrollo óptimo requiere los nutrientes adecuados, pero también un ambiente estimulante desde el punto de vista cognitivo, emocional y social, en el que exista una interacción productiva con un entorno que contribuya con su desarrollo. Cuando un niño crece en la pobreza o en la indigencia, la maduración de su cerebro puede sufrir un impacto negativo. ¿Cuál es el estado de situación con respecto a la seguridad alimentaria y el cuidado de los niños en nuestro país? En principio, la única certeza es que existen cifras oficiales parciales o cuestionadas. Ya lo sabemos desde la medicina: no puede haber un tratamiento eficiente si no se conoce el diagnóstico. Un informe publicado por la Universidad Católica Argentina hace un tiempo sugiere que "en los primeros cuatro años del período del Bicentenario (2010-2013), la vulnerabilidad de la infancia y adolescencia [de entre 0 y 17 años en las zonas urbanas de la Argentina] en el acceso a alimentos en cantidad y calidad alcanzó al 20% (promedio), en tanto que la situación de déficit más grave afectó al 10%". ¿Puede haber una necesidad más imperiosa que arribar a un mapa preciso e incuestionable –aunque duela– del estado de nutrición y cuidado de nuestros chicos y adolescentes? ¿Puede haber una necesidad más urgente que, a partir de esto, proyectar un diseño y puesta en acción de políticas activas que garanticen que los cerebros de todos ellos es-

tén bien nutridos y estimulados? Organizaciones inter-
medias estudian y difunden esta problemática desde hace
muchos años. Pero deben ser, además de ellos, el Estado
y la sociedad en su conjunto los que asuman como propia esta realidad y la transformen. Deberíamos sentirnos
avergonzados y pedir perdón a estos niños por nuestra
impericia, por nuestra inacción, por todas las veces que
tomamos decisiones equivocadas e inmorales, por estar
discutiendo nimiedades, por no protegerlos a ellos, que
son quienes más nos necesitan. La neurocientífica de la
Universidad de Pensilvania Martha Farah comprobó, a
partir de sus estudios, que una mala nutrición, la exposición a toxinas ambientales y la deficiente atención pre-
natal pueden causar trastornos en la formación del cerebro del niño. Otros estudios han encontrado cambios
neuronales en niños asociados al estrés constante: ciertas
neuronas logran menos conexiones en la corteza prefrontal, un área fundamental para todo tipo de tareas desde el
razonamiento hasta la regulación emocional.

Establecer políticas públicas para igualar las oportunidades va mucho más allá de ofrecer educación y salud
pública. Los niños en situaciones de vulnerabilidad social son más propensos a vivir con estresores constantes
y, como consecuencia, mayor dificultad para desarrollar
habilidades importantes como incorporar vocabulario,
controlar sus impulsos o entender las perspectivas del
otro. Por lo tanto, una vez insertos en contextos educativos, se encuentran con una gran desventaja respecto a

otros niños. Asimismo, se ha comprobado un impacto negativo en la memoria de trabajo, el procesamiento visuoespacial, la atención sostenida y el razonamiento fluido. El desarrollo adaptativo de estas habilidades se dificulta dramáticamente con el estrés elevado que genera la insatisfacción de sus necesidades básicas en ellos y sus familias. A esto puede sumarse la falta de estimulación cognitiva y afectiva producto de una calidad educativa deficiente o del poco tiempo que muchas veces los padres consiguen dedicarles a sus hijos, habida cuenta de que están exigidos a trabajar una interminable cantidad de horas por día, de lunes a lunes, para lograr una mera subsistencia.

Un comienzo en desventaja, además de déficits cognitivos, genera un círculo vicioso de bajo rendimiento y baja autoestima. Por supuesto, esto es más rotundo si el impacto se debe a la realidad del chico obligado a cumplir con su propio trabajo, o mucho más si ese niño no va a la escuela, no tiene cama donde dormir ni una familia que lo ampare. Es imprescindible reiterar una vez más que el comportamiento influye sobre la biología y, al revés, que la biología influye sobre el comportamiento. Estas relaciones pueden observarse, por ejemplo, en las carencias nutricionales que traen aparejadas, ineludiblemente, deficiencias cognitivas. Uno de los nutrientes más importantes en el desarrollo del niño es el hierro. La falta de hierro en los primeros años de vida está asociada a comportamientos deficitarios en el lenguaje, la motricidad y áreas

socioafectivas. Estudios longitudinales vinculan una pobre nutrición con dificultades en el desempeño escolar y
con una reducción en el campo cognitivo. Investigadores
de la Universidad de Columbia, en Nueva York, publica-
ron un trabajo en la prestigiosa revista científica *Nature
Neuroscience* que aborda la asociación entre los factores
socioeconómicos y el desarrollo cerebral en niños y adolescentes. Un total de 1099 participantes (de entre 3 y
20 años de edad) fueron incluidos en la investigación.
Los cerebros de los participantes fueron evaluados con
resonancia magnética estructural de alta resolución. Los
datos socioeconómicos –incluyendo la educación de los
padres e ingreso familiar– se obtuvieron a través de cues-
tionarios específicos, y la información sobre el desempeño cognitivo se obtuvo a través de la administración
de diferentes pruebas. La investigación demostró que la
vulnerabilidad social afecta y disminuye el tamaño del
cerebro de los chicos y adolescentes, así como su desempeño cognitivo. La falta de una buena alimentación impacta negativamente en el cerebro de manera temprana y
genera, también, un nivel más profundo de nocividad en
cuanto a angustia, depresión y estrés, si se lo compara con
cerebros bien nutridos. Por su parte, el investigador argentino Sebastián Lipina, junto a colegas de la Unidad de
Neurobiología Aplicada del Cemic, ha realizado estudios
durante las últimas dos décadas en las que se verifican diversas realidades: que la pobreza se asocia a desempeños
cognitivos más bajos desde el primer año y durante toda

la primera década de vida; que esos desempeños bajos se asocian a ambientes hogareños con dificultades para estimular el aprendizaje, y, también, que a través de diferentes intervenciones cognitivas en la escuela y en el hogar es posible recuperar ciertos aspectos de tales desempeños en muchos de estos chicos, que en algunos casos pueden contribuir con mejoras en su desenvolvimiento académico. Tenemos una chance más. Como lo sugiere la evidencia científica de las intervenciones cognitivas, un contexto desfavorable no genera un impacto irreversible para un niño, aunque sin dudas esa realidad no sea la mejor forma de iniciar el desarrollo. El cerebro es plástico, cambiante, maleable y produce nuevas conexiones durante toda la vida. Aun el niño que haya tenido una infancia con falencias en nutrición, cognitivas y emocionales puede beneficiarse en el transcurso de su vida futura de los tipos adecuados de nutrición y estimulación cognitiva y afectiva. Para que esto suceda debe involucrase no solo al niño, sino también a sus padres y a su entorno. La educación y el estilo de los cuidados de los padres son factores clave. Y esto es urgente, porque cuanto antes ocurre en la vida del chico, mejor. "La infancia juega en la tierra. Son los años más felices. Aunque a veces la pobreza nos deja sus cicatrices", canta Peteco Carabajal. Evitar las heridas o, si ya están abiertas, comenzar a curarlas de inmediato. Espabilarnos y darnos cuenta de lo que es obvio: la alacena está llena y nuestros hijos no pueden tener hambre ni dejar de aprender.

No puede pasar en ningún lugar del mundo. No puede pasar en nuestra casa, la Argentina.

La familia del paco

"Me llamo María Rosa, nací y vivo en Ciudad Oculta. Tengo cuatro hijos, una mamá, un hermano. Y una especie de cartel que me cuelga del cuello. Me llaman 'la madre del paco'. Aunque no estoy de acuerdo. Al paco no lo parí: yo parí un hijo que está en problemas por fumar basura", así comienza el relato escrito por Gustavo Nielsen que se publica en el libro *Al fin amanece*, una compilación de relatos que narran escritores argentinos sobre casos reales de adicciones. Lamentablemente no son puro cuento, y uno de ellos resulta imprescindible para poner a la luz también desde la ciencia la implacable problemática del paco.

El paco es la pasta base de la cocaína (PBC), que se produce en el proceso de extracción del alcaloide cocaína de la hoja de coca. En nuestro país su consumo se instaló fundamentalmente en el transcurso de la crisis de comienzos de la década pasada. Y, desde entonces, todo cambió para mal. Como tiene bajo costo de síntesis y es de fácil acceso, se ha difundido principalmente en las zonas socialmente vulnerables. Según estadísticas oficiales, los 16 años es la etapa en que los adolescentes empiezan a consumir mayormente la droga. La mayoría de quienes han consumido PBC ha desarrollado algún grado de dependencia, ya que es alta y cruelmente adictiva.

La toxicidad del paco es mayor que la de la cocaína. Se considera que esto, sumado a la temprana edad de inicio en su consumo, provoca daños severos en las regiones subcorticales y frontales del cerebro. Por eso, este tipo de lesiones impacta en múltiples funciones cognitivas y sociales. El perfil de los adictos al paco es diferente al de los adictos a otras sustancias ilegales. Entre otros aspectos, se evidencia una persistencia en el tiempo de la conducta adictiva de la PBC que sugiere que se produce una alteración a nivel estructural y funcional en la expresión de ciertos genes.

Resulta preocupante la falta de importantes avances en las investigaciones científicas sobre esta adicción. Al día de hoy no hay estudios clínicos concluyentes sobre los mecanismos de acción y sus efectos. Tampoco se ha realizado un perfil psiquiátrico ni neurobiológico de los consumidores de paco. Todo esto lleva a que no existan estrategias terapéuticas específicas y efectivas. Tanto en Europa como en Estados Unidos el consumo del paco no está extendido como acá; por consiguiente, la investigación, la prevención y el tratamiento dependen exclusivamente de la comunidad académica, médica y social de nuestra región. Por lo tanto, debe ser una prioridad para las políticas de investigación científica argentinas el estudio de los mecanismos cognitivos, funcionales y estructurales vinculados con el consumo crónico de PBC, cómo se modifica la expresión de los genes por esta adicción y el impacto que puede tener en el desarrollo.

Según el Estudio Nacional sobre Consumo de Sustancias Psicoactivas del Gobierno Nacional, el consumo de paco se incrementó un 200% en los últimos años. Se estima que en nuestro país se consumen 400.000 dosis de paco por día. Es tal la gravedad del problema que representa el uso abusivo de esta droga en nuestra sociedad que las próximas investigaciones tienen que ser el punto de partida para comprender sus efectos sobre el cerebro, especialmente, sobre el sistema nervioso central. Esto resulta fundamental para el diseño de tratamientos efectivos. Su conocimiento, a la vez, permitirá diseñar estrategias de prevención y contención social. Es urgente.

Como en otros crímenes y flagelos de nuestra historia, son las madres las que salen a la calle a enfrentar a sus responsables con una fuerza incomparable. Las madres, siempre las madres.

La plasticidad del cerebro

Fue la capacidad del cerebro humano lo que hizo posible, mal o bien, escribir este libro y también que en este momento alguien (*sin ir más lejos, usted*) lo pueda estar leyendo. Esto, como sabemos, no siempre fue así. La adquisición de la escritura y la lectura es un hecho relativamente reciente para la historia de la humanidad y, sin embargo,

luego de los procesos de aprendizaje que se dan por lo general en la infancia, nuestros cerebros se vuelven máquinas
competentes para leer y escribir a partir de lo que vemos.
¿Cambió el cerebro para que esto fuera posible? ¿Cambia
a lo largo de nuestra vida? ¿Es distinto el cerebro de alguien que puede ver lo que lee de alguien que lee sin ver?
Hace tiempo, algunos investigadores creían que cada
área del cerebro humano estaba especializada solamente para una tarea particular. Asumían que un área cerebral que procesaba un cierto tipo de información podía
procesar solamente eso y nunca podría cambiar. Durante las últimas décadas se ha hecho evidente que el cerebro exhibe más plasticidad –la capacidad de cambiar
y formar nuevas y diferentes conexiones neuronales– de
la que se pensaba. Se sabe que la corteza occipital tiene como función importante el procesamiento de la información visual. Pero, si alguien es ciego, ¿qué sucede
con esta área? ¿No se utiliza? ¿Puede el cerebro adaptar
y utilizar estas neuronas para otra cosa? Un estudio realizado por el doctor Harold Burton y sus colegas de la
Universidad de Washington en St. Louis ha tratado de
responder a algunas de estas preguntas. Se estudiaron
a dieciséis personas ciegas: nueve lo eran de nacimiento y siete habían perdido la vista durante el transcurso
de su vida. Al utilizar imágenes de resonancia magnética funcional (fMRI), midieron la actividad cerebral
mientras las personas leían palabras reales y secuencias
sin sentido en braille. La principal actividad detectada,

mientras leían palabras reales, ocurría en la corteza visual, a pesar de que todos estaban completamente ciegos. Las personas que eran ciegas desde el nacimiento tenían aún más actividad en la corteza visual que los otros. Estos investigadores llegaron a la conclusión de que las áreas tradicionalmente visuales podrían haber sido reclutadas para alguna otra función (tal vez para el procesamiento de la entrada táctil que reciben por la lectura con sus manos). Esto podría explicar por qué las personas ciegas desde el nacimiento tenían una mayor activación en las áreas visuales (al leer braille, estas áreas cerebrales estaban *disponibles*). Una segunda posibilidad no excluyente es que estas áreas no se utilicen únicamente para procesar la información visual, sino de manera más general para codificar información que luego es procesada por los centros cerebrales del lenguaje. En todos los casos, los científicos subrayan que se necesitan más estudios para determinar si alguna de estas hipótesis es definitivamente correcta. Nuestro cerebro tiene la sorprendente capacidad de cambiar cuando así lo requiere el contexto. Borges, en las famosas conferencias del Teatro Coliseo compiladas en su libro *Siete noches*, ya lo había anticipado. Nos permitimos citar un fragmento que habla de su propia ceguera: "Tenemos una imagen muy precisa, una imagen a veces desgarrada de lo que hemos perdido, pero ignoramos qué lo puede reemplazar, o suceder. Tomé una decisión. Me dije: ya que he perdido el querido mundo de las apariencias, debo crear otra cosa: debo crear el futuro". ¿Alguien puede dudar de que ese cerebro lo hizo posible?

▶ **Hacer de tripas corazón.** *loc. vb.*
coloq. Hacerse fuerte. Salir adelante
a pesar del dolor.

Salir adelante

La palabra "sobreviviente" me suena a
un ente que va por ahí tratando de so-
brellevarla, y en definitiva es un poco así.
Quién no se ha preguntado alguna vez:
"si yo me muriera, ¿quién iría a mi vela-
torio?". Yo sé quiénes irían.

De CARLA, sobreviviente de Cromagnon

El trastorno denominado estrés postraumático (TEPT) se desencadena luego de vivir un acontecimiento en el cual la vida de una persona o un ser querido peligró. Las personas que padecen este trastorno reexperimentan el evento traumático con recuerdos repetitivos, pesadillas, malestar intenso al enfrentarse a cosas que lo recuerden. Frecuentemente pueden presentar problemas de sueño, irritabilidad, dificultades para concentrarse, alerta constante, sobresalto.

No se sabe exactamente qué es lo que sucede en el cerebro cuando alguien padece TEPT, aunque sí que la amígdala, una estructura que regula entre otras cosas el aprendizaje del miedo, se activa muy fácilmente. Conjuntamente, las áreas del cerebro que deben inhibir el funcionamiento de la amígdala (el córtex del cíngulo anterior y el giro frontal medial) responden lentamente y fallan al intentar realizar su tarea. Por último, un funcionamiento anormal del hipocampo puede ser la base de alteraciones de la memoria declarativa y de déficits en la detección de contextos seguros en el TEPT. Por lo tanto, aun los eventos que no son peligrosos encienden erróneamente la alarma.

En un estudio reciente publicado en la revista *Neuroscience*, investigadores italianos realizaron una resonancia magnética funcional a víctimas de un robo a un banco, la mitad de las cuales desarrollaron TEPT y la otra mitad no. En pacientes con trastorno por estrés postraumático, la amígdala se sobreactiva no solo con estímulos aversivos y de miedo, sino también con estímulos neutros. No se puede saber si estos hallazgos con neuroimágenes son causas del trastorno o consecuencias del mismo. En un artículo publicado en *Nature*, se narra la experiencia hecha por un grupo de científicos cuyo objetivo era investigar la contribución de áreas específicas del cerebro en desarrollo del trastorno por estrés postraumático. Para ello, estudiaron a veteranos de la Guerra de Vietnam que habían sufrido lesiones cerebrales y también eventos traumáticos. Los resultados mostraron que se redujo sustancialmente la aparición de TEPT en aquellos sujetos que tenían dañada una de estas dos regiones cerebrales: el córtex ventromedial prefrontal y un área temporal anterior que incluye la amígdala. Estos resultados sugieren que estas dos áreas están involucradas en la patogénesis del TEPT.

Una parte importante de la población ha estado expuesta a algún evento traumático. Sin embargo, no todos desarrollan estrés postraumático. ¿Por qué? La principal razón se relaciona con la actitud tomada frente a la adversidad por el sujeto, es decir, algunas personas están dispuestas a enfrentar su sufrimiento con el objetivo de poder superarlo y seguir viviendo su vida sin cambios de hábitos y otros, por el contrario, manejan su miedo o ansiedad por medio de la evasión. Por ejemplo, frente a un accidente de tránsito, algunos se subirán al automóvil y saldrán a manejar a pesar de tener un temor profundo (estarán, de esta manera, haciendo terapia de exposición por sí solos); y otros reaccionarán de manera contraria y asumirán que es muy peligroso conducir un auto nuevamente. En casos más extremos, estos últimos perciben de tal manera el peligro que terminan pensando que no es bueno siquiera salir fuera de la casa para caminar; empiezan a quedarse sin tener la oportunidad de saber que la probabilidad de que vayan a tener otro accidente en los próximos cinco años es bastante baja. Incluso, la *evitación* mantiene los síntomas del trastorno de estrés postraumático.

Dejar atrás el pasado cuando este perturba depende en parte de la persona que sufre y ese paso es el más difícil de dar. Pero también del resto de la comunidad, que debe estar atento a ellos y ayudarlos a salir adelante.

> ▶ **¡Me caigo y me levanto!** *fr. pr. rur.*
> Expresión de fastidio o de molestia
> que a uno le ocurre de pronto. *Obs.*
> *A veces se articula como "me ca… igo*
> *y me levanto", para indicar desprecio o*
> *molestia por algo.*

Somos también lo que nos pasó

La historia de la humanidad está tristemente signada por grandes tragedias que han tenido lugar (y que, a pesar de los avances de la tecnología, las instituciones supranacionales, las religiones, las reflexiones humanistas y las militancias pacifistas, siguen ocurriendo). Una de las complejas preguntas que la ciencia ha intentado responder se vincula con los rastros que estos traumas pueden dejar en las víctimas cuando logran sobrevivir a estas calamidades. Más específicamente en su información genética, y, por ende, en la de sus descendientes.

Un concepto clave para intentar comprender la relación entre el sufrimiento de circunstancias traumáticas durante el desarrollo y la maduración del sistema nervioso

central, sus posibles efectos duraderos en la transmisión
de genes y en el funcionamiento cerebral es el de *regulación epigenética*. Se trata de una serie de procesos bio-
químicos que afectan la regulación o expresión genética,
sin alterar el código genético de un ser vivo. Su función
esencial es mediar entre el impacto del medio ambiente y
los genes. Es uno de los motivos por los cuales los genes
no *determinan* la fisiología o el comportamiento, sino
que interactúan con el ambiente para influirlos. Es decir, es posible encontrar factores del ambiente para con-
trarrestar o potenciar la influencia genética. Hay genes
que en un ambiente se expresan (ante determinada dieta,
exposición solar, actividad física) y en otro ambiente permanecen *apagados*. Por lo tanto, pensar que determinado
rasgo es genético o es ambiental es una falsa dicotomía,
ya que todo rasgo tendrá alguna influencia de los genes
como alguna influencia del ambiente, aunque sea en mayor o menor medida.

La metilación del ADN es uno de los procesos epige-
néticos más relacionados con los trastornos postraumá-
ticos y el desarrollo de algunas enfermedades. Solo una
minoría de genes se expresa en determinado momento.
La metilación es un proceso químico que es capaz de desactivar la expresión de algunos genes internos del ADN.
Se cree que atravesar momentos terribles puede provocar cambios que luego posibiliten una vulnerabilidad
en los procesos de regulación del estrés, en la respuesta
inmunológica, y en la actividad de neurotransmisores y

elementos genómicos repetitivos. Interesantes estudios han comenzado a investigar estos procesos a través del análisis de tejidos periféricos como la sangre y la saliva. Analizando las muestras de veteranos de guerra, descubrieron cambios moleculares en aquellos que padecían el trastorno de estrés postraumático. Estas investigaciones sugieren que una vulnerabilidad en un proceso epigenético como, en este caso, la metilación de ciertos genes predispondría a una alteración en la respuesta futura del organismo al estrés. Entonces es posible suponer que quienes poseen esta modificación podrían representar ese pequeño porcentaje de personas que, tras vivir un trauma, desarrolla una conducta desadaptativa (trastorno de estrés), en lugar de no traumatizarse o desarrollar un fortalecimiento postraumático. Al mismo tiempo, existen muchas personas que poseen esta condición de base, pero que nunca son expuestas al ambiente que desencadene un trastorno de estrés postraumático.

Cuando los dictadores argentinos tomaron la criminal e irresponsable decisión de ir a las Malvinas a hacer la guerra, no solo estaban mandando a morir a cientos de jóvenes inocentes como José Luis, cargados de futuro y condenando a los sobrevivientes a sufrir las secuelas dramáticas de un conflicto bélico extremo (secuelas que se evidencian en las mutilaciones de los cuerpos y también en el impacto psicológico que llevó ya a la terrible cifra de excombatientes que se quitaron la vida), sino también a las generaciones que los sucedieron, a

sus hijos y a los hijos de sus hijos, a cargar con el peso
de esa crueldad.

Curarse de espanto

¿Es posible desarrollar anticuerpos si uno se enfrenta a
situaciones traumáticas? ¿Existirá algo así como la *vacuna contra el estrés*? Al parecer, aquellos niños con vidas
más estresantes muestran un incremento de cortisol, la
hormona que nos genera estrés y nos prepara para luchar o huir. Esta hormona es la encargada de redistri-
buir la energía en forma de glucosa a las regiones del
cuerpo que más la necesitan: el cerebro, para tomar decisiones rápidas, y las extremidades, para la lucha o la
huida. En cambio, inhibiría sistemas corporales *no tan
urgentes* como el sistema digestivo. Algunos factores son
más importantes a la hora de determinar si un evento
traumático durante la niñez llevará a la vulnerabilidad
o a la resiliencia (como veremos, así se denomina a la
capacidad de adaptación que tenemos frente a una situación que nos perturba o que nos es adversa). El estrés
infantil puede llevar a la resiliencia siempre que se tenga
control sobre el estresor (por ejemplo, saber cuándo va
a suceder). En cambio, eventos de estrés incontrolable
pueden desencadenar *indefensión aprendida*, bajo la cual
una persona cree que no puede cambiar las circunstancias de la situación en la que está viviendo. Si ocurre lo
primero, probablemente el niño desarrolle algún tipo de

anticuerpo al estrés; si ocurre lo segundo, es posible que cualquier evento traumático despierte la sensación de no poder controlarlo.

Una parte importante de la manera en que reaccionamos frente a los eventos estresantes es el ambiente en el cual vivimos. La mayoría de los adolescentes que durante su niñez tuvieron un desarrollo lento o complicado a causa de algún evento traumático pudieron mejorar su situación y *ponerse al día* cuando se vieron en un ambiente amoroso y que le brindaba apoyo. Este hecho, junto con que no todos los humanos expuestos a experiencias traumáticas desarrollan Trastorno de Estrés Postraumático, muestra otra vez que los factores ambientales interactúan con los genéticos y que juntos afectan a la resiliencia.

Varios estudios científicos revelan que aquellas personas que pudieron controlar un evento estresante moderado (como por ejemplo, la enfermedad de un ser querido, la mudanza de un amigo o una precoz ruptura amorosa) desarrollan resiliencia a otros eventos estresantes. Este fenómeno, denominado "inoculación del estrés", ocurre cuando una persona manifiesta una respuesta adaptativa al estrés y una resiliencia mayor que la media a los efectos negativos de los eventos estresantes. De alguna manera, la inoculación del estrés funciona como una vacuna contra algún virus: produce un grado de inmunidad ante los eventos estresantes.

Carlos Tevez, el jugador nacido en Fuerte Apache, en el conurbano de la provincia de Buenos Aires, que triunfó en el fútbol de la Argentina y de Europa, lo hizo evidente al referirse a las cicatrices de su cuerpo (y de su vida): "Nunca me quise operar. Cuando me miro al espejo, me recuerdan de dónde vengo y quién soy".

Convivir con la ansiedad

Escena de la vida cotidiana: amanece un día de semana cualquiera en la ciudad y en algún lugar suena el despertador. Una persona se estira en la cama, intenta apagarlo, mira la hora y piensa: "Uy, ya debería estar en la ducha. ¡Qué mal que dormí! No pude dejar de pensar en el problema del trabajo. Encima me duele el cuello. Tendría que ir al kinesiólogo, pero nunca tengo tiempo para nada. Además, tengo que estarles atrás a los chicos para que hagan la tarea de la escuela. Tendría que salir ahora mismo porque el tránsito es un caos. Se me cierra la garganta y me duele el pecho. Ya quiero que sean las diez de la noche de una vez". El despertador sigue sonando y por fin logra callarlo. Con mucho esfuerzo, corre la sábana y se pone de pie.

Los cambios en los estilos de vida impuestos por el devenir social hacen que cualquiera de nosotros, con lo más y lo menos, podamos ser esta persona: responsabilidades, obligaciones, estrés, ruido, apuro, etc., nos atrapan y casi no dejan tiempo para el placer y el ocio que hacen la vida un poco más apacible.

Muchos sienten que determinadas sensaciones se instalan y se vuelve una fatalidad convivir con ellas. Preocuparse demasiado por las cosas (no poder dejar de pensar en un problema, aunque a todas luces no es tan importante), dificultades de concentración, una sensación en el pecho en forma permanente, temor a perder el control, miedo a morir o pensamientos negativos sobre uno mismo son algunos de los síntomas cognitivos que podemos identificar ligados a la ansiedad. Lo que trae, a su vez, dolores de cabeza, respiración agitada, molestias en el estómago, tensión muscular, palpitaciones, sudoración, temblores, taquicardias o mareos que interfieren en nuestro bienestar.

Pero, ¿qué es la ansiedad de la que todo el mundo habla? Es un fenómeno que se da en todas las personas, que bajo condiciones normales mejora el rendimiento y la adaptación al medio social o laboral, ya que nos moviliza ante situaciones amenazantes y preocupantes para que podamos afrontarlas adecuadamente. Se trata de una respuesta de nuestro organismo ante algo que percibimos como peligroso. Por eso actúa como nuestro sistema de alarma cuya función es detectar rápidamente una amenaza y prepararnos para hacerle frente. Por ejemplo, nos ayuda a escapar si se presenta alguna situación que nos ponga en peligro.

Sin embargo, cuando sobrepasa determinados límites, la ansiedad deja de ser adaptativa y se convierte en un problema de salud que impide el bienestar e interfiere en nuestras actividades sociales, laborales o intelectuales. Estar nervioso –o ansioso– ante situaciones de tensión como dar exámenes, ir al médico o conocer los resultados de una

entrevista laboral es un mecanismo normal que tiene
nuestra mente para prepararnos frente a lo desconocido.
Pero, en ciertas circunstancias, la ansiedad, la preocupación o el miedo se presentan sin que exista una causa que
lo justifique. La Ansiedad Generalizada, el Trastorno de
Pánico y la Fobia Social son ejemplos muy frecuentes
de trastornos ansiosos.

En algunos casos las personas presentan una intensidad de la respuesta de ansiedad que comienza a ser incómoda, llegando incluso a ser vivida como algo peligroso en sí mismo. En otros casos aparecen, en repetidas
ocasiones, síntomas de ansiedad sin ninguna situación ni
estímulo claro que los desencadenen y nuestro sistema
de alarma se activa fácilmente y no diferencia cuando
estamos en peligro y cuando no.

Los problemas de ansiedad son varios, pero la preocupación excesiva e incontrolable es la característica fundamental del Trastorno de Ansiedad Generalizada, lo que
produce un estado de tensión permanente. Esta tensión
sostenida está asociada especialmente a contracturas,
dolores de cabeza, dolores físicos, mayor irritabilidad y
problemas para dormir. Los dolores más frecuentes son
el de cuello, hombros, espalda y pecho. Si tiene síntomas
de crisis de pánico, el dolor de pecho puede asociarse
a palpitaciones, dolor en las extremidades, sensación de
entumecimiento del brazo izquierdo, calambres, mareos,
etc. De repente pueden sentir que se van a morir, tienen
sudoración en las manos, les falta el aire, se les nubla la

vista, les zumban los oídos. Muchas personas terminan en la guardia del hospital porque creen que tendrán un problema cardíaco y, al revisarlos, les informan que no tienen nada (esto a veces les provoca mayor incertidumbre y nervios, porque siguen creyendo que *tienen algo* que aún no les encontraron). El dolor de estómago también es de los más característicos y se debe a que nuestro cerebro prepara al organismo para dirigir la energía a aquellas partes del cuerpo imprescindibles para luchar y/o huir de algún peligro, afectando así el proceso digestivo.

Según diferentes estudios se calcula que un poco más del 20% de la población padece –o padecerá– problemas relacionados con la ansiedad con una importancia suficiente como para requerir tratamiento. Algunos de estos trastornos empiezan tempranamente, como las Fobias y el Trastorno Obsesivo Compulsivo o la Ansiedad Social. Normalmente, cuando una persona con trastornos de ansiedad busca tratamiento es porque lo ha sufrido por más de una década. La mejoría espontánea (sin consulta ni tratamiento profesional), si bien es posible, es improbable. "Ya se me va a pasar" o "Con voluntad y tranquilidad pasa" son pensamientos frecuentes que tienen ante dicho trastorno. Querer que los síntomas desaparezcan no es suficiente. Pedir ayuda es una excelente opción para combatirla y poder vivir mejor. Hoy existen tratamientos eficaces para mejorar la calidad de vida de hombres y mujeres que sufren de ansiedad patológica. Se aconseja en muchos casos que su tratamiento

esté acompañado de la adquisición de hábitos saludables, como el ejercicio aeróbico regular, que colaboren
con el bienestar.

La escena de la vida cotidiana del comienzo sigue así:
la persona por fin se duchó, desayunó y salió a la calle.
Lo que transcurre después depende, en alguna medida,
de cómo lo vayamos viviendo.

Fobias específicas

1984, de George Orwell, fue una novela central para el
siglo XX, ya que planteó desde la ficción algunos conceptos como el control permanente (una figura fantasmagórica que todo lo ve, todo la sabe), encarnado en el
Gran Hermano. A esta misma figura se apeló para llevar
adelante las experiencias televisivas del *reality show* ho-
mónimo a escala mundial con réplicas en muchísimos
países, incluso el nuestro. Miles y miles de minutos de
aire en los cuales todos los que estábamos afuera de la
casa teníamos la posibilidad de observar la cotidianeidad, interacciones y mundo íntimo de decenas de personas. Ni más ni menos. La exageración de esto (si esto
aún se pudiera) lo presentó el film *The Truman Show*,
en el que toda la vida del personaje se desarrolla dentro
de un estudio de televisión. Aunque él no lo sabe ni
puede salir. ¿Y por qué no sale al mundo real, aunque
sea por despiste o curiosidad? Porque Truman Burbank
le tiene terror al agua y, como las antiguas fortalezas

del medioevo, justamente rodearon el *set* de agua. Los productores del *reality show*, dentro del que ha crecido engañado desde su nacimiento, utilizan esta fobia para controlarlo y evitar que escape de ese mundo artificial. La reconocida película protagonizada por Jim Carrey es una comedia dramática que no solo nos invita a reflexionar sobre la idea de verdad, la intimidad, el *voyeurismo* y los medios de comunicación, sino que refleja de qué trata una fobia específica.

Llamamos "fobias específicas" a los miedos extremos e irracionales a ciertos objetos o situaciones que no son necesariamente riesgosos en sí. Por caso, las fobias a los insectos, a las alturas, a los espacios cerrados, a los ascensores, a las tormentas, a los perros, a volar y a ver sangre son algunas de las más comunes. Pueden presentarse a lo largo de todas las edades. Es frecuente que las fobias infantiles desaparezcan con el tiempo; sin embargo, en la edad adulta requieren un tratamiento para evitar que persistan. Si bien los adultos son capaces de reconocer el carácter irracional de sus miedos, enfrentarse a ellos o incluso imaginar esa circunstancia a la que se teme puede desencadenar un ataque de pánico o un estado de ansiedad severa. Según las estadísticas, las fobias específicas suelen tener mayor recurrencia en las mujeres.

Su origen aún se continúa estudiando. Se sabe que ciertas fobias están relacionadas con la historia familiar, es decir, tienen un componente hereditario. Otras, en cambio, poseen un antecedente ligado a un evento traumático, como puede ser un temor extremo a los perros (es importante destacar que en el mayor de los casos las fobias pueden no darse por traumas concretos). Diversos investigadores sostienen que el cerebro parece estar programado para asociar ciertos estímulos con determinadas respuestas como las reacciones de aversión, de miedos o de asco. En suma, se desencadenan respuestas automáticas o reflejas de escape y huida que aseguran la supervivencia de los seres vivos frente a los peligros naturales. Así explican la elevada frecuencia de algunas fobias. Esta perspectiva permite comprender el miedo a las serpientes y los reptiles en general, a las arañas y a los espacios altos o cerrados.

Quienes padecen estas fobias suelen ignorar que existen tratamientos muy eficaces para estas afecciones. Así, hay personas que nunca hicieron un viaje al exterior por su fobia a volar en avión. Probablemente esas personas desconocen que pueden realizar un breve tratamiento. Otro aspecto que influye en que la gente no se ocupe de acabar con estos miedos extremos es que el objeto temido sea fácilmente evitable.

¿Cómo se puede lograr la superación de algunas de estas condiciones? La terapia de exposición puede ser el tratamiento de elección para resolver fobias de manera exitosa (los miedos desaparecen o disminuyen al afrontarlos sistemáticamente). En ellas, el paciente, acompañado y alentado por el terapeuta, logra desensibilizarse al miedo mediante técnicas de relajación y de la exposición

muy gradual al objeto o situación real o imaginaria que
desencadena el temor extremo. La liberación de Truman
solo es posible en la medida en que supere su fobia específica y se anime a atravesar las aguas. Por supuesto
que se trata de una intensa metáfora que evidencia tantos
desafíos de la vida que debemos atravesar las personas y
las comunidades.

El miedo colectivo

Una de las grandes diferencias entre los seres humanos y
otras especies radica en el procesamiento de las emociones (en especial, en términos de *sentimientos*). Esto podría
deberse al desarrollo de otras capacidades mentales complejas y su interacción con el sistema más *primitivo* de
procesamiento de estímulos de relevancia biológica involucrados en la supervivencia de la especie. El miedo (detectar y responder al peligro) es común entre las especies.
Sin embargo, la ansiedad depende de habilidades cognitivas propias del ser humano. Esta característica, que ya
detallamos en *Usar el cerebro*, está dada por la habilidad
que tenemos de revisar el pasado y proyectar el futuro.
Es así que podemos vislumbrar varios escenarios posibles
en el futuro y recrear, a la vez, eventos del pasado que
podrían haber ocurrido pero que no existieron realmente.
Esta capacidad de proyección sobre el pasado y el futuro nos ha otorgado a los seres humanos un instrumento
crucial para su supervivencia: resolver antes de que sea

tarde, prepararse antes de que el peligro se haga presente (tenemos memoria de la crisis, sabemos de sus riesgos y consecuencias; es por eso que nos preparamos, como dirían los economistas, con instrumentos anticíclicos para cuando irrumpa).

Pero, ¿qué pasa cuando experimentamos ansiedad frente a eventos que no son peligrosos en sí mismos? La ansiedad genera que, ante riesgos imaginarios, el sistema de alarma igual se dispare. Un ejemplo clásico es el siguiente: supongamos que estamos caminando por la calle y, súbitamente, aparece un ladrón que nos amenaza y nos roba la billetera. En esa vivencia sin duda experimentamos cambios corporales concretos como respiración agitada, palpitaciones, sudoración, entre otros síntomas. Esa reacción es el miedo. Un tiempo después, nos encontramos caminando por el mismo lugar y, aunque nadie nos amenaza ni nos roba, nos preocupa encontrarnos con un ladrón. Solamente la experiencia de transitar por ese mismo camino nos llena de preocupación. Ese sistema de alarma puede no funcionar correctamente cuando no anticipa un peligro inminente. Pero también cuando empieza a detectar peligros donde no los hay y a evaluar los riesgos en exceso. Esto último es lo que ocurre en los trastornos de ansiedad, los desórdenes psicopatológicos más comunes en las sociedades modernas. El factor común de esta patología, que ya describiremos con mayor detalle, es la evaluación exagerada de los peligros del ambiente, el miedo que paraliza, junto con una subestimación de los propios recursos para afrontarlos.

Las emociones son contagiosas. Es por eso que los diarios y revistas hablan de *alegría* o *tristeza popular*, ya no como suma de los sentimientos individuales sino como *fenómeno* colectivo. El miedo, por supuesto, también es otro caso: "La gente tiene miedo", se puede escuchar también.

Es muy común que se esparza el miedo entre la población. En Estados Unidos cerraron temporariamente empresas, se cancelaron presentaciones y suspendieron las clases cuando se enteraron de que había alguien que había visitado las zonas de África infectadas por el ébola. Pero resulta que la probabilidad de contraer esa enfermedad en Estados Unidos es cerca de 0.

La sobrerreacción ante la posible crisis es habitualmente contraproducente. El miedo por el HIV y el SIDA llevó a que muchos tuvieran miedo y evitaran estar cerca de las personas que portaban este virus. Aún hoy hay campañas que informan a la población acerca de las maneras en que el virus no se contagia: *un abrazo no contagia, un beso no contagia*.

El miedo colectivo no sigue la lógica de la probabilidad, sigue un atajo mental mucho más simple, de esos que hablábamos en la introducción de este libro: "¿Eso nos va a dañar? Por las dudas, evitémoslo". Funciona de manera contraria a la idea de "a mí no me va a tocar" (quizás sean las dos caras de una misma moneda). Es cierto que durante la evolución, las personas que más evitaron

daños percibidos (aunque inexistentes) pudieron sobrevivir más que los más racionales o escépticos. De hecho,
la calidad de vida antes del siglo XIX era muy diferente
y la ciencia no podía detectar riesgos como hoy, por lo
que esta estrategia continuaba siendo útil. En cambio, si
nos dejamos llevar solo por las intuiciones, las sociedades
pueden tomar malas decisiones e incluso estigmatizar a
ciertas personas o grupos.

Cuando los actores sociales empiezan a difundir una
catástrofe inminente real o imaginaria, como vimos que
sucede en el cuento de García Márquez, frecuentemente brotan la ansiedad y la sensación de incertidumbre.
En Argentina, la catástrofe que muchas veces se esparce
es la crisis inminente. Quizás, si se invirtiera en el largo
plazo lo que se gasta en atajarse de la crisis que viene,
aprovecharíamos esos recursos para diseños, proyectos y
realizaciones permanentes.

El miedo social también paraliza. Es por eso que en
un contexto de miedo es común que la población defien-
da el *statu quo*, el sistema establecido, aunque numerosas
veces ello haya tenido cierta responsabilidad en el miedo
generado. Un estudio de Aaron C. Kay, de la Universidad Duke, describió cuatro situaciones comunes donde
esto ocurre:

1. *Amenaza al sistema*: el 11 de septiembre de
   2001, los estadounidenses no apoyaban a George
   W. Bush, pero a partir del atentado empieza a exis-

tir una visión más favorable respecto del presidente, al Congreso y la policía. En contexto de crisis, queremos pensar que el sistema funciona.

2. *Dependencia del sistema*: cuando nos inducen a pensar que dependemos de un sistema dado, tendemos a defenderlo.

3. *Cautividad del sistema*: si no nos podemos escapar del sistema, nos adaptamos. Esto sucede, por ejemplo, en las elecciones políticas: si no nos gusta el candidato X, pero ya que lo prefiero al candidato Y y no tengo otro, empiezo a sentirme bien sobre los rasgos que antes no me gustaban.

4. *Bajo control personal*: cuanto más sentimos que no tenemos mucho control sobre nuestras vidas, más apoyamos sistemas y líderes que ofrecen un sentido del orden.

En todos los casos presentados, vemos que el miedo y la crisis pueden funcionar como una coartada para el afianzamiento de los sistemas que construyen su poder en la necesidad permanente.

El miedo afecta gravemente nuestra capacidad para tomar decisiones. Por eso la principal herramienta de dictaduras y totalitarismos es el miedo social. Es imprescindible volver muchas veces sobre esto, tenerle miedo al miedo e insistir para que el miedo no vuelva nunca más.

▶ **Dar jabón**. *loc. vb. coloq.* Asustar,
atemorizar, amonestar severamente.

¿Qué es la habituación?

El soldado Aníbal Gutiérrez aparece por primera vez en
escena apretando un extremo de la granada con el pulgar.
Cuando el Teniente le pregunta qué le pasa, él responde,
lloriqueando, que se rompió "ese cosito que sobresale,
saltó por el aire y ahora… no queda más que el resor-
te, sabe, y en cuanto levanto el dedo, volamos todos".
Tal consecuencia del accidente es el meollo de una de
las obras dramáticas escritas por el escritor y periodista
argentino Rodolfo Walsh: *La granada*. Para remediar (o
compadecer) dicha situación, los superiores convocan a
Fusille, un técnico en explosivos. El diálogo entre ellos es
disparatado y profundo, sobre todo cuando el soldado le
pregunta: "¿Cómo voy a vivir así?", y Fusille le responde:
"Se acostumbrará, soldado, si realmente quiere vivir. El
hombre se acostumbra".

Los argentinos solemos pensar que vivimos en crisis
permanentemente. Estamos convencidos de que cada
diez años más o menos se produce un fuerte desajuste
general. Una consecuencia de esto es que estas crisis pe-
riódicas cada vez impactan menos en nuestro comportamiento. "Estamos acostumbrados", nos decimos. A su
vez, nos sorprendemos cuando observamos las reacciones
extremas que se producen en otros lados del mundo.

Por ejemplo, vimos asombrados como si se tratara de una exageración la desesperación de algunas personas en distintos países de Europa que habían sido golpeados por la crisis mundial del 2008. Tampoco nos sorprende la corrupción, ni la falta de reglas, ni la desigualdad. "Estamos acostumbrados", repetimos.

Los seres humanos compartimos con el resto de los animales la capacidad de adaptarnos a los diferentes cambios que van ocurriendo a nuestro alrededor. Uno de los mecanismos que lo permite es la llamada "habituación", que consiste en la disminución de una respuesta ante la presencia repetida de un determinado estímulo. Una situación que experimentamos frecuentemente, por ejemplo, es el acostumbramiento a sonidos molestos. Si en el lugar de trabajo nuestra computadora comienza a hacer ruido, nos va a fastidiar al principio, pero luego de un tiempo probablemente no solo nos deja de causar molestias, sino que incluso lo dejamos de percibir.

La habituación se produce a nivel del sistema nervioso, se observa en reflejos simples como la transpiración, la contracción muscular y en la actividad de grupos de neuronas. Es necesario diferenciar el mecanismo de habituación de la adaptación sensorial, que solo depende de los sentidos como, por ejemplo, la disminución de la visión frente a luces intensas. También se distingue de la fatiga sensorial o motora, que implica un cansancio en los músculos involucrados en la respuesta y no obedece a un estímulo específico.

La habituación representa una de las formas más elementales de aprendizaje. Se basa en asimilar que un estímulo no es importante porque no tiene consecuencias que necesiten consideración. Nos permite enfocarnos eliminando las respuestas a elementos irrelevantes del medio. Se seguirá generando una respuesta ante los cambios novedosos producidos por otros estímulos.

Una de las características principales de la habituación se relaciona con la intensidad de los estímulos. Cuanto menos intenso es el estímulo (por ejemplo, el ruido del aire acondicionado), el acostumbramiento se genera más rápido. Pero si la intensidad del estímulo es demasiada, es posible que nunca se genere la habituación (por ejemplo, un dolor de muelas). Otro aspecto consiste en que si luego de la habituación, el estímulo deja de producirse, la respuesta se recupera al menos en forma parcial cuando reaparece (cuando se prende el aire acondicionado después de haberse apagado, lo volvemos a percibir). También podemos mencionar que si esta recuperación de la respuesta espontánea sucede repetidas veces, se potencia el proceso de habituación y se realiza más rápidamente.

Diversos estudios de la psicología cognitiva han desarrollado investigaciones sobre el mecanismo de habituación a nivel psicológico. En este campo se conoce como "efecto de habituación" a los cambios en el estado de ánimo producto de la acción compensadora que genera nuestro organismo para recuperar cierto equilibrio frente a novedades que ocurren en el contexto. Y, de esa manera, podemos volver a sentirnos cómodos hasta reaccionar nuevamente cuando sucedan cambios significativos. Los argentinos nos habituamos al estado de crisis debido a su repetición y en ese estado de confusión permanente, naturalizamos la anomalía: corrupción, desigualdad, deshonra. Quizás nos venga bien un período estable para no habituarnos tanto y prestarle suficiente atención. O, si la paz no llega, saber forzar los ojos para mirar con extrañeza.

Así lo explica Fusille, el experto en explosivos de la obra de Rodolfo Walsh, en su diálogo con el soldado de la granada:

> Soldado.- ¡Qué oficio raro el suyo!
>
> Fusille.- A mí ya no me parece raro.
>
> Soldado.- ¿Pero no tiene miedo?
>
> Fusille.- Tengo, pero también un miedo ritual, un miedo muerto. Aquel maravilloso miedo del principio, ya no lo puedo sentir. Los explosivos, bah… Si apareciera un león, sería diferente.

▶ **Todo pasa**. *fr. coloq.* Expresión ligada a la estrategia de asumir livianamente los problemas que se presentan. *Obs. Esta frase fue popularizada por el expresidente de la Asociación del*

*Fútbol Argentino (AFA), Julio Gron-
dona, quien la llevaba grabada en su
anillo. La misma está adaptada de un
consejo atribuido a Ramsés II: "Esto
también pasará".*

Pensar las emociones

Aunque resulta evidente que las emociones forman parte de la naturaleza del ser humano, muchas veces son
consideradas como algo ajeno a nosotros, que está fuera
de nuestro control. A lo largo de la historia, pensamiento racional y emoción han sido estimados como dos
procesos mentales separados y, generalmente, opuestos:
la emoción ejercía un efecto negativo sobre el razonamiento y, por lo tanto, debía ser evitada si uno deseaba *pensar claramente*. Pero las emociones ¿no encierran
acaso algún valor de verdad, alguna utilidad? ¿Para qué
sirven realmente las emociones? ¿Se trata en verdad de
algo *ingobernable*?

El estudio científico moderno de las emociones solo
resultó posible una vez que estas se colocaron en un
nivel equilibrado y complementario de los demás procesos cognitivos. Desde este punto de vista, representan
el marcador más básico, automático y rápido para guiar
la aproximación a lo que nos gusta y de alejamiento del
peligro, dolor o frustración. Por tal motivo son consideradas como detectores de relevancia de los estímulos

y los eventos en términos de su significado para el individuo.

Las emociones son episodios de cambios afectivos complejos frente a las diferentes circunstancias de la vida. Estas reacciones complejas integran diversos componentes como la activación neurofisiológica y el sentimiento subjetivo interno. Podemos reconsiderarlas, entonces, como una vía alternativa de procesamiento de información al pensamiento consciente más elaborado que orientan, entre otras áreas, el aprendizaje y la toma de decisiones en circunstancias rápidas. Muy lejos de ser un bosquejo desprolijo, desorganizado y espurio de las decisiones racionales, el sistema emocional es un instrumento adaptativo sin el cual nos sería imposible resolver situaciones que exceden las capacidades de análisis lógico-racional, ya sea por carencia de información más detallada o por la velocidad de las circunstancias para las cuales la decisión racional puede llegar a ser muy lenta. La emoción y la cognición no son sistemas separados, y mucho menos opuestos, ya que pueden actuar de forma concertada.

Una pregunta que queda por responder es si las emociones siguen resultando un elemento *incontrolable* de la conducta. La influencia de las personas sobre estas se produce en diferentes aspectos, como por ejemplo en qué emociones tenemos, cuándo las tenemos, o cómo las experimentamos y expresamos. Las emociones pueden ser más bien automáticas y fijas en su patrón de disparo (cuando se produce regularmente una misma emoción frente a un mismo estímulo) o bien pueden resultar de un proceso cognitivo más elaborado. En cualquiera de los casos, sin embargo, las personas somos capaces de *operar* sobre nuestras emociones, aunque más no sea sobre sus resultados finales. En muchos casos no podemos inhibir su disparo, pero podemos intentar torcer su curso para disimularlas o atenuarlas, puesto que las emociones constituyen un proceso dinámico en el tiempo. Las emociones no nos obligan, en la mayoría de los casos, a actuar de un modo específico, sino que vuelven más probable un tipo de respuesta. Con un cierto esfuerzo o preparación es posible bloquear o cambiar la conducta *favorecida* por la emoción disparada. Por el contrario, en la medida que reconocemos las circunstancias que disparan determinadas emociones negativas, podemos aprender a evitar los contextos o situaciones que se asocian a dichas emociones, de modo tal de disminuir la probabilidad de su aparición y regular así el episodio emocional desde su origen.

Esta transformación cognitiva de la experiencia emocional, como veremos próximas páginas, se denomina "reevaluación" y consiste en la selección de un sentido determinado para la situación que gatilla una emoción. Se trata, ni más ni menos, de cambiar la manera en que sentimos al cambiar la manera en que pensamos.

▶ **Buscarle la vuelta**. *loc. vb. coloq.*
Referido a un problema, darse maña
para encontrar una solución o arreglo.

La medida justa de la crisis

La complejización cognitiva de la respuesta de estrés llevó al psicólogo estadounidense Richard Lazarus a pos-
tular la existencia de *mecanismos evaluativos* implicados
en el proceso de respuesta frente al peligro. Tales mecanismos son necesarios porque, si bien en muchos casos
los peligros del ambiente son precisos y contundentes,
en muchos otros, dada la variedad y sutileza de las amenazas de las que hablamos, tal vez no resulte tan sencillo
determinar cuándo estamos frente a una situación que
requiere acciones de protección de parte de nuestro organismo. Entre las primeras encontramos amenazas físicas
como puede ser la presencia de fuego o un estruendo;
biológicas, como la expresión intimidante de un animal
en posición de ataque, o incluso la mera percepción de
una especie temida; y, por supuesto, sociales, como la
percepción del miedo o el enojo en el rostro de otro humano. Nuestro cerebro se encuentra probablemente pre-
determinado para reaccionar ante este tipo de estímulos,
sin necesitar un mayor aprendizaje. En cambio, otras situaciones o estímulos pueden ser mucho más ambiguos.
Aquello que es intimidante para una persona, puede
no serlo para otra, e incluso puede resultar atractivo o

placentero para el otro, como, por ejemplo, dictar una conferencia a un público numeroso o subir a una montaña rusa.

El proceso evaluativo que permite determinar el valor de peligro de un estímulo sigue, de acuerdo con Lazarus, diferentes pasos. El primero de ellos es la *evaluación primaria*, es decir, el establecimiento del valor de un estímulo como peligroso, desafiante o inocuo. A este respecto, las investigaciones en neurociencias han posibilitado establecer el rol de diferentes estructuras cerebrales en la detección y la evaluación del peligro, en particular la actividad crucial de una estructura anatómica, ya nombrada, la amígdala. La activación de esta región cerebral se asocia a una instancia inicial de detección rápida del peligro, que ocurre de forma más o menos automática y que luego activa el proceso de respuesta de estrés.

Como ya vimos, la amígdala es una de las regiones del cerebro más importantes para la emoción. Tendría un rol clave en el procesamiento del miedo, y también de las señales sociales de la emoción, en el condicionamiento emocional y en la consolidación de memorias emocionales. En particular, la amígdala sería responsable de detectar, generar y mantener emociones relacionadas con el miedo y respondería a la importancia de los estímulos emocionales, más allá de su valencia o contenido, ya sea placentero o no placentero. La amígdala parece haber sido altamente conservada a través de la evolución. Su estructura y su organización esencial son similares entre roedores, monos y seres humanos. En términos de sus conexiones, está interconectada con múltiples regiones del cerebro.

Otro proceso importante que ha sido estudiado en relación con la amígdala es el condicionamiento del miedo. El aprendizaje por condicionamiento clásico fue descripto originalmente por el célebre fisiólogo y premio Nobel ruso, Ivan Pavlov, a comienzos del siglo XX. Según este principio esencial de nuestra conducta, cuando observamos un estímulo neutro A (sin valor positivo o negativo para nuestro organismo, como por ejemplo, un timbre) repetirse un número suficiente de veces junto con un estímulo B que sí conlleva un valor para nosotros (sea positivo o negativo, como por ejemplo, una comida), nuestro cerebro aprende a *asociar* el primer estímulo al segundo. A partir de esa asociación el estímulo previamente neutro A resultará *condicionado* y cuando se lo presente de forma aislada será capaz de provocar por sí mismo las respuestas (positivas o negativas) que evocaba el estímulo B. Este mecanismo es fundamental en la adquisición de muchas de nuestras preferencias y aversiones. Así, cuando asociamos un olor o un acento determinado con una persona con la cual hemos tenido una buena relación, al descubrir esos mismos estímulos en otra persona nos predispone favorablemente hacia ella, aun sin ser conscientes de ello. Por el contrario, cuando asociamos una mala experiencia a un estímulo (un lugar, una canción o un alimento, por ejemplo), luego desarrollaremos rechazo o alejamiento a esos estímulos, incluso en contextos diferentes y heterogéneos. Por lo tanto, el valor de muchos estímulos o situaciones como buenos o malos, seguros o peligrosos, resultan de estos mecanismos de condicionamiento. Diferentes estudios muestran que los pacientes con lesiones en la región amigdalina fallan en la adquisición de los miedos condicionados. Asimismo la amígdala ha sido involucrada en el proceso de extinción de los miedos condicionados, o sea, la capacidad de deshacernos de ellos.

Además de la evaluación primaria, de acuerdo con Lazarus, cuando enfrentamos una situación o estímulo estresante, tiene lugar la *evaluación secundaria*. Esta tiene por objeto establecer el grado o disponibilidad de recursos del organismo para afrontar la amenaza. Según esta idea, el valor de un estímulo o una situación para desencadenar la respuesta de estrés tiene que ver con la naturaleza y magnitud del peligro, pero también con la capacidad de respuesta del individuo. Es claro que la experiencia previa, las habilidades cognitivas y conductuales, el estado emocional previo, y muchas otras variables pueden incidir en cómo la persona percibe la dificultad o el carácter problemático de una situación, y en qué medida dispone de planes o soluciones para enfrentarla.

Ahora bien, cuando la amenaza se disipa, se aleja o se controla, se ponen en marcha otros mecanismos, algunos más simples y otros más sofisticados para volver progresivamente a la situación inicial de reposo: esto es, la desactivación de la respuesta de estrés. Así, una vez ocurrida la activación del sistema, y una vez que el factor estresante percibido ha desaparecido, disminuido o, inclusive, nos hemos habituado a él, se ponen en funcionamiento *bucles de retroalimentación* en diferentes niveles del sistema con el fin desinhibir la actividad de estrés. Este proceso tiene lugar de forma espontánea y puede tomar un tiempo variable en volver a la línea de base, dependiendo de la magnitud de la respuesta y la duración del estresor, es decir, del factor de estrés.

¿Pero qué pasaría si no fuéramos capaces de desactivar la respuesta de estrés? Si permanece sostenidamente encendida, tiene lugar el llamado "estrés crónico", que es lo que en el lenguaje corriente llamamos a secas "estar estresado". En esta circunstancia, los componentes de la respuesta que suponían una ventaja adaptativa y una reacción de defensa y autoprotección del organismo, dejan de serlo y se vuelven en su contra. Mientras que los niveles normales de hormonas del estrés promueven la movilización de energía y el aumento de apetito en las condiciones críticas que así lo exigen, la presencia elevada y sostenida de estas hormonas provoca consecuencias de salud indeseables, como la acumulación de grasa abdominal, la atrofia muscular o la formación de placas de ateroma (lesión en la capa interna de una arteria).

A nivel cognitivo, la respuesta aguda de estrés favorece el incremento del nivel de alerta y la formación de

memorias, aunque en el largo plazo la producción elevada de cortisol provoca deterioro cognitivo. La respuesta
inmune no es la excepción y frente al estrés crónico, este
sistema se afecta negativamente dejando al organismo
más expuesto frente a los diversos patógenos.

¿Pero entonces, si el estrés crónico transforma ventajas
en desventajas, qué factores pueden llevar a que la respuesta de estrés no ceda y se realimente de forma continua, o, peor aún, en forma de espiral? Podemos especular
que existen factores ambientales, factores individuales –
biológicos y psicológicos– y también factores socioculturales. La respuesta más sencilla involucra la presencia de
estresores externos de intensa magnitud, que perduran
en el tiempo o que recurren. Cuando sucede de esta manera, y además, las demandas o injurias externas sobre-
pasan la capacidad de respuesta del individuo, caemos en
el estado de estrés crónico. Esto ocurre generalmente en
circunstancias altamente aversivas, como en los períodos
de guerra, ambientes de maltrato o violencia de los cuales
no es posible escapar o situaciones de abuso recurrente.
También en circunstancias de crisis social, que de esto
estamos hablando.

▶ **Mala sangre**. *fr. coloq*. Preocupación intensa.

El rumor de las noticias

En plena víspera de la celebración de la Noche de Brujas de 1938, el escritor y director de cine Orson Welles interpretaba por la radio la novela *La guerra de los mundos*, de H. G. Wells. El episodio es muy conocido y ha despertado la atención de sociólogos y teóricos de los medios de comunicación. Porque la invasión extraterrestre que el noticiero radial simulaba no tardó en provocar pánico y desesperación en la audiencia, que saturó las líneas telefónicas de la policía. ¿Cuánto del miedo está influido por la modernidad?

Entre los factores externos y socioculturales del estrés se suele aludir al estilo de vida moderno y urbano. No deja de resultar una paradoja echarle la culpa de nuestro malestar a la modernidad, si tenemos en cuenta que nuestra calidad y expectativa de vida han mejorado significativamente, si las comparamos con épocas no tan alejadas. No es difícil remontarse a la Edad Media, con las pestes y las invasiones bárbaras, para imaginar las situaciones estresantes a las que estaban sometidos nuestros antecesores.

¿Pero qué nos diferencia, entonces, de nuestros antepasados en términos de estrés, si ellos vivían notoriamente peor que nosotros? Una de las hipótesis apunta a la transmisión cultural, el rol de los medios de comunicación y la disponibilidad de información. A diferencia de la antigüedad, donde podían pasar semanas o meses antes de conocerse una noticia de un sitio geográficamente alejado, hoy podemos tener al instante la información de lo que ocurre en cualquier parte de Argentina y del mundo. Este hecho tecnológico que confiere ventajas evidentes en ciertos terrenos, puede volverse una desventaja en lo que se refiere a la propagación de temores y la circulación de malas noticias. Del mismo modo, la posibilidad de estar conectados todo el tiempo (con nuestro trabajo o nuestros seres próximos) puede llevar también al uso exacerbado de estos medios, sobre todo por personas más vulnerables al miedo, como instrumentos para controlar y chequear de forma permanente su entorno y sentirse artificialmente seguros. Claro que no es necesario estar desconectados de las noticias, las redes sociales y los mensajes automáticos, pero sí saber lo que pasa.

▸ **Barajar y dar de nuevo.** *fr. coloq.*
Volver a empezar.

El valor de la resiliencia

Descansen en paz, pues el error jamás se repetirá.
Inscripción en el Cenotafio
Memorial de Hiroshima

Así como la respuesta de estrés inicial puede amplificarse y prolongarse hasta extremos patológicos, por acción de diversos factores, también es necesario decir que existen elementos que pueden protegernos de estas complicaciones del estrés. Se emplea el término "resiliencia" para describir el conjunto de factores y mecanismos que nos permiten superar adaptativamente las situaciones de adversidad. El estudio de sobrevivientes de situaciones de estrés extremo, como la de los campos de concentración y otros contextos aversivos similares, así como el avance en las técnicas más modernas de tratamiento de las condiciones asociadas al estrés, nos permiten reconocer algunas herramientas que son de ayuda para atravesar las dificultades sin quedar empantanados y reduciendo las secuelas.

La ciencia ha demostrado que existen factores genéticos que contribuyen significativamente a que se produzcan respuestas resilientes. Sin embargo, es importante reiterar que los genes siempre se expresan en un ambiente específico, es decir, no son determinantes sino que necesitan de la interacción con el medio para expresarse. Tanto el desarrollo de las hormonas como la alimentación y el estilo de vida pueden influir, por ejemplo, en las enzimas que participan de la expresión genética o afectar los sistemas neuroendócrinos. La repuesta protectora se ve alterada cuando estos genes asociados a neurotransmisores y sistemas endócrinos que regulan la reacción ante los traumas sufren mutaciones.

Hay rasgos que favorecen las respuestas resilientes. Se ha registrado a partir de diversas investigaciones que las personas que han sufrido experiencias traumáticas frecuentemente desarrollan comportamientos altruistas a través de los que no solo ayudan a los demás sino que los ayuda a mejorar a ellos mismos. Se establece un sistema de retroalimentación. Así, la superación y sanación de las personas promueve y, a la vez, se beneficia del altruismo. Tener propósitos y proyectos en la vida así como poseer sentimientos de espiritualidad son otros factores comunes a las personas resilientes.

El optimismo facilita la resiliencia. Tener una actitud optimista evita que se desencadene el estrés y se asocia a una recuperación más rápida y eficaz. El sentido del humor es otro aspecto que ayuda a atravesar situaciones estresantes. El humor alivia las tensiones y es un ingrediente que facilita que se generen vínculos y relaciones sociales. En investigaciones sobre estudiantes que hacían pasantías en otros países se registró que el humor era considerado como una herramienta necesaria para sobrellevar la distancia del hogar y la inserción en una cultura diferente. En relación con esto, podemos señalar que salir adelante después de haber sufrido episodios traumáticos también es posible gracias al apoyo social. Incluso tener una actitud positiva hacia la búsqueda y construcción de un entorno es beneficioso y supone una mayor entereza psicológica. Por el contrario, los cuadros de depresión suelen ser más graves ante la falta de redes sociales de contención.

Contamos con mecanismos altamente eficaces para atenuar. Uno de ellos es, como ya vimos, la habituación. Es el principio que rige los tratamientos por exposición, altamente eficaces en la ansiedad. Algo muy parecido ocurre con los miedos condicionados. Cuando nos exponemos a un estímulo temido y comprobamos una y otra vez que las consecuencias negativas que esperábamos no ocurren tal como anticipamos, comienza a debilitarse el condicionamiento y a atenuarse la respuesta de estrés. Este proceso se llama "extinción".

Dentro del marco de los procesos de regulación de las emociones, la regulación cognitiva de las emociones tiene un papel fundamental en la especie humana. La reevaluación es la capacidad de transformación cognitiva de la experiencia emocional y consiste básicamente en modificar el sentido o significado funcional atribuido a la situación que gatilla el estrés. Como anticipamos, la manera en que pensamos determina la manera en que sentimos.

En un estudio de laboratorio sobre la regulación cognitiva, Kevin Ochsner y sus colaboradores presentaron a los participantes del estudio fotos con contenidos emocionalmente negativos (situaciones de violencia o heridas, por ejemplo). Ante cada presentación los sujetos debían o bien *atender* a la foto, o bien *reevaluar* la foto. En la condición de *atender* los participantes debían mantenerse conscientes de su reacción emocional sin tratar de alterarla. En la condición de *reevaluar* los participantes debían interpretar la foto de manera de no continuar sintiendo las emociones negativas despertadas por la misma, o sea, debían generar una interpretación alternativa o una historia de cada fotografía que explicara los eventos negativos de un modo aparentemente menos negativo. Los autores pudieron observar que efectivamente los sujetos eran capaces de modificar la valencia negativa de las fotos presentadas en la condición de *reevaluar* y que esa capacidad se asociaba a la activación de ciertas regiones cerebrales específicas por ende comprometidas en la regulación cognitiva de las emociones.

Cuando un paciente que sufre un trastorno de estrés postraumático evoca con ayuda de un terapeuta experto y en un contexto seguro, los recuerdos de la situación vivida, para poder atenuar progresivamente las reacciones emocionales intensas que acompañan el recuerdo, está trabajando sobre la reconsolidación de esa memoria. Cuando un paciente con una depresión puede cambiar en la psicoterapia el modo en que interpreta ciertos eventos de su vida, al modificar los significados atribuidos, está agregando información adicional o diferente a la que estaba ya almacenada y que realimenta el sufrimiento una y otra vez. Evocar nuestros recuerdos perturbadores y revisarlos de un modo sistemático, como se hace en una psicoterapia, es uno de los tantos modos en que nuestro cerebro puede cambiarse a sí mismo. En este sentido, que una buena psicoterapia pueda modificar el cerebro no debería ya sorprendernos, pues se han realizado en los últimos años varias decenas de estudios de neuroimágenes antes y después de tratamientos psicoterapéuticos que evidencian cambios en la activación cerebral como resultado de los mismos. Más aún, podemos decir que las capacidades excepcionales de cerebro y la memoria humana hacen que la psicoterapia sea posible y por lo tanto, conocer mejor nuestro cerebro hará que cada vez podamos hacer mejores y más eficaces procedimientos psicoterapéuticos.

En muchos casos, la respuesta de estrés se perpetúa a través de ciertas conductas que realizamos para tratar de evitar las experiencias dolorosas del propio estrés. El intento excesivo de controlar nuestras emociones y nuestros pensamientos, sin atender a su función o sin esperar los tiempos necesarios de cada proceso, precipita una respuesta paradojal de realimentación positiva del estrés. Ciertas técnicas, como la meditación *mindfulness* –una derivación de las tradiciones orientales adaptadas al contexto científico por el biólogo norteamericano Jon Kabat-Zinn en el Massachusetts Medical Center– y las técnicas psicoterapéuticas basadas en la aceptación buscan que la persona, en lugar de rechazar los estados desagradables, logre experimentar esos mismos estados sin tratar de modificarlos, controlarlos o suprimirlos. Esta idea, aunque contraintuitiva, resulta sumamente efectiva en el abordaje del estrés, cuando se la pone en práctica mediante un programa de entrenamiento que incluye ejercicios experienciales diseñados para ese fin. Se basa en estar consciente del cuerpo, de sus movimientos, las emociones, los sentimientos y dejar de lado todos los pensamientos que se interponen e interrumpen ese estado. El desarrollo de estas habilidades ayuda a enfrentar el estrés y evitar la depresión.

Realizar ejercicio físico, además de ayudar al sistema vascular y generar nuevas conexiones neuronales, actúa como un buen ansiolítico y un antidepresivo. Se observó que tiene un efecto muy positivo en las personas en el momento en que padecen depresión.

Una característica saliente de las personas resilientes es la posesión de un sentido o propósito vital significativo, o un sistema de creencias morales bien definido. Del mismo modo, las creencias y prácticas de carácter religioso o espiritual pueden facilitar la recuperación frente a situaciones traumáticas.

La reacción de estrés forma parte esencial de nuestro sistema adaptativo frente a las adversidades. El sistema cognitivo humano potencia y amplifica ese equipo básico, puesto que desempeña un papel regulador fundamental en nuestras reacciones emocionales. En ciertas ocasiones, la respuesta de estrés puede excederse o perpetuarse volviéndose en contra del organismo que debe proteger. En casos extremos puede incluso derivar en respuestas patológicas, como los trastornos de ansiedad o la depresión. Sin embargo, mecanismos como la habituación, la regulación cognitiva, la aceptación o la cooperación permiten al ser humano atenuar el impacto de situaciones estresantes y preservar la capacidad de respuesta frente a las mismas.

Resulta central reflexionar también sobre el rol clave del otro (el prójimo, el ser amado, la comunidad) frente al desasosiego. Cuando cobija, cuando contiene, cuando

acompaña. Como en el diálogo entre los dos protagonistas en *El beso de la mujer araña*, la famosa obra de
Manuel Puig: "y mientras esté a mi alcance, por lo menos
en este día, […] no te voy a dejar pensar en cosas tristes".

Centrarnos en imaginar un futuro no para el espanto
sino para que sea posible la prevención y la planificación
es una de las maneras colectivas de disminuir los niveles
de estrés y conseguir bienestar social. Para ello es muy
necesario tener en cuenta la historia de lo que nos pasó
para intentar que lo malo no se repita y lo bueno sea aún
mayor. La posibilidad de anticiparnos al futuro debe ser
puesta al servicio de nosotros mismos y de los que van a
venir. Es nuestra responsabilidad. Así, los miedos ya no
tendrán sentido.

Capítulo 3

Los otros, los mismos

Con la síntesis que muchas veces exige una conversación presurosa e informal, cuando nos piden que definamos en poquísimas palabras qué es el cerebro humano, solemos responder así: un órgano social. Se lo describe de esta manera porque ese elemento tan complejo y fascinante no puede entenderse aislado y sin conexión con el otro. Para que nuestra especie sobreviva, los niños al nacer deben instantáneamente conectarse con las conductas protectoras de sus padres. Y los padres deben cuidarlos lo suficiente. Aunque otros animales pueden correr más rápido, tener mejor olfato o luchar mejor que nosotros, nuestro desarrollo evolutivo se destaca por las habilidades sociales: la capacidad para comunicarnos con los demás, para entender al otro y ser entendidos, para planificar y trabajar juntos, para afianzar tradiciones colectivas, para reunirnos y celebrar fiestas patrias, para abrazarse en un partido del mundial de fútbol.

Podemos entender con mayor claridad esta noción si hacemos una analogía (casi un lugar común, por cierto) entre el funcionamiento del cerebro y el de una computadora en la actualidad. En el caso en que la máquina se encuentre desconectada de Internet, aunque se trate de un equipo de última generación y muy potente, no tendrá una prestación plena. Más bien, su impulso será pobre, limitado, de bajo vuelo. Lo mismo sucede con nuestro cerebro.

Mecanismos neurales, hormonales y genéticos están involucrados en modular nuestra conducta social. Transformarnos en adultos no significa volvernos autónomos y solitarios, sino, por el contrario, depender de otros y que otros puedan depender de uno. De hecho, el dolor de sentirse solo y aislado de los que están alrededor funciona como un alerta del sistema biológico frente a una amenaza o potencial daño al cuerpo social, del mismo modo que cuando detecta dolor físico, hambre o sed y se disparan conductas claves para asegurar respuestas (proteger el tejido dañado, comer, beber) que nos permiten la supervivencia.

La llamada "cognición social" estudia al individuo dentro de un contexto social y cultural, centrándose en cómo la gente percibe, atiende, recuerda y piensa sobre otros. En este concepto se incluyen diversos procesos tales como la teoría de la mente, la empatía, el reconocimiento de expresiones faciales, el desarrollo de emociones, el juicio moral y la toma de decisiones. Hoy sabemos que sentirse aislado es un factor de morbilidad y mortalidad más importante que la obesidad y el alcoholismo. El aislamiento afecta la calidad del sueño y aumenta los síntomas depresivos y los niveles matinales de cortisol (la hormona del estrés). Esto se extiende a animales sociales no humanos.

Por lo general, escuchamos a la gente comentar que tiene dolor físico, hambre o sed, pero es más difícil escuchar que en verdad se sienten solos. Porque el sentimiento de soledad representa un estigma en la actualidad. Cuando uno se siente solo, es importante reconocer la situación y entender el efecto negativo que produce en nuestro cerebro, cuerpo y conducta. Pero también hay que comprender que la diferencia no la hace la cantidad de personas con las que se rodea, sino la calidad del tiempo compartido con amigos y familia, una pareja confiable o sentirse parte de algo más grande que uno mismo (*conectividad colectiva*).

El sentimiento de soledad está creciendo en las últimas décadas en Argentina y en el mundo. Nuestros cerebros, cuando se sienten solos o aislados, responden con un mecanismo de autopreservación. Un estudio de neuroimágenes mostró que los cerebros de personas aisladas activaban más las áreas de atención ante imágenes negativas socialmente; mientras que se reducía la actividad en las áreas involucradas en el control de la atención que se necesita para ponerse uno en el lugar del otro, en tomar la perspectiva de otra persona.

Como fue dicho, la complejidad de nuestro cerebro es consecuencia, al menos en parte, de la complejidad social que ha alcanzado nuestra especie a lo largo de su evolución. En tanto somos seres sociales, creamos

organizaciones que van más allá del propio individuo, desde la familia hasta las comunidades nacionales o globales.
Así, surgen instituciones como Defensa Civil o el Club
Progreso, grandes ciudades como Buenos Aires, Mendoza
o Neuquén, países como el nuestro con sus constituciones
nacionales, parlamentos, presidentes, policías, maestros,
etc., que a su vez nos conminan a establecer vínculos fuga-
ces o permanentes y adecuarnos a pautas de convivencia.

Los demás intervienen de manera central para que
cada uno de nosotros seamos como somos. Intentar
comprender a la evolución del ser humano de manera
aislada es no comprenderla. Intentar entender al cerebro
humano fuera de la interacción con otros cerebros es re-
ducirlo a casi nada.

El contexto, a su vez, formatea nuestras prácticas de
manera preponderante, y también nuestra manera de ser.
Nuestros humores, nuestros sueños, nuestras memorias,
nuestros miedos y nuestras decisiones están condiciona-
das por el entorno. A pesar de tener el 100% de genes en
común, si desde muy pequeños dos hermanos gemelos
pasaran su vida en lugares distantes uno de otro, seguramente tendrían modos de ser mucho más diferentes entre
sí que si se criaran juntos. ¿Por qué un jugador de fútbol
de cualquier equipo que andaba más o menos cuando
pasa a otro club explota (y viceversa)? Si el individuo es
el mismo, ¿qué fue lo que se modificó? ¿Por qué algunas
instituciones formativas como escuelas y universidades
terminan siendo semilleros de premios Nobel? ¿Por qué

hay personas, empresas, instituciones que generan de manera permanente la innovación, la creatividad, la superación? Porque la pelota también es la misma, los pupitres, las computadoras y los pizarrones son los mismos; lo que cambia es la persona en relación con los demás, y eso influye en la motivación, en la autoexigencia, en el *clima de equipo*.

Una de las frases más repetidas sobre este diálogo entre uno y el universo fue la del pensador español José Ortega y Gasset, quien dijo eso del *yo y su circunstancia*. Justamente fue él quien tuvo muchísima influencia en el pensamiento argentino décadas atrás. Él visitó varias veces el país (de hecho, vivió acá algunos años), brindó conferencias y publicó un libro de ensayos con el nombre de *Meditación del pueblo joven*. De ahí surge también ese otro lema célebre de "Argentinos, a las cosas", que azuza a ese carácter *chamuyero* que parecemos tener. "Acaso lo esencial de la vida argentina es eso: ser promesa", dice también, reclamando cumplirla de una vez, o callar.

En este capítulo nos preguntaremos fundamentalmente cómo el contexto social moldea nuestras conductas individuales y viceversa. Para eso, partiremos de alguno de los conceptos generales ligados a las neurociencias sociales como la llamada "teoría de la mente"; y luego algunas condiciones ligadas al *otro*; también veremos el impacto de las grandes metrópolis en las conductas y las personalidades así como la necesidad de concebir y forjar ciudades inteligentes, ciudades amigables; ligado a esto, la importancia del contexto creativo, de la exigencia y del trabajo en equipo. También nos preguntaremos sobre qué significa esa cualidad llamada "viveza criolla" y reflexionaremos sobre la moral y la necesidad de pensar en el otro, sobre los prejuicios, valores y los antivalores como la corrupción y la violencia.

▶ **Arrimar el bochín**. *loc. vb. coloq.* Cortejar a alguien. Oralidad. *Obs. Se refiere al juego de bochas donde el que más se aproxima al bochín, gana.*

La vida de los otros

En una reunión de amigos, en una ronda de negocios o en un encuentro amoroso, seguramente cada una de las personas involucradas se preguntará, en algún momento, qué estará pensando el otro. Y se interroga eso porque está convencido de que el otro está pensando algo y que es independiente de lo que piensa él.

Las neurociencias denominan "teoría de la mente" a la capacidad de inferir los estados mentales de otras personas –incluyendo sus intenciones y sentimientos– y se trata de una habilidad universal que subyace a nuestra capacidad de interactuar en sociedad. La teoría de la mente es un componente central de la empatía y, dado que es una habilidad que favorece la adaptación, se supone que ha evolucionado a partir de la selección natural. Como dijimos, para los seres humanos, así como para muchas otras especies animales, la supervivencia depende en gran medida de un funcionamiento social efectivo. Las habilidades sociales facilitan nuestro sustento y protección, y aquellos individuos que son sociablemente más adaptados tienden a ser más sanos y a sobrevivir más.

Una interacción apropiada con otro ser humano necesita de un reconocimiento inicial de que quien está enfrente es otra persona, distinta de uno mismo y con un estado psicológico interno diferente, que acciona con base en sus propias metas y que dichas metas y creencias pueden diferir de nuestras propias perspectivas acerca del mundo. A partir de allí, debemos intuir las motivaciones internas, los sentimientos y las creencias que subyacen a su conducta considerando, además, que los estados mentales de cada individuo se enmarcan en características más estables de la personalidad. Una vez comprendido esto, debemos ser capaces de comparar la perspectiva propia con la ajena. Finalmente, uno debe tener en cuenta cómo es que nuestra conducta incide sobre la de la otra persona, tanto para actuar de una manera socialmente apropiada como para intentar persuadir o influenciar el estado mental del otro.

La teoría de la mente puede subdividirse en dimensiones cognitivas y afectivas. La dimensión cognitiva se refiere al conocimiento que tenemos acerca de los pensamientos de los demás, teniendo en cuenta la capacidad de comprender que las creencias de otros pueden diferir de las propias. La dimensión afectiva, por su parte, incluye la capacidad de comprender lo que el otro está sintiendo o de comprender cómo se sentiría frente a determinada situación. Se ha sugerido, por ejemplo, que aquellas personas con rasgos antisociales presentan intacta la dimensión cognitiva de la teoría de la mente mientras que fallan en la afectiva. Algunos estudios sugieren que los pacientes con esquizofrenia presentan mayores dificultades en el componente afectivo, mientras que las personas con Síndrome de Asperger parecen tener mayores dificultades en la dimensión cognitiva. Diversos estudios han señalado a la corteza prefrontal medial y la unión témporoparietal (el lugar donde se unen el lóbulo temporal con el parietal) como claves en el procesamiento de la teoría de la mente.

La empatía, por su parte, podría definirse como una respuesta afectiva hacia otras personas, que puede (o no) requerir la posibilidad de compartir su estado emocional. Implica además la capacidad cognitiva de comprender el de otros y regular nuestra propia respuesta emocional. Jean Decety, de la Universidad de Chicago, ha postulado un modelo basado en una serie de componentes que interactúan, pero que son claramente disociables. El primer componente es el mecanismo de acoplamiento "percepción-acción", que permite compartir automáticamente los estados emocionales de los otros. Este mecanismo es innato y está listo para funcionar a partir del nacimiento. Un segundo componente involucra la regulación de la emoción y la conciencia del propio yo y del otro. Las neurociencias consideran que la empatía abarca un amplio espectro de fenómenos desde sentimientos de preocupación por los demás hasta la capacidad de expresar emociones que coincidan con las experimentadas por otra persona e, incluso, la capacidad de inferir qué es lo que está pensando o sintiendo. Es decir, involucra un amplio rango de procesos afectivos, cognitivos y conductuales.

Simon Baron Cohen, de la Universidad de Cambridge, propone que la empatía ocurre cuando somos capaces de suspender nuestro foco atencional único, o sea, nuestra propia mente, para adoptar un foco atencional *doble* teniendo en cuenta la mente de la otra persona al mismo tiempo que la nuestra. Cuando pensamos solamente en nuestra propia mente, la empatía desaparece; cuando nos focalizamos en la mente e intereses del otro conjuntamente con la nuestra, la empatía se enciende. Para que el proceso de la empatía se complete, es necesario, además de identificar lo que otra persona siente o piensa, dar una respuesta acorde a sus pensamientos y sentimientos con una emoción apropiada. Esto sugiere que existirían dos etapas: reconocer y responder. Ambas serían necesarias, ya que reconocer sin reaccionar no es suficiente.

La complejidad de la empatía puede derivar de que la misma está procesada por una red ampliamente distribuida en nuestro cerebro, que interactúa naturalmente de manera extensa con diferentes regiones neuronales y sistemas cerebrales. Cierta evidencia convergente de estudios en comportamiento animal, estudios de imágenes en individuos sanos y estudios de lesión en pacientes neurológicos, sugiere que la empatía depende de una gran variedad de estructuras cerebrales evolutivamente más nuevas, y también incluye estructuras primitivas del cerebro que regulan los estados corporales, emociones y la reactividad afectiva. Esto demuestra el rol crucial que juega no solo en los seres humanos, sino en toda especie animal en la que los individuos interactúen entre sí.

Sentir el *dolor de otro* es un ejemplo de comportamiento empático. Esta respuesta frente al padecimiento ajeno, como diremos al final de este capítulo, acarrea consecuencias positivas para las sociedades. Las personas van a acudir en ayuda de quienes estén transitando una situación dolorosa, especialmente, si se trata de un acontecimiento cercano, que viven a través de la experiencia directa o en forma indirecta mediante imágenes de televisión y de los periódicos. Un interesante experimento llevado a cabo por Decety mostró que los médicos, al ser profesionales que están en permanente contacto con el sufrimiento de los pacientes, logran regular la percepción de los umbrales del dolor y, por lo tanto, presentan menos activación en esa matriz que el grupo de control que no estaba compuesto por médicos.

El avance en el conocimiento de los procesos de la teoría de la mente y de la empatía resulta fundamental para contribuir al bienestar social. Michael Gazzaniga, de la Universidad de California en Santa Bárbara, es considerado el padre del campo de las neurociencias cognitivas. En un diálogo que mantuvimos hace un tiempo, realizó una interesante reflexión sobre los alcances y la importancia de los estudios sobre el conocimiento del cerebro social: "Lo que hacemos los humanos la mayor parte del tiempo es pensar sobre procesos sociales, es decir, sobre nuestra familia, sobre el colegio, sobre nuestros amigos, sobre cuáles son las intenciones de las otras personas hacia nosotros. No andamos por ahí pensando en problemas complicados".

Estos conceptos ligados a las neurociencias sociales también pueden resultar claves para abordar cuestiones políticas e institucionales. Después de todo, si alcanzamos a desarrollar de manera creciente nuestra experiencia empática para con nuestra comunidad, es probable que lleguemos a comprender lo que piensa el otro, sentir lo que siente el otro y convivir así más pacíficamente. Pensar una comunidad es pensar en esto. Construir un país es practicarlo. Asimismo, nos sirven para poder dar cuenta de procesos históricos. Como veremos en el próximo capítulo en profundidad, una de las claves del liderazgo es la capacidad de entender al otro, poder inferir lo que sienten y piensan los demás. Martin Luther King y Nelson Mandela son ejemplos de grandes líderes que lograron transformaciones sociales a través de convicciones enérgicas. El mundo no es igual porque ellos comprendieron cuál era el deseo de los demás. Así orientaron sus pasos en la búsqueda de la justicia, del desarrollo y de la libertad. Y el mundo es mejor por eso. Los verdaderos líderes tienen la capacidad de representar los deseos colectivos, guiarlos, absorber la esperanza de su prójimo y devolverla amplificada en gestas sociales. Los *grandes hombres* como ellos son cabales ejemplos de líderes concebidos por sus contemporáneos, modelos de seres humanos que forjaron sueños y los transformaron en futuro. Si hay un denominador común entre esos próceres de nuestra reciente historia es el eminente valor de su *cerebro social*, la eficaz conexión con tantos otros: su pueblo.

Prejuicios afuera

Las actitudes negativas e incluso agresivas hacia otros grupos suelen estar asociadas a nuestros sesgos mentales y responder a los prejuicios. Es posible definir a estos como preconceptos, generalmente desaprobatorios, hacia grupos sociales o individuos, basados en su pertenencia social, étnica o religiosa. Influyen en nuestra percepción, guían nuestros juicios y nuestras expectativas.

Una explicación interesante sobre los prejuicios se da a partir del estudio de los mecanismos de la empatía, que, como acabamos de ver, consiste en una respuesta afectiva hacia otras personas. De acuerdo con Emile Bruneau, investigador del Instituto Tecnológico de Massachusetts

(MIT), lo que falla cuando hay hostilidad y rechazo entre grupos es justamente la adopción de ese *doble foco* necesario para entender y compartir sentimientos con los demás. Propone entonces el concepto de "brecha de la empatía", clave para comprender y desactivar estas conductas. Contrariamente a lo que se suele suponer, la falta de empatía hacia otra persona no se relaciona tanto con una pobre capacidad empática sino con el grado de identidad con el propio grupo, al que suele asignársele características superiores, y con la separación que se hace respecto de los demás al exagerar las diferencias que se tiene con ellos. Bruneau observó que en esos casos el cerebro silencia la señal empática con el fin de evitar comprender y ponernos en los zapatos de nuestro *enemigo*. Por eso, cuanta más identificación sesgada hay con el propio grupo, menor es la empatía hacia el otro.

Una manera de combatir esos prejuicios es modificando el contexto (por ejemplo, elaborando un escenario cotidiano en compañía de personas que son víctimas de los mismos). Otra es hacerlos conscientes.

▶ **Como sapo de otro pozo**. *loc. adj. coloq.* Desubicado, fuera de lugar. Aplícase para referirse a alguien que se encuentra en un lugar que no le corresponde o en el que se siente incómodo.

Cuando el otro da miedo

Quizás muchos recuerden esta película francesa de principios de milenio en su paso por cines argentinos y la repercusión en medios masivos y especializados: la pequeña Amélie Poulain siempre jugaba sola, incluso se dibujaba caras en la mano que hacían las veces de *títeres* o imaginaba seres extraños que reemplazaban la falta de amigos. Este personaje, que da nombre a la tierna película francesa *Amélie*, convive con un manifiesto temor a entablar relaciones con los demás. De joven, siempre introvertida y solitaria, se convierte en una minuciosa observadora de la gente común de su alrededor y se ocupa de mejorar sus vidas. Así, en forma secreta, como un juego, persigue sus intereses románticos.

La fobia social es un trastorno de ansiedad que se caracteriza por generar un temor intenso ante la posibilidad de ser evaluado negativamente por los otros o de hacer el ridículo en público. Quienes la padecen poseen un fuerte deseo de agradar al tiempo que tienen la sensación de carecer de recursos para lograrlo y desarrollar nuevas relaciones. Por ello, se sienten ansiosos cuando interactúan con desconocidos. Cuando atraviesan las ocasiones que desencadenan la ansiedad, se sonrojan, sudan en exceso, tienen palpitaciones, tiemblan, se marean y sienten que *se les pone la mente en blanco*. Asimismo, intentan ocultar estos síntomas porque les resultan vergonzantes. Incluso es probable que intenten evitar el contacto con desconocidos para no tener que sufrir la ansiedad que les produciría tener que conversar con ellos. Suelen presentar ataques de pánico al enfrentar las experiencias temidas.

En los casos leves, la aparición de la ansiedad solo se limita a determinados eventos como, por ejemplo, si se tiene que hablar en púbico ante un gran número de oyentes. Este trastorno es conocido como *fobia social localizada* o *circunscripta*, y también como *ansiedad de desempeño*. Otras veces la ansiedad se presenta ante un evento social selectivo. En cambio, en la *fobia social generalizada*, que representa el cuadro más severo, el temor intenso se extiende a la mayoría de las situaciones sociales, incluso con las personas conocidas. Como consecuencia, los que la padecen se aíslan socialmente y se posterga su vida profesional.

Asistir a reuniones sociales, rendir exámenes orales, dictar clases, dar exposiciones, ir a fiestas y hablar en público son las actividades más comúnmente temidas. Esta fobia se manifiesta generalmente en plena adolescencia, aunque también se pueden detectar rasgos de ansiedad social en el temperamento desde la infancia temprana.

Debido a la falta de conocimiento que tiene gran parte de la población sobre este trastorno, se trata de una condición que permanece subdiagnosticada y subtratada. La fobia social debería ser un tema prioritario para la salud pública de acá y del mundo. Sus consecuencias son muy dolorosas: puede resultar discapacitante al afectar todas las áreas de la vida de la persona que la padece.

Además, tiene una alta prevalencia y su desarrollo suele ser crónico. En muchos casos puede desencadenar síntomas depresivos y suele estar asociada con otros trastornos psiquiátricos. Si bien puede persistir a lo largo de la vida, también puede presentarse una remisión total o parcial al llegar a la adultez. Hoy hay tratamientos farmacológicos y psicoterapéuticos eficaces para mejorar esta condición que genera mucho sufrimiento.

Los que hayan visto *Amélie* muy probablemente aún la recuerden porque es de esas películas que perviven, vuelven, se reencuentran. Y es por eso que quizás también recuerden ese valor de la protagonista haciéndole frente a su condición a través de la amistad con Nino, su vecino, y de un amor real.

La lección de Temple

A la memoria de Oliver Sacks,
por tanto.

Temple Grandin revolucionó el diseño de los mataderos en busca de que los animales tuvieran una vida y, sobre todo, una muerte menos dolorosa. Pero fue la propia historia de esta doctora en ciencia animal la que generó un amplio interés y una gran repercusión internacional, tanto que el célebre neurólogo Oliver Sacks le dedicó uno de sus brillantes relatos, *Un antropólogo en Marte*. Hoy, si buscamos en Internet, podemos encontrar testimonios y videos de sus conferencias en universidades y prestigiosas instituciones del mundo y también de Argentina, en visitas recientes. Quizás este impacto se dio porque, muchos años antes de estas conferencias, a sus tres años de edad, a Temple Grandin le habían diagnosticado autismo.

La historia de esta especialista en el bienestar de los animales representa una lección de vida. En 1950, cuando los médicos les comunicaron la condición a sus padres, les recomendaron que la internaran en una institución mental. Por entonces el autismo era sinónimo de *daño cerebral*. Su madre desoyó a los especialistas y la incentivó a descubrir el mundo. La ayudó un acompañante que le enseñaba a hablar, jugar e interactuar con los demás. Así, pudo asistir a una escuela integradora e incluso trabajar en un almacén y, a veces, ayudar a una amiga de la madre en un taller de costura. Aprendió con sumo esfuerzo las normas sociales básicas como saludar, mirar a los ojos y dar la mano pese a no soportar el contacto corporal. Cuando tenía 16 años, permaneció un tiempo en la granja de familiares, donde interactuó con los animales y, a partir de observar cómo el ganado se tranquilizaba al quedar inmovilizado en una máquina que los contenía, diseñó una *máquina de abrazar* como terapia para sí misma. Ingresó a la universidad, se graduó en psicología y continuó los estudios de posgrado especializándose en la ciencia animal. No solo innovó el diseño de los corrales de los mataderos sino que fue consultora de grandes cadenas alimenticias y autora de varias publicaciones. Hoy es profesora de la Universidad de Colorado, brinda conferencias y escribió sobre autismo y sobre su especialización.

Grandin logró superar las dificultades y desarrollar sus habilidades. Y, sin duda, su posibilidad de ver a través de una perspectiva única resultó muy útil. "El mundo necesita de diferentes tipos de mentes que trabajen conjuntamente", enseña a todos con su palabra, con sus acciones y con su mente. Enfocarse en lo que los seres humanos podemos hacer parece ser la clave.

Vivir en la ciudad

Se llamaron "aguafuertes" a las pequeñas estampas grabadas que popularizaron artistas plásticos como Durero y Rembrandt. En nuestro país, más bien, esta palabra repercutió en un sentido metafórico al ser utilizada recurrentemente por uno de los escritores argentinos más importantes del siglo XX: Roberto Arlt. Esos relatos cotidianos, crónicas fragmentarias y comentarios al pasar se transformaron en las célebres *Aguafuertes porteñas* y supieron poner la luz en los típicos y pintorescos hábitos y personajes de la ciudad. También en sus sombras.

La urbanización es el cambio demográfico más importante de los últimos doscientos años. Hacia el 1800, quienes vivían en ciudades representaban solo el 3% de la población mundial. Hoy más de la mitad vive en zonas urbanas. América Latina y el Caribe es la segunda región más urbanizada, después de América del Norte, con un 80% de la población que vive en grandes ciudades (*World Urbanization Prospects: The 2014 Revision*). El 43% de los argentinos reside en aglomerados urbanos de más de un millón de habitantes y Buenos Aires es una de las 28 megaciudades a nivel mundial.

Por supuesto que vivir en zonas urbanas es muy distinto a vivir en zonas rurales: caos en el tránsito, corridas contra reloj, largas filas esperando el colectivo, en el banco o la oficina pública, bocinazos, polución del aire, desconocer a la persona que vive al lado de nuestra casa son algunas de las cuestiones que más denuncian aquellos que habitan en las ciudades cuando mencionan las razones por las que se irían de ahí.

En la mayoría de los estudios se correlaciona el hecho de vivir en una ciudad con un riesgo mayor de padecer enfermedades mentales, principalmente depresión, abuso de sustancias y esquizofrenia. Se ha intentado encontrar la causa desde diversas disciplinas, sin lograrlo adecuadamente. Varias investigaciones sugieren que entre todos los factores, el estrés ambiental y social es particularmente dañino.

El estrés social es consecuencia de la presión producida a causa de la competencia desmedida en un contexto de lazos sociales débiles. El modelo de estrés social indica que los eventos estresantes y una vida con dificultades crónicas causan estrés psicológico y que este contribuye a padecer trastornos mentales, particularmente en personas que no tienen acceso a un soporte social importante.

Los barrios con desventajas socioeconómicas o en los que el recambio constante de habitantes da lugar a una débil integración social tienen mayor porcentaje de trastornos. El marco que podría explicar esto es la *teoría de la desorganización social*: una débil integración social aumenta el riesgo de que los que están predispuestos a padecer una enfermedad mental muestren sus síntomas.

En los últimos años se ha encontrado una posible explicación neurobiológica. El doctor Andreas Meyer-Lindenberg, del Instituto Central de Salud Mental de la Universidad de Heidelberg, en Alemania, ha desarrollado una serie de estudios que demostraron que la tensión de la vida urbana involucra circuitos neuronales específicos de estrés en el sistema nervioso, circuitos que se sabe están alterados en trastornos del estado de ánimo y otros trastornos mentales. Escaneó el cerebro de voluntarios procedentes de entornos rurales y urbanos en situaciones de estrés social. Mientras resolvían problemas aritméticos complejos, los experimentadores los estresaban con comentarios negativos y actitudes reprobatorias. De entre las áreas cerebrales que se activaban durante la prueba, dos variaban en función de la procedencia urbana o rural de los voluntarios. La amígdala se activó exclusivamente en quienes vivían en ciudades en el momento de la prueba. La corteza cingulada anterior, que contribuye a regular la amígdala y a procesar emociones negativas, se activó más intensamente en quienes crecieron en ciudades. Los investigadores detectaron variaciones, incluso, según el tiempo transcurrido en la ciudad durante la infancia y según el tamaño de la ciudad en cuestión. Se concluyó, entonces, que la vida en un ambiente urbano hace más sensible a la persona a las situaciones de estrés social. Por el contrario, son los lazos de los seres queridos los que repercuten positivamente en el comportamiento de estas áreas cerebrales, es decir, el afecto familiar y de los amigos nos protegen de los efectos perjudiciales del estrés. La asociación aparecía tan clara que Meyer-Lindenberg desconfió y repitió el experimento con más voluntarios, teniendo en cuenta factores como edad, nivel educativo, ingresos, situación familiar, estado de salud, personalidad y estado de ánimo. Pero ninguno de ellos alteraba el efecto de la *urbanicidad,* lo que sugiere que vivir en un ambiente urbano cambia la respuesta del cerebro en situaciones de estrés social.

Históricamente la urbanización ha generado grandes cambios como el renacimiento, la revolución industrial y la globalización, pero, como está visto, la vida en la ciudad tiene un peaje emocional. Por supuesto que no se trata de atacar la vida urbana, sino de tomar conciencia de que hay factores dentro de esta que pueden mejorarse para beneficio de la calidad de vida de quienes habitamos las ciudades. La solución al estrés no es necesariamente mudarse al campo sino cambiar la manera en la cual pensamos y diseñamos las ciudades en las que las vivimos.

Las ciudades inteligentes se asemejan al cerebro humano: redes extremadamente complejas que requieren de interacción y de un fuerte contenido comunitario para su desarrollo. La tecnología e información debe servir para garantizar una calidad de vida humana, con interrelaciones saludables y espacios que estimulen la convivencia. La presencia de espacios verdes comunes, la reducción de la contaminación ambiental y, fundamentalmente, la conformación de redes sociales *reales* son aspectos a priorizar. Esto evitaría que las ciudades se conviertan, como describe Roberto Arlt en una de sus *Aguafuertes*, "en un escenario grotesco y espantoso donde, como en los cartones de Goya, los endemoniados, los ahorcados, los embrujados, los enloquecidos, danzan su zarabanda infernal".

▶ **Bolsa de gatos**. *loc. coloq.* Grupo compuesto por personas diversas, especialmente, con ideas opuestas en el que suelen producirse disputas y tensiones.

Todo a la vez

Muchos avances de la ciencia y la tecnología contribuyeron a la causa de la libertad social más de lo que hicieron gobernantes o ejércitos. En 1989 los trabajadores de

Varsovia usaron el fax para divulgar la palabra "solidaridad" y los estudiantes en Praga fueron a los albergues de turistas para ver por televisión la caída del muro en Berlín. Una década más tarde los estudiantes chinos utilizaron cadenas de correos electrónicos para romper el monopolio de información del gobierno. Según muchos especialistas, las redes sociales fueron determinantes en la primavera árabe. Como el flujo de ideas y la socialización de la información que surgió a través del descubrimiento de la imprenta que mejoró los derechos individuales, la ciencia y tecnología resultaron fundamentales para combatir el autoritarismo en este último siglo. Internet creó una revolución comparable a la de Gutenberg (algunos investigadores de la cultura escrita sostienen que el impacto es asimilable, incluso, a la invención de la escritura o del *codex*).

Estas nuevas tecnologías nos permiten mayor disponibilidad y acceso a la información, comunicación instantánea, la simplificación de muchas tareas que antes nos llevaban muchísimo esfuerzo y tiempo, la posibilidad de vivir más y mejor. Sobre esta realidad y estos favores, obviamente, no existen reparos sino más bien elogios y aprovechamientos. Lo que debemos decir también es que esta posibilidad de vida nos puede generar, a su vez, cierto impacto disfuncional, impulsado por la exigencia a realizar diversas acciones al mismo tiempo. Es habitual, hoy, estar trabajando en la computadora mientras miramos televisión o

escuchamos música, y estamos pendientes de las redes sociales, los mensajes de texto, correos electrónicos o alertas de noticia en el celular. ¿Hasta qué punto
nuestro cerebro está capacitado para sostener las tareas múltiples que las nuevas tecnologías promueven?
El cerebro es, como cualquier sistema de procesamiento
de información, un dispositivo con capacidades limitadas, sobre todo en la de procesar una cantidad dada por
unidad de tiempo en el presente. Así, nuestro cerebro
tiene dos *cuellos de botella*: uno es la atención (cuando
tenemos dos fuentes de información suficientemente
complejas, la eficiencia de una decae como consecuencia de la otra); y el otro, la memoria de trabajo (el espacio mental en el que retenemos la información hasta
hacer algo con ella). Esta memoria tiene una capacidad
finita en los seres humanos y es extremadamente sus-
ceptible a las interferencias. Cuando se intenta llevar a
cabo dos tareas demandantes al mismo tiempo, la información se cruza y se producen errores.

Muchas veces se plantea que la multitarea (*multitasking*) podría ser beneficiosa para entrenar nuestra capacidad para el paso rápido y eficiente entre actividades. Sin
embargo, existe evidencia científica de que las personas
que funcionan con esa modalidad se dispersan más cuando pasan de una a otra. Contrariamente a lo que uno
podría imaginar, son más propensos a *quedarse pegados* a
estímulos irrelevantes y, por lo tanto, a distraerse fácilmente. Por otra parte, suelen sobrevalorar su capacidad

para hacer *multitasking*, lo que impacta en una menor concentración sobre cada tarea y en el pasaje. Participantes de una investigación que refirieron ser buenos *multitaskers* fueron los que, paradójicamente, peor rindieron en pruebas de multitarea. Cuando estamos en una reunión, en una conferencia o viendo una película en casa y, al mismo tiempo, mandamos *emails* y mensajes desde nuestro teléfono, creemos que podemos seguir en profundidad lo que se dice y sucede en el entorno, pero esto, la mayoría de las veces, es solo una ilusión. Por el contrario, nos estamos perdiendo mucho.

Desde el punto de vista del funcionamiento cerebral, estamos capacitados para realizar numerosas tareas, por supuesto, pero debemos focalizarnos. Tener gran cantidad de cosas para hacer y hacerlas una por vez (que es lo recomendable) no es lo mismo que intentar hacer varias cosas al mismo tiempo. La multitarea tiene un costo cognitivo.

La mala administración de la atención no solo genera improductividad, ansiedad y estrés, sino que puede traer también riesgos letales. En un estudio de la Universidad de Utah, los psicólogos David Strayer y Jason Watson señalaron que la posibilidad de un accidente automovilístico puede ser tan alta para aquellos que, mientras conducen, hablan por teléfono o mandan mensajes de texto como para conductores que tomaron más alcohol del permitido por la ley. Los conductores que usan celular tienen reacciones más lentas, respetan menos su carril, mantienen menor distancia entre los autos y pasan más semáforos en rojo. Estas personas, en comparación con los que no usan el teléfono cuando manejan, detectan menos de la mitad de los detalles y situaciones que se les presentan, lo que produce *ceguera atencional*. La distracción se da también cuando se habla con *manos libres* o en altavoz. En otros estudios en los que usaron un mecanismo para realizar el seguimiento ocular, revelaron la existencia de una *ceguera parcial* a estímulos importantes en los conductores que hablaban por teléfono: estos solo detectaban la mitad de los estímulos que estaban justo delante de ellos y tenían un tiempo de reacción más lento a las luces de freno del auto de adelante.

Chequear correos electrónicos o notificaciones de redes sociales puede provocar entusiasmo, pero también cierta dependencia. Existe un consenso entre especialistas en el que la eficacia del manejo del tiempo obedece a cierta organización y rutina. La clave está en poner un filtro entre tareas importantes y ociosas. Para despejarnos, en vez de mirar el celular o cambiar de pantalla en la computadora, es mejor salir a caminar, respirar profundo, cambiar de actividad o hacer una tarea menos demandante. Además de volvernos eficientes en lo inmediato, estas actividades alternativas pueden, al retomar la tarea inicial, traer ideas o aproximaciones novedosas que mejoren el largo plazo.

El estudio del impacto de las nuevas tecnologías especialmente en niños y adolescentes es un desafío que las neurociencias están abordando. Como sabemos, el cerebro sigue desarrollándose hasta la segunda década de vida. El lóbulo frontal, que contiene circuitos claves para habilidades cognitivas de alto orden como el juicio, el control ejecutivo y la regulación emocional, es de las últimas áreas en desarrollarse de forma completa. Durante este período, el cerebro es sumamente adaptativo e influenciable por el ambiente. Decimos, entonces, que la tecnología suele ser buena para los procesos cognitivos de los niños si se usa con buen juicio, pero que el problema es que el buen juicio y el autocontrol se encuentran entre las habilidades en desarrollo, por lo cual son los adultos quienes deben ejercerlo cuando estos usos se transforman en excesivos. Como padres, es necesario detenerse a pensar qué sucede con el estímulo de habilidades sociales como la empatía, la compasión y la inteligencia emocional en nuestros hijos (y en nosotros también) cuando la mayor parte de las interacciones se dan de manera virtual, en detrimento de la comunicación cara a cara.

A diferencia de otras revoluciones tecnológicas, la de la *tecnología social* implica nunca estar solos y nunca estar aburridos. La socióloga Sherry Turkle del MIT describe esto como la *intolerancia a la soledad*, lo cual conduce a desatender a las personas que tenemos alrededor para *conectarnos* con el mundo virtual. Turkle considera que dichas conductas quitan la oportunidad de aprender a mantener conversaciones, a poder tener un momento de introspección sin un artefacto electrónico y sin que eso genere ansiedad. Según la socióloga, esta tecnología, que nos ofrece la posibilidad de *no aburrirnos nunca*, puede volvernos menos tolerantes a establecer relaciones duraderas.

Una última reflexión sobre todo esto, pero fundamentalmente sobre la valoración positiva de la introspección y la tarea focalizada que favorecen las condiciones, junto con el talento, la creatividad y el esfuerzo, para que grandes obras como la de Franz Kafka sean posibles. Los libros de este autor produjeron (y siguen produciendo) gran impacto en el mundo. Borges, quien dedicó un ensayo a reflexionar acerca de él y *sus precursores*, señaló que la obra de Kafka "modifica nuestra concepción del pasado, como ha de modificar el futuro". De esos momentos intensos, fatigosos y focalizados de escritura quedaron registro en sus diarios y sus cartas a su amada Felice: "Escribir significa abrirse por completo… Por eso nunca puede uno estar lo suficientemente solo cuando escribe; por eso nunca puede uno estar rodeado del suficiente silencio cuando escribe, y hasta la noche resulta poco nocturna". ¿A alguien se le ocurre mayor plenitud personal y favor a los demás que la sola tarea de estar escribiendo lo que escribió?

> ▶ **Ni muy muy, ni tan tan**. *loc. adv.*
> *coloq.* Ni una cosa ni la otra, ni mucho ni poco. Término medio.

Como por arte de magia

Aún lo recordamos. En los inmensos días de verano de nuestra infancia de hace unas décadas, la televisión en blanco y negro nos acompañaba desde que, por fin, comenzaba la programación. Por ese entonces existían solo algunos canales que había que sintonizar con esmero para que la lluvia o los fantasmas no opacaran todo. Ahí estaban las series que nos entretenían y un microporograma que irrumpía en un horario incierto que se llamaba *Las manos mágicas*. Así, inesperadamente, comenzaba la melodía de la cortina musical y el breve show que, con solo dos manos y algunos pocos elementos, nos mantenía expectantes tratando de develar el enigma de cómo sucedía algo evidente sin que nosotros nos diéramos cuenta.

¿Cómo eran posibles esos trucos? Las neurociencias abordan también el arte de la magia. Sobre todo, porque permiten comprender funciones fundamentales para el ser humano, como la percepción y la atención, que están íntimamente relacionadas con la ilusión mágica.

Como dijimos, el cerebro en tanto sistema de procesamiento de información tiene capacidades limitadas. En el caso de los humanos, estas conciernen a la capacidad de procesar una cantidad de información por unidad de tiempo en el presente. Es decir, la atención es un recurso escaso. Cuando estamos ante dos fuentes de información suficientemente complejas, la eficiencia de una decae frente a la otra. Los seres humanos

solo podemos centrar nuestra atención en una cosa
por vez y todo lo que no es relevante para la tarea que
estamos llevando a cabo se pone en segundo plano o
directamente se ignora. Un ejemplo clásico es el *parpadeo atencional*. Cuando se presentan dos estímulos en
sucesión, si el tiempo entre uno y otro es lo suficientemente corto, el procesamiento del primero impide
que se procese el segundo. También, a un nivel más
elemental, algunas neuronas de la corteza visual primaria del cerebro, pueden actuar como excitadoras o in-
hibidoras al fomentar o suprimir la activación de otras
células vecinas. Así, cuando nos enfocamos en un objeto en particular, las neuronas inhibitorias suprimen la
actividad en las células del cerebro que procesan otras
regiones visuales.

La magia no solo hace uso de funciones psicológicas
y biológicas sino que también utiliza recursos que provienen de nuestro ser social, como la atención conjunta,
que hace que nos centremos en las mismas cosas en las
que las otras personas se fijan. Los magos juegan orien-
tando nuestra percepción hacia donde les resulte conveniente para que el resto pase inadvertido. Las manos
también ayudan a que la magia tenga lugar. Son un blanco frecuente de nuestra atención y sus movimientos son
fundamentales en la comunicación. Es por ello que investigadores afirman que hay áreas de nuestro sistema visual que se dirigen preferentemente hacia ellas. El humor
y los relatos de anécdotas o historias suelen acompañar

las actuaciones de magia y ayudan también a desviar la atención de la clave del truco.

Otra técnica que los magos utilizan es el llamado "desvanecimiento de la retención". Se trata de una falsa transferencia que hace que se genere en el cerebro un retraso en la percepción del movimiento. Como resultado, aunque el estímulo observado ya no esté, persiste una imagen remanente. Lo que sucede es que las neuronas visuales continúan disparando el estímulo y esto hace que nuestra percepción se encuentre una centésima de segundo por detrás de la realidad. Otro fenómeno aprovechado por los magos e ilusionistas es la *ceguera al cambio*, que hace que fracasemos en detectar modificaciones en escenas consecutivas. El cerebro no registra y procesa todos los detalles de una escena visual, sino que genera una reconstrucción a partir de una parte de esa información. Cuando se introduce un cambio en esa escena y nuestra atención estaba enfocada en otra cosa, es muy probable que ese cambio pase inadvertido.

El final de cada capítulo de *Las manos mágicas* ofrecía la explicación de cómo se había logrado el truco. Cuando lo mirábamos de niños siempre aparecía esa sensación superpuesta de engaño revelado, de alivio de la curiosidad, pero también de melancolía por el fin de la inocencia: esa sensación de que a fin de cuentas la ilusión, quizás, no era más que un truco.

¿La mente en blanco?

Y qué me dicen de esa casa sola
que se ve desde un avión
quizá en la soledad no haya dolor
de pensar, de pensar en nada.
"Pensar en nada", de LEÓN GIECO

"No pienso en nada", dice una persona que tiene la mirada abstraída. ¿Será posible? ¿Será que tiene la mente en blanco? ¿Qué es lo que hace el cerebro en estas circunstancias? ¿Se *desconecta* y deja de funcionar? ¿Pone *piloto automático*? Aunque suene raro, como si se tratara de una contradicción (pensar sería *pensar en algo*), varias veces en el día experimentamos esa sensación de dejar fluir nuestros pensamientos sin prestar atención a lo que sucede a nuestro alrededor y ni siquiera a nuestro pensamiento.

Debemos aclarar que gran parte del cerebro está siempre en actividad. Y aún más sorprendente es que solo gasta un poco más de energía cuando se está realizando una tarea específica en comparación a cuando no se hace nada. Durante mucho tiempo se creyó que esa actividad cerebral durante estados de reposo debía ser *ruido desorganizado*. Hoy se sabe que, por el contrario, cuando estamos *pensando en nada*, nuestros cerebros poseen una actividad propia que es coherente y organizada, e incluso independiente de cuál sea el contenido de nuestros pensamientos. Imaginemos al cerebro como una gran orquesta: están los instrumentos de viento, los de percusión, los de cuerdas, etc. Durante la ejecución de una tarea específica –por ejemplo, al recordar un número telefónico–, el director de la orquesta recluta únicamente a los vientos para que podamos realizar dicha tarea. Cuando el director de esta orquesta descansa, ni todos los instrumentos se quedan callados, ni empiezan a sonar en forma caótica. Alternadamente, los vientos suenan juntos, luego las cuerdas, a continuación el coro y así se produce una dinámica organizada. Así funciona nuestro cerebro: las mismas redes neuronales que se emplean de manera armónica para realizar una tarea (los vientos de la orquesta, en nuestra analogía), se activan juntas cuando no las estamos utilizando con un propósito determinado.

Fue el doctor Bharat Biswal, del Instituto de Tecnología de Nueva Jersey, quien comprobó la existencia de esta dinámica cerebral a partir de registrar la actividad neuronal de personas moviendo un dedo de la mano y luego no realizando ninguna tarea específica. Así descubrió que las áreas que se activaban cuando los participantes movían sus dedos también se asociaban entre sí cuando los sujetos no estaban haciendo nada. Es decir que, durante el reposo, cuando se activaba una de las regiones utilizadas para mover la mano, también se encendían el resto de las áreas implicadas en ese movimiento.

Las neurociencias han podido determinar una serie de redes cerebrales que se activan en forma conjunta y organizada cuando estamos en reposo. La más importante de ellas es la denominada "red de reposo": involucra áreas frontales y parietales, y se relaciona con la monitorización de los estados internos y la llamada "memoria autobiográfica". Es tal la consistencia de esta dinámica cerebral que tanto esta red como otras vinculadas con funciones atencionales, motoras, auditivas y cognitivas han sido reportadas por un gran número de estudios. Uno de los aspectos más relevantes de estas redes es que en el futuro podrían convertirse en biomarcadores (indicadores del estado biológico) que permitan ayudar en el diagnóstico de diversas enfermedades neurológicas y psiquiátricas. Estudios recientes sugieren que la red de reposo se encontraría afectada en el Alzheimer y que esta alteración podría ser de utilidad para una detección temprana de la enfermedad.

Del mismo modo que nos referíamos en las páginas anteriores a la necesidad de establecer interacciones personales que no estén necesariamente mediadas por la tecnología, el ocio y la *desconexión* son indispensables para el bienestar, y también para las labores profesionales y para la creación. Como referimos en *Usar el cerebro*, muchos creativos reportan que ellos tienen ideas nuevas cuando el cerebro está *off-line*. Esos parecen ser los mejores momentos para las ideas innovadoras, cuando el cerebro está relajado, hay tiempo de inactividad y funcionan los llamados "sueños diurnos".

Muchas veces, la ciencia transita aquellos caminos que supo merodear el arte. Así, en estos hallazgos científicos de los últimos años resuenan los ecos de un antiguo poema de la lírica provenzal: "La nada tiene nombre; por lo tanto, hablarás a vuestro pesar".

Hay equipo

Una de las postales tradicionales de nuestro país, que no distingue capitales y pueblos, son esos descampados, esas plazas, esos parques y esas calles con chicos jugándose la vida en un *picado*. Puede o no haber arco, pueden o no tener camisetas a tono, pero lo verdaderamente imprescindible son las ganas, la mismísima pelota y el equipo. Lo sabe el que juega y lo sabe también su compañero: para jugar no basta ser efectivo con las capacidades motoras y de juego, sino también con las habilidades sociales.

Lo hemos dicho en incontables ocasiones ya: el cerebro humano básicamente es un órgano social. Esto supone también la preeminencia que tienen las habilidades sociales para la eficacia cotidiana. El trabajo en equipo pone en juego múltiples destrezas sociales, requiere de empatía, cooperación, comunicación, liderazgo y solidaridad. Al momento de armar un equipo (¡no solo de fútbol!) es primordial plantearse seriamente su necesidad y, luego, distinguir su estructura, los roles y las tareas a asignar conforme el proyecto que se lleve adelante, porque la buena organización de un grupo desde su origen es clave para su éxito. Es esencial reunir personas que complementen adecuadamente sus habilidades y recursos. Una vez conformado, el hecho de que todos sus miembros promuevan un mismo objetivo genera lo que suele denominarse "clima de equipo". Hace un tiempo tuvimos la oportunidad de dialogar con el maestro Pedro Calderón, director de la Orquesta Sinfónica Nacional durante 22 años, y nos decía esto mismo: que para la selección de músicos, lo que él privilegiaba era la capacidad de la persona para establecer alianzas con otros, esa capacidad para multiplicar los talentos a partir de la inteligencia colectiva.

Podemos entrenar nuestras capacidades individuales para optimizarlas. El trabajo en grupo, en cambio, mejora adquiriendo habilidades en conjunto. Diversos estudios han demostrado que los equipos optimizan el conocimiento colectivo cuando aprenden juntos. Así, entrenaron en la construcción de radios de transistores a estudiantes universitarios en forma solitaria o en grupos de tres. El rendimiento de los que se instruyeron en forma grupal fue notablemente mayor que el de los equipos integrados por quienes lo habían hecho en forma individual. Observaron que además de ser más eficientes, conocían las fortalezas de sus compañeros y confiaban en ellos.

Las interacciones cara a cara son esenciales para que se establezca y mantenga una buena relación entre el líder y los miembros del grupo. Este tipo de comunicación no solo refuerza la cohesión grupal sino que contribuye a desarrollar el acceso en conjunto al conocimiento. Las emociones también influyen en la dinámica de los equipos. Se ha observado que se produce una suerte de *contagio emocional* dentro de los grupos. Es decir, los estados de ánimo de los miembros se transfieren y van cambiando en forma conjunta. Por este motivo, es primordial difundir una actitud positiva, comprensiva y optimista.

Actualmente, la globalización y las nuevas tecnologías de la comunicación generan nuevos desafíos que hacen que sea indispensable el trabajo en equipo. Sin embargo, a veces se suele ponderar el individualismo bajo la errónea idea de *salvarse a sí mismo*. En esta dirección, a menudo las organizaciones establecen dinámicas para los equipos que terminan atentando contra su desempeño general, como por ejemplo, destacar y premiar con bonos los logros individuales en desmedro de los colectivos.

Un estudio reciente de Google entrevistó y observó el rendimiento de cientos de sus equipos para comprender y promulgar las estrategias óptimas para un trabajo grupal exitoso. La eficacia se generaba de distintas formas: a partir de reuniones largas, reuniones cortas, trabajando gran cantidad de horas o balanceando el trabajo con la vida. Pero el denominador común que encontraron fue lo que se llama "seguridad psicológica", es decir, la posibilidad de poder hablar y opinar sabiendo que no va a haber repercusiones negativas. Cuando todos los integrantes del equipo se sentían cómodos y entre amigos, los resultados crecían. Por este motivo, es fundamental dejar cometer errores (sabiendo que son parte del éxito), que todos hablen y participen en un grado similar, no reprimir opiniones o sugerencias (sino más bien recibirlas de un modo amigable) y halagar frecuentemente el trabajo del otro.

De todo esto trata justamente un breve relato del libro *Crónicas del Ángel Gris*, de Alejandro Dolina. Ahí se cuenta que Manuel Mandeb solía elegir en los picados a quienes él más quería, que muchas veces no eran los mejores atletas o los más hábiles. "Un equipo de hombres que se respetan y se quieran es invencible", dice el narrador, quien agrega que si, en tal caso, no se da esa victoria anhelada, menos amarga será la derrota porque es con amigos. Así como la inteligencia colectiva es mucho más que la suma de las inteligencias individuales, las habilidades grupales que se generan a través del trabajo en equipo exceden cualquier logro y capacidad individual.

▶ **Cortarse solo**. *loc. vb. coloq.* Tomar distancia, separarse o alejarse *de un grupo, equipo o conjunto de personas,* para actuar por su cuenta, sin atender a los demás. *Obs. Esta locución proviene del mundo hípico: cuando un caballo toma la delantera y se distancia del grupo de los restantes.*

Vindicación de la competencia

Aunque sea tal vez su interpretación más frecuente, la competencia no necesariamente implica la lucha descarnada de unos con otros. Contrariamente, puede promover la autosuperación, el conocimiento del otro y el crecimiento y desarrollo colectivo.

La competencia puede cumplir un rol fundamental en el ámbito en el que nos desempeñamos. No olvidemos que su segunda acepción tiene que ver con la capacidad para el desarrollo de algo (*ser competente*). Nuestra labor personal y grupal se intensifica con competitividad como en los ámbitos profesionales, académicos o científicos, deportivos o lúdicos. Existen estrategias que remiten a una mejor competitivad. Por ejemplo, proveer determinada información sobre el fruto de la tarea puede brindar una mayor motivación en las personas que se traduzca luego en resultados más satisfactorios cada vez. Si en una clase se refuerza la idea de que la educación es fundamental para forjar nuestra identidad y que de ella depende lo que logremos hacer en el futuro, los estudiantes van a mostrarse dispuestos a estudiar más y realizar tareas extras que aquellos quienes no tuvieron esto en consideración. En un estudio clásico sobre competencia se les manifestaba o no a los participantes que el resultado de un *test* sobre el lenguaje que se les tomaba se vincularía con sus niveles de inteligencia. Aquellas personas a las que se les había hecho suponer esta relación tenían un comportamiento más efectivo que a los participantes a los que no se les había dado. ¿Qué cambió en uno y otro caso? Las implicancias (reales o no) del desafío.

Otro rasgo sobresaliente que se ha demostrado sobre el carácter de la competencia tiene que ver con la persona con la que competimos. Si consideramos que es parecida a nosotros vamos a compararnos más y, por lo tanto, vamos a ser más exigentes que con los rivales que son más distantes en sus características personales o en sus habilidades. Por ejemplo, si dos deportistas comparten el mismo *hándicap*, o el mismo número de partidos ganados o goles convertidos van a enfocarse en competir entre ellos. En el terreno político, las investigaciones han prestado especial atención a la dinámica de competitividad durante las elecciones primarias. A partir de los factores que venimos exponiendo, los candidatos van a ser más duros cuando deban enfrentarse a otro que tenga el mismo nivel de intención de voto y también con quienes consideren que tienen el mismo perfil. Es decir, el mismo electorado. Para nuestro asombro, también se ha relevado que la competencia aumenta entre las personas cercanas, amigos y familiares, lo que obviamente no significa enemistad ni animadversión. El psicólogo Edwin Locke estudió a maratonistas que participaban de un triatlón y descubrió que los participantes que se comparaban con sus oponentes a partir de una relación emocional lograban obtener mejores tiempos que los atletas que lo hacían a partir de parámetros más analíticos y con menor contenido emocional.

Aun en partidos absolutamente informales de fútbol o en un juego de mesa, no hay gracia si no se *cuentan los porotos*. Las estructuras de incentivo, como es el caso frecuente en que un equipo gana y el otro pierde todo, generan mayor competitividad así como también las situaciones en las que se establece un *ranking* o escala en la que se comparan los desempeños. Además se incrementa si los participantes se reconocen como miembros de un grupo social diferente al de los oponentes: los *clásicos*, que tanto entusiasmo despiertan, surgen entre los equipos próximos, sea por sus orígenes comunes, tradiciones o estaturas.

Un contexto de incertidumbre, en cierta medida, puede actuar como un factor que juega a favor de la competitividad. Por ejemplo, funciona así cuando las empresas tienen un producto en el mercado y no saben cuáles serán los nuevos lanzamientos de las otras empresas que pueden competir con ellos. Esto también sucede cuando uno se postula a una beca o a un trabajo y desconoce por completo al resto de los postulantes. Del mismo modo, esa incertidumbre (*un partido que* a priori *es parejo y promete ser muy disputado*) genera mayor atracción también para terceros.

Tomemos una vez más el ejemplo del deporte. Los deportes grupales que practicamos basan su juego en la competencia entre equipos. Las reglas que los constituyen y determinan sus características establecen que sin el rival no hay juego posible. Es imprescindible. Esa es la

vara que permite medirnos y motivarnos para la autosuperación y el desarrollo del equipo.

Conocer estos aspectos nos permite enfocarnos en
cómo podemos implementarlos en contextos que redun-
den, no en la competencia negativa que resalta el individualismo, sino en la capacidad personal y grupal que
fomenta la cohesión social, los lazos de solidaridad y la
cooperación.

El segundo idioma y el cerebro bilingüe

La mayoría de las personas valora hoy el aprendizaje de
una segunda lengua como algo positivo para la vida. Por
las posibilidades profesionales, laborales o académicas
que el conocimiento de otros idiomas otorga, por la facilidad de comunicación mundial, por el acceso a material
diverso. También, en muchos casos, por el prestigio social que otorga tal o cual lengua. Pero, en la actualidad,
la ciencia comprueba que los beneficios van aún mucho
más allá. Según algunos investigadores, dominar dos o
más lenguas nos haría más ágiles para resolver ambigüe-
dades o conflictos y priorizar tareas. Otros investigadores
sostienen que los bilingües tienen siempre los dos idiomas disponibles y deben constantemente decidir cuál es
la lengua adecuada a cada contexto. Relacionan esto con
una mayor capacidad para seleccionar la información relevante y descartar la que no lo es. Esta tarea depende de
un sistema de control ejecutivo que se encarga de dirigir

los procesos de atención que usamos para planear y resolver problemas. Al estudiar el bilingüismo y su relación
con la moral y la toma de decisiones, se descubrió un
fenómeno llamado "efecto del lenguaje foráneo" que refiere a que los bilingües tienden a tomar decisiones más
racionales cuando actúan a partir de información recibi-
da en una lengua extranjera o dan respuestas más utilitarias ante dilemas morales que implican una participación
personal. Esto se debe a que la segunda lengua, siempre que no se haya estado inmerso en esa cultura, no
activaría los centros emocionales de la manera en que
lo hace una lengua primera. El bilingüismo también
impacta en la salud. Se estima que la reserva cognitiva
que genera el dominio de varias lenguas sería un factor de protección ante el deterioro cognitivo. Diversas
experiencias registran que los bilingües sienten que su
personalidad cambia según el idioma que utilizan. Sería
importante vincular estos datos con estudios sobre las
lenguas para ver su relación con las ideas circulantes en
la sociedad. Las neurociencias demuestran los beneficios del cerebro bilingüe.

Es necesario comprender esto para ayudar a revertir
las ideologías lingüísticas y culturales discriminatorias,
injustas e inapropiadas en el mundo. Y también las que
existen en nuestro país. El escritor paraguayo Augusto
Roa Bastos, ganador del premio Cervantes, reflexionó
sobre esto en ensayos y entrevistas. Contaba en una de
estas, de 1978, que uno de los prejuicios equivocados

de su padre fue prohibirle que aprendiera el guaraní. Las personas atribuyen a las lenguas valoraciones socialmente compartidas, producto de procesos histórico-políticos, y correlacionan estas representaciones con sus hablantes. Si una lengua ha sido históricamente estigmatizada (y sus hablantes también lo han sido), ese saber no es asumido de manera positiva y es posible que padres, escuela y sociedad *culta* la intenten silenciar. No es así, no debe ser así. La ciencia comprueba que la práctica de distintas lenguas es un valor positivo en sí para las personas y para las sociedades. Y la literatura, que el valor de una lengua está dada, como diría el propio Roa Bastos, "por la verdad de las representaciones que irradia al ser concebida y construida sobre el foco de la energía social y bajo la ley del tiempo".

> ► **Encontrarle la vuelta**. *loc. vb. coloq.* Hallar la causa o inconveniente de una dificultad y el medio para salir de ella.

Un clásico entre ciencia y arte

Complejas discusiones (y también evidentes) son saldadas a través de la revelación que permite un caso específico. Para esta clásica controversia entre ciencia y humanismo, quizá el ejemplo ilustrativo de mayor reconocimiento universal sea el de Leonardo Da Vinci. Vida y obra del *polímata* florentino dejan ver que el desarrollo científico impacta en la obra artística y viceversa. A pesar de eso y del tiempo transcurrido, muchas veces se siguió considerando a las artes y a las ciencias como campos enfrentados con procedimientos, pareceres y modos adversos de reflexionar y de hacer (hasta con personas encaramadas en sus propios bandos).

En 1959, el físico y novelista inglés C. P. Snow en la Universidad de Cambridge brindó la conferencia "Las dos culturas y la revolución científica", y ahí subrayó que esta división férrea entre arte y ciencia era muy perjudicial para resolver los problemas del mundo. Esta separación, según él, se debía a la mutua desconfianza que se tenían ambas disciplinas y los sujetos dedicados a estas. Aunque también agregaba que, hasta cierto punto, esta incomprensión era más bien unidireccional ya que los científicos eran más propensos a disfrutar de un gran pintor o escritor, mientras que algunos humanistas tenían gran dificultad para aproximarse a la mecánica cuántica o a la física. En la misma conferencia, él sugería tender puentes, fomentar la interdisciplina y la apertura de unos y otros a la sociedad. Como era de esperar, esta postura fue puesta en cuestión, sobre todo en lo que respecta al supuesto desequilibrio de confianzas entre científicos y artistas. Una de las voces críticas más representativas fue la de Susan Sontag en su ensayo *Contra la interpretación*.

Aún en la actualidad, ciencia y arte muchas veces siguen siendo delimitadas por una frontera improcedente. Una primera cuestión que debemos reformular tiene que ver justamente con esa delimitación del campo. ¿Dónde termina la ciencia y dónde empieza el arte? ¿Por qué se habla de humanismo como algo diferente de la ciencia? ¿Por qué se liga el arte a las musas y al espíritu si en el mismo gesto se deja a un lado la consecuente reflexión razonada, el esfuerzo y el método que conlleva la creación estética? Y otro asunto con el que debemos insistir tiene ver con la interacción. El presente (y cada vez más el futuro) está dado por la interdisciplina y transdisciplina. Los mayores logros del conocimiento se alcanzan en el diálogo entre esferas, prácticas, instituciones y tradiciones teóricas diversas.

El diálogo es lo que permite poner en consideración las convicciones individuales, de las propias circunstancias y de las representaciones que tienen de estas la sociedad. No lo olvidemos: la diferencia también es virtud.

Educar al soberano

Las neurociencias tienen el potencial para realizar importantes contribuciones a la educación al abordar los procesos biológicos y ambientales que influyen en el aprendizaje. Factores biológicos afectan la respuesta cerebral a las experiencias del medio ambiente. A su vez, el ambiente de aprendizaje influye sobre los procesos biológicos. La investigación sobre el funcionamiento del cerebro humano ha incrementado el entendimiento de algunos de los procesos cognitivos fundamentales para la educación tales como: memoria, alfabetización, lectoescritura, inteligencia, toma de decisiones, lenguaje, compresión de textos, cálculo, manipulación de los símbolos numéricos, el sueño y las emociones. Estos hallazgos y los métodos científicos pueden tener implicaciones favorables en escenarios educativos formales. Sabemos, por ejemplo, que el cerebro evolucionó para detectar figuras simétricas como equivalentes (es decir, existe una ventaja en reconocer un objeto como un león o una banana más allá de cómo estén dispuestos). Pero esto trae un problema en la lectura ya que confundiría letras como "p" y "q" o "b" y "d". Como argumenta el neurocientífico Stanislás Dehaene, es común que los niños equivoquen letras simétricas y, por lo tanto, es una de las habilidades que debemos *desaprender* para aprender a leer eficazmente. Si estas confusiones persisten después de una estimulación adecuada, puede ser señal de dislexia. Por otro lado, estudios de neuroimágenes funcionales sugieren que los principales sistemas de lectura de textos alfabéticos están lateralizados al hemisferio izquierdo en áreas que también son importantes para reconocer objetos. Métodos de enseñanza de la lectura basados en aprender a leer a partir de oír palabras completas han traído resultados negativos en comparación a los métodos basados en el reconocimiento del sonido de cada letra y de sílabas, en el desarrollo de la conciencia fonológica. La explicación podría estar en experimentos que muestran que el método holístico estimula el hemisferio equivocado, el derecho en la mayoría de las personas, quitándole la eficiencia que tiene el hemisferio izquierdo para la discriminación del sonido de cada letra, una habilidad necesaria para poder leer.

Asimismo, las neurociencias investigan las diferencias que existen en la organización cerebral de personas adultas alfabetizadas y no alfabetizadas. Además, se ha entendido cómo es el proceso por el cual los problemas aritméticos simples que son aprendidos una y otra vez (por ejemplo, las tablas de multiplicación) logran almacenarse como memoria declarativa, mientras que los cálculos más complejos requieren de las áreas visuoespaciales para su correcta ejecución. De este modo, podrían delinearse las estructuras que han de ser estimuladas para una mejor incorporación de estrategias de resolución de problemas.

Cuando hablamos de educación no nos referimos solamente a aprender hechos y habilidades; la educación no ocurre solo durante los años escolares sino que juega un rol importante durante toda la vida. La flexibilidad dada por el aprendizaje les permite a las personas de cualquier edad adaptarse a los retos de las dificultades económicas, las enfermedades y el envejecimiento.

Además de estudiar el proceso de aprendizaje, hay aportes concretos que las neurociencias han hecho a la educación: la robótica, la inteligencia artificial, la impresión

3D, la utilización de la mecánica cuántica en los dispositivos tecnológicos, la realidad aumentada y virtual, por mencionar solo algunas iniciativas. Estos avances están introduciendo profundos desafíos en los procesos de aprendizaje a nivel mundial. Gracias a estas innovaciones, se modifican varios aspectos que intervienen de lleno en la educación, como la capacidad de atención, la motivación, la inspiración o el asombro.

Hemos solo referenciado algunos de los conocimientos que las neurociencias han desarrollado y que el campo de la educación puede discutir e incorporar. Asimismo, este campo debe proveer a las neurociencias nuevos conocimientos para que también los discuta y los asimile para sus investigaciones. Lo mismo ocurre con otras disciplinas artísticas, humanas y exactas. La educación es un área demasiado importante para que siquiera un solo espacio del conocimiento y de la sociedad no se involucre y comprometa.

Manual de lectura

No nos resultaría nada sorprendente pasar caminando por la puerta de algún bar y ver a varias personas leyendo el diario, una revista o un libro, mientras otras escriben un mensaje en su celular o un documento en su computadora. Escribir y leer, lo sabemos, son habilidades humanas, aunque no lo han sido desde siempre. Si bien se considera que la escritura se originó hace aproximadamente 5500 años en la Mesopotamia, la alfabetización, gracias a la imprenta y los sistemas formales de enseñanza, se extendió masivamente recién hace algunos siglos. Pero aun así, hoy sigue siendo alto el porcentaje de personas que no acceden a la enseñanza de la lectura y escritura. Según un informe de UNESCO publicado en 2015, se registran 781 millones de personas analfabetas en el mundo.

Las neurociencias se han dedicado a estudiar los procesos cerebrales que intervienen durante la lectura. Ahora mismo estamos leyendo, y para eso nuestros ojos realizan movimientos constantes sobre la hoja (si el movimiento se detiene, solo podemos enfocarnos en una o dos palabras). Primero, el ojo capta a través de la retina la imagen y reconoce, gracias a la utilización de una suerte de *diccionario ortográfico* almacenado en nuestra memoria, los grafemas (unidades mínimas de la escritura), las sílabas y palabras. Luego, se realiza el reconocimiento semántico de la palabra, que es la comprensión del significado mediante el acceso a un *diccionario de significados de palabras.* Si leemos en voz alta, continúa una decodificación en fonemas (unidades mínimas del lenguaje oral que permiten distinguir significados).

Nuestro cerebro tiene un área especializada para reconocer letras y palabras que está ubicada en la zona ventral occipitotemporal izquierda y se la conoce como el "buzón del cerebro". Durante el desarrollo, esta región cerebral se entrena para reconocer y diferenciar cada vez mejor las letras y también en reconocer letras desde distintos puntos de vista y variaciones en la grafía (cursiva, imprenta, etc.). El *buzón del cerebro* se entrena para identificar las combinaciones de letras que son más frecuentes en nuestra lengua (por ejemplo, las sílabas *ma* y *pa*) y así poder anticipar y predecir con rapidez y facilidad lo que leemos. Se han identificado tres fases consecutivas en el aprendizaje de la lectura: la llamada "fase pictórica" que consiste en un breve período en el que los niños identifican la imagen de palabras como *mamá* o *papá* como si fueran fotografías; una segunda etapa, la fonológica, en la que los niños decodifican grafemas y fonemas; y la última que es la ortográfica, en la que se llega al reconocimiento rápido y automático de las palabras y su significado.

Algunos estudiosos de la cultura caracterizan a la escritura como una *tecnología compleja de la palabra* que requiere necesariamente de una enseñanza planificada y sistematizada. A esta se refirió Domingo Faustino Sarmiento al contar en su *Recuerdos de Provincia*: "Mi padre y los maestros me estimulaban desde muy pequeño a leer, en lo que adquirí cierta celebridad por entonces, y para después una decidida afición a la lectura, a la que debo la dirección que más tarde tomaron mis ideas". Y a esta, como una de sus ideas más valiosas: "Cuando he escrito sobre educación, he manifestado mi firme creencia de que la perfección y los estímulos en la lectura pueden influir poderosamente en la civilización del pueblo".

Una comunidad creativa

La cúpula de Raúl Soldi del Teatro Colón, los movimientos de la suite *Estancia* de Alberto Ginastera y los tangos de Ástor Piazzolla son producto del talento que emerge de la propia capacidad de creación de cada artista. Y de un *contexto* que lo hizo posible.

En el siglo XIX se concebía la creatividad únicamente como producto del genio creador. Las grandes obras de la humanidad eran realizadas por personalidades con habilidades excepcionales. También se comenzó a relacionar la genialidad con un alto coeficiente intelectual. Sin embargo, hoy sabemos que la inteligencia es un concepto complejo que no puede reducirse a los conocimientos que se miden a través del coeficiente intelectual. Abarca también el humor, la ironía, la empatía y el manejo de las emociones. A su vez, es posible que muchas personas con altos coeficientes no hayan generado ningún logro original.

Todos tenemos la capacidad de ser creativos, es decir, de plantear una idea novedosa y original de determinado problema. Por eso no solo hay que considerar a los *genios* del arte o de la ciencia, sino que las distintas actividades, profesiones y oficios demandan innovación y creatividad. Pero, ¿cómo adquirimos los seres humanos esta prolífica capacidad de crear? En los últimos años se ha sugerido que la creatividad está presente desde antes de la aparición de los *Homo Sapiens*. A medida que avanza la escala evolutiva, se van haciendo más complejos los objetos que se producen y, a su vez, se van perfeccionando. Si rastreamos en el tiempo, podemos decir que los inventos humanos más antiguos que se han preservado hasta nuestros días son las herramientas cortantes, como las construidas con piedras hace más de dos millones de años. Otra de las evidencias que permiten demostrar el ingenio son los hallazgos en las cuevas en Sibudu por parte de los arqueólogos de la Universidad de Witwatersrand, de Sudáfrica. Encontraron allí camas armadas con hojas específicas de árboles que tenían la característica de actuar como un insecticida y larvicida natural. Esta costumbre doméstica data de hace más de 70.000 años. Los habitantes no solo tenían un amplio conocimiento de la vegetación sino que eran verdaderos alquimistas, pues también sabían preparar una suerte de pegamento para lograr la forma y contextura adecuada.

En correspondencia con la complejidad de estas innovaciones, se observan transformaciones en la conformación del cerebro. A través del proceso de selección natural priman los cerebros humanos de mayor tamaño; específicamente, aumenta el volumen de la materia gris. También se desarrolla el lóbulo frontal, se reorganizan varias subáreas cerebrales y, sobre todo, crece el número de conexiones neuronales, que se hacen más complejas.

En los últimos siglos, el hecho de vivir en comunidades cada vez más grandes y con mayor interacción de sus miembros y entre los distintos grupos resultó fundamental para la proliferación de la creatividad. Las personas, así, pueden tomar la idea de otro y modificarla, agregarle estructuras y seguir transformándola hasta generar algo nuevo y más sofisticado. Para esto, el desarrollo de las ciudades ha jugado un rol importante. El avance en el conocimiento y la innovación fueron posibles porque los contextos urbanos potencian la difusión de las ideas y favorecen la acción colectiva. Así, más allá de los perjuicios que hemos expuesto, representan un escenario único para incentivar la interacción y la inteligencia colectiva. La gran diversidad de actividades sociales que existen en la ciudad la convierte en el ámbito propicio para la resolución de problemas. Los científicos sostienen que cuanto más grandes son las ciudades, mayor es su eficiencia y productividad. Su economía y la búsqueda de rentabilidad fuerzan a que se generen nuevos bienes, productos y servicios, lo que demanda mayor esfuerzo y originalidad (esto, para los que vivimos en la ciudad, puede funcionarnos como una línea de compensación que equilibre los infinitos tiempos muertos trabados en el tránsito para ir de un lado, los bocinazos y las urgencias permanentes).

En *Usar el cerebro* vimos cómo se desarrolla cognitivamente el proceso creativo: se necesita un período de preparación, otro de incubación, de iluminación y de verificación. El surgimiento de las ideas novedosas requiere que se haya generado un pensamiento lateral que permita desviarse de lo común. Luego, hay que evaluar esas nuevas ocurrencias y planificar la manera en que puedan hacerlas realidad.

Para la creación, resulta imprescindible también la flexibilidad cognitiva, es decir, regular el sistema cognitivo de manera que se promueva el pensamiento divergente o no de acuerdo con las necesidades de la etapa del proceso cognitivo en el que se encuentran.

Cuando procesamos información necesitamos que actúen ciertos filtros cognitivos que nos permiten enfocarnos. Esto se debe a que son numerosos los estímulos que nos llegan a través de nuestros sentidos. Si en general no actuaran los filtros, el procesamiento se vería demasiado sobrecargado. Ahora bien, es posible que la creatividad necesite justamente lo contrario, es decir, que los filtros no actúen. Recientes descubrimientos sugieren que durante el proceso creativo se reducen estos filtros (es quizás por eso que solemos encontrar que la excentricidad es una característica muchas veces presente en reconocidos artistas).

Una investigación desarrollada por Thompson-Schill y Chrysikou estudió la relación entre las habilidades visuoespaciales y las ideas innovadoras. En la experiencia les mostraban a los participantes determinadas imágenes de objetos para que explicaran sus usos habituales o que inventaran una función novedosa. Los participantes que respondían atribuyendo usos no habituales tenían una menor actividad en las regiones prefrontales del cerebro (que suelen activarse para inhibir) y mayor actividad en las regiones de la parte posterior, que se ocupan principalmente de las habilidades visuoespaciales.

Contrariamente, quienes explicaban los usos comunes presentaban un patrón de activación inverso.

Sabemos que el sueño también es importante para que surja la chispa creadora. Muchas veces este estado de conciencia nos ayuda a encontrar soluciones fuera de nuestros patrones normales de pensamiento. Como ya vimos en el capítulo 1, los estudios demuestran que la etapa del sueño REM contribuye a que se *resuelvan problemas*. Esto se debe a que en esta fase se produce una desinhibición a causa de que se encuentran menos activadas las áreas cerebrales que generalmente regulan nuestro pensamiento lógico. Durante el sueño se produce también una alta actividad en las áreas visuales del cerebro, lo que permite vislumbrar soluciones. El aprendizaje se afianza mientras dormimos, afectando positivamente nuestra creatividad.

¿Se puede promover y fortalecer la creatividad en una sociedad como la nuestra? Esta discusión se centra en dilucidar cuánto hay de innato en las personas creativas y cuánto se debe a la educación y el entrenamiento. Claro que los grandes artistas tienen rasgos de la personalidad y habilidades cognitivas que los ayudan a ser innovadores. Sin embargo, es importante el rol que ejercen la preparación, el esfuerzo y la experticia. Como en la mayoría de las conductas humanas, se trata de la combinación de cualidades.

Los programas de las escuelas deben considerar el desarrollo creativo dentro de los sistemas formales de enseñanza. Ni como una excepción, ni un premio a la buena conducta, ni un desliz de lo realmente importante. Las habilidades no mejoran de un día para otro sino tras un trabajo diario y prolongado. El juego libre para los niños es otra manera de potenciar la creatividad porque demanda la invención de personajes, historias y hasta reglas. Este tipo de actividades representa un desafío mayor a nivel cerebral que el de los juegos en los que las reglas ya están establecidas y solo es necesario seguirlas. En la actualidad los niños suelen estar sobrecargados de responsabilidades, asisten a escuelas de doble jornada, luego tienen actividades complementarias y en los ratos libres están inmersos en la tecnología, los videos y programas o series de televisión. Debemos considerar que la deprivación del juego libre en la infancia tiene consecuencias negativas en el desarrollo social, cognitivo y emocional de los niños. Jugar incentiva la creatividad, la imaginación y la curiosidad. Por ello, insistimos, tiene que ser considerado tanto para adultos como para niños como un complemento de las tareas y el trabajo. Como en otras habilidades, la motivación es un elemento fundamental para cumplir con las metas. Si aquello que hacen tiene un valor especial para ellos, entonces van a tener más ganas de hacerlo. El hecho de que la actividad se realice libremente y no por imposición también hace que pongamos más energía en nuestras acciones. Asimismo, mejorar cada vez más la habilidad produce mayor motivación para continuar esforzándose y seguir superándose. Como decíamos en el apartado anterior, una sana competencia consigo mismo: ser mejores cada vez.

Uno de los principales valores del presente y del futuro es la creatividad. Vivimos en un mundo en el que día a día se plantean nuevos problemas que requieren de soluciones creativas. La creatividad debe ser una política prioritaria en nuestro país, como lo fue para la Unión Europea, que estableció el Año Europeo de la Creatividad e Innovación en 2009. Como parte de este programa se dictaron cursos de capacitación a docentes, seminarios de las neurociencias de la creatividad y clases para adultos y niños que los ayudaban a fomentar su capacidad creativa. El *genio creativo* hace que las ideas nazcan, pero sin dudas hubo una comunidad creativa que pujó para ese alumbramiento.

▶ **La mano de Dios.** *loc. sust. coloq.* La expresión indica la presencia de una voluntad divina en lo humano, actuando con eficacia y oportunidad, en situaciones difíciles y preocupantes. *Obs. Es una frase de origen oriental, semítico, que alude a la omnipotencia de Dios que decide sobre todo lo existente. En la Biblia, en el libro de Daniel (5, 24-28), se lee que* en medio del festín de Baltasar, que profanaba los vasos santos, apareció una mano, la de Dios, que escribió en la pared: "Mene, tequel, farsín" ("Tu reino ha sido pesado, contado y dividido"). Es decir, se te acabó el poder. Y Baltasar perdió su vida y sus reinos. La expresión "la mano de Dios" alude hoy a que cuando una situación es difícil de resolver, suele aparecer una salida imprevisible y todo se encauza con felicidad. Se dice, entonces "Obró la mano de Dios". Antes, "la mano de Dios" podía premiar y castigar, como en el episodio bíblico. Hoy se usa, preferentemente, para la asistencia o ayuda. En el ambiente deportivo, la frase se asocia al gol que Diego Maradona hizo al equipo inglés en el Mundial de Fútbol de 1986 en México, empujando la pelota con la mano izquierda hacia la red.

Cómo nos duele el dolor ajeno

En esa lúcida noche fundamental, a una cuadrilla de policías se les había encomendado apresar al malevo de nombre Martín Fierro. Pero lo que también se cuenta en ese pasaje crucial de la célebre obra de José Hernández es que, cuando ya lo tenían rodeado, uno de ellos gritó: "¡Cruz no consiente que se cometa el delito de matar ansí un valiente!" y se puso a pelear junto a Martín Fierro. Es lógico que el lector se pregunte qué se le habrá revelado en su interior que lo llevó a jugarse su propio pellejo, a elegir en este *dilema moral* su destino de lobo y no de perro gregario, como dice Borges. Quizás la primera respuesta a todo esto la da el mismo Cruz, algunos versos siguientes: "Sin ser una alma bendita, me duelo del mal ajeno".

Las definiciones generales de moral, tanto las que dan los diccionarios como las que podría ofrecer cualquier persona a la que se le pregunta sobre esto por la calle, dan cuenta de algunas seguridades (que tiene que ver con algo del bien y del mal) y muchas tensiones, sobre todo en función del carácter relativo (o no) de la divisoria entre uno y otro: ¿dónde termina el bien?, ¿dónde empieza el mal? El *Diccionario de la Real Academia Española* da cuenta, en su primera acepción, de que "moral" es aquello "perteneciente o relativo a las acciones de las personas, desde el punto de su obrar en relación con el bien y el mal y en función de su vida individual y, sobre todo, colectiva". Y *Wikipedia*:

> Son las reglas, posicionamientos, normas o consensos por los que se rige y juzga el comportamiento o la conducta de un ser humano en una

sociedad (normas sociales). En ese enfoque lo que forma parte del comportamiento moral está sujeto a ciertas convenciones sociales y no forman un conjunto universalmente compartido.

Según numerosos investigadores, esta idea de construcción social de sus propios códigos éticos es fundamental. Ya que, por el contrario, no podría existir una idea de moral universal porque se pueden demostrar enormes diferencias de lo que cada cultura considera como bueno o malo, es decir, moral o inmoral.

Existe una larga tradición filosófica, desde Tomás de Aquino hasta David Hume e Immanuel Kant, que se ha dedicado a examinar críticamente al razonamiento y comportamiento moral y la posibilidad de la existencia de valores universales. Sin embargo, hasta hace muy poco se desconocían las bases neurobiológicas de la actividad humana de valorar, de juzgar o de actuar moralmente. En las últimas décadas, las neurociencias han comenzado a centrarse en esto, ofreciendo explicaciones científicas sobre las bases neurobiológicas de la deliberación y del comportamiento social. Los llamados "valores" se traducen en hechos concretos que pueden ser abordados y comprendidos científicamente.

Los filósofos han dividido a la moralidad en dos tipos: la *descriptiva* y la *normativa*. La moralidad descriptiva es un código de conductas llevadas a cabo por una sociedad o grupo en particular, planteando cierta firmeza en términos de lo correcto o lo incorrecto. Se focaliza en áreas que van más allá del *no hacer daño al otro*, sino que se relacionan con la pureza, la aceptación de la autoridad, la lealtad, etc. La moralidad normativa es un código universal de acciones morales y prohibiciones que cuenta para toda persona independientemente de su sociedad o grupo al que pertenezca. Desde las neurociencias, el eje de estudio ha estado puesto en esta última, la moralidad normativa.

La moral es un producto de las presiones evolutivas que han formado mecanismos cognitivos y motivacionales sociales. Los primates no humanos tienen un amplio repertorio de conductas sociales (el cuidado de sus compañeros o cierto sentido de justicia y castigo, por ejemplo) que permiten interpretarlos como verdaderos precursores de la moral humana. La evolución del área frontal del cerebro está íntimamente relacionada con la aparición de moralidad. Diversos estudios neurocientíficos proponen que la moral, es decir, la capacidad mental para distinguir el bien del mal tanto en nuestras conductas como en los comportamientos de los demás, es producto de la evolución. La moralidad se ha transmitido a través del curso evolutivo porque esta nos ayuda a convivir con otros en grandes grupos sociales. La construcción de esquemas de moralidad, como las acciones solidarias con los demás, pueden observarse durante la infancia, inclusive antes de que el entorno social de un niño sea capaz de tener una fuerte influencia. Circuitos específicos del cerebro humano estarían involucrados en esto. El daño de ciertas partes del cerebro puede alterar el juicio y el comportamiento moral. A pesar de esto, sabemos a su vez que la moralidad humana depende también de la cultura. Lo que consideramos que es un comportamiento moralmente aceptable varía de una cultura a otra y también a través del tiempo.

Uno de los puntos centrales a tener en cuenta a partir de este abordaje es cómo se relaciona la cognición moral con la emoción y cuáles son sus sustratos neurales. Los resultados de múltiples estudios de neuroimágenes funcionales e investigaciones en pacientes con sociopatía o lesiones en el lóbulo frontal han mostrado que la cognición moral no se restringe a alguna región particular del cerebro, sino que emerge de la interacción de varias estructuras que conforman una red neural. Esta red la constituyen principalmente el área frontal, el área temporal y la amígdala. La zona frontal es un área del cerebro que, como sabemos, se relaciona con las emociones y estas parecen tener un rol crítico en el juicio moral. Por lo general, la mayor parte de nuestras decisiones morales están relacionadas con las emociones e intuiciones. Recién después de actuar es que analizamos y explicamos racionalmente las decisiones que tomamos. Varias investigaciones en pacientes con daño frontal han resaltado el rol de las emociones en el juicio moral, al mostrar que estos generalmente presentan una alteración en las respuestas emocionales y en las emociones socialmente relevantes tales como la compasión, la culpa y la vergüenza.

Uno de los métodos más utilizados en el estudio neurocientífico de la moralidad y el juicio moral ha sido el uso de dilemas morales. Cuando una persona se enfrenta a un dilema moral, debe tomar una decisión entre dos cursos de acción conflictivos que incluyen una violación moral. Estos dilemas permiten revelar cómo la mente trabaja como un *parlamento rebelde* en lugar de una *monarquía unificada*, ya que se presentan factores como las emociones morales y consideraciones racionales que compiten en nuestro cerebro.

Uno de los dilemas más comúnmente usados plantea la siguiente situación: un vagón de tren se suelta del resto de la formación al inicio de una pendiente, y comienza a ganar velocidad dirigiéndose hacia cinco operarios que están trabajando en la vía. Un controlador que está en un puente se da cuenta de lo que está sucediendo. Este hombre puede dejar que el vagón siga su curso y atropelle a los trabajadores o puede salvar esas cinco vidas al presionar un interruptor desviando el vagón hacia otra trocha adonde hay un solo operario. ¿Qué debe hacer? ¿Apretar el botón para salvar a los cinco trabajadores a expensas de la vida de un inocente? Si se le pregunta a la gente si les parece moralmente aceptable esto, es decir, si es admisible apretar el interruptor y reducir al mínimo el número de muertes, casi todo el mundo –no todo el mundo, pero sí casi todo el mundo– dice que sí. Veamos ahora esta otra situación, muy parecida pero con un elemento diferencial. El mismo vagón desprendido, la misma pendiente, los mismos cinco operarios en la vía. Lo distinto es que la única forma en que el controlador podría salvarlas es empujando a una persona corpulenta que está junto a él en el puente. Al caer en la vía esta persona será atropellada por el vagón pero lo frenará y salvará a cinco. Teniendo en cuenta la misma lógica anterior, ¿se justificaría moralmente empujar al corpulento? La mayoría de la gente responderá que no está bien hacerlo.

Aquí surge la pregunta filosófica interesante: ¿qué es lo correcto?, y las correspondientes preguntas neurocientíficas: ¿por qué existen diferentes intuiciones y respuestas a estos dos dilemas que en la superficie son similares (muere uno en vez de cinco)? ¿Por qué la mayoría de la gente dice que está bien apretar el interruptor pero no empujar a la persona cuando en ambos casos el costo es una vida para salvar cinco? ¿Cuál es la diferencia? La hipótesis es que cuando uno empuja a la persona usándolo como un freno al vagón se desencadena en nosotros una respuesta emocional que nos hace decir: "Existe una justificación racional para hacer esto, pero igualmente me parece mal". En cambio en el otro caso, el del interruptor, no tiene el mismo elemento personal/emocional y uno está dispuesto a tratar esto más como un análisis y especulación contable y decir: "Una vida por cinco vidas parece una cosa razonable para hacerlo." Lo que sucede es que los seres humanos juzgamos nuestras acciones dependiendo de si son personales (directas) o impersonales (indirectas).

Si esa teoría es correcta deberíamos esperar que los pacientes con lesiones frontales, área clave para la integración de las señales emocionales en la toma de decisiones, decidan de manera diferente. De hecho, estos pacientes en su mayoría, se centran más en la mera cuenta aritmética en ambos casos. Ellos dirán: "¿Cinco vidas por una apretando un botón? Eso suena bien. ¿Cinco vidas por una empujando a una persona? También está bien, por supuesto". Diversas investigaciones registran que cuando se les da a estos pacientes frontales este tipo de dilemas, tienen cuatro o cinco veces más probabilidades que los demás de decir: "Empujemos a esa persona en nombre de un bien mayor".

Estas experiencias demuestran que hay distintos tipos de moralidades que están embebidas en los diferentes sistemas cerebrales. Por un lado, existe un sistema emocional que dice, en el caso de empujar a la persona: "No, no lo hagas" y, por otro lado, hay un sistema que puede mirar este dilema y decir: "Queremos salvar la mayor cantidad de vidas, cinco vidas por una suena como un buen negocio".

En las personas sin daño frontal estos sistemas compiten mientras que en los pacientes se ve cómo los dos sistemas se separan porque uno no funciona bien mientras que el otro está todavía intacto. Nuestros juicios morales son influidos por las emociones más que por la razón:

nuestro *instinto moral* nos dice que un determinado acto es reprochable, aunque la razón no pueda explicarlo.

Más allá de la variabilidad observada en las distintas culturas, de la que tratamos largamente en este libro, hoy se reconoce la existencia de cientos de universales humanos: la empatía, la rectificación de las injusticias, las sanciones por faltas contra la comunidad y algunos científicos incluyen el *instinto moral*, un módulo mental responsable de generar en cada contexto cultural las diferentes normas éticas, una idea que no está exenta de críticas y polémica.

Es válido retomar la analogía entre el cerebro y la cámara fotográfica que presentábamos en el capítulo introductorio. Nuestros cerebros parecen tener, como si fuera una cámara, una *configuración automática* que llamamos "emociones". Una respuesta de miedo, por ejemplo, es la activación de un programa automático que reconoce los peligros y nos dice, rápidamente, que hay que retroceder. Nuestro cerebro también cuenta con un *modo manual*, un conjunto integrado de sistemas neuronales que apoyan el razonamiento consciente, lo que permite dar respuesta a los retos de la vida de una manera más dinámica y contar con el conocimiento específico de la situación: "Esa es una serpiente mortal, pero está en una jaula, así que no hay nada que temer". Nuestros ajustes automáticos a veces nos hacen resolver algunas situaciones de mala manera, pero sin ellos estaríamos perdidos. Del mismo modo, tenemos que razonar conscientemente para resolver problemas que son demasiado nuevos o que no podemos solucionar con reacciones viscerales. Investigaciones recientes han demostrado que el juicio moral depende fundamentalmente de ambos ajustes. Complementariamente a esto, hemos comenzado a comprender cómo operan estos distintos procesos cognitivos. Se sabe, entonces, que no existe una *facultad moral* unificada en el cerebro. En lugar de ello, diferentes juicios morales son impulsados por distintos sistemas neurales que pueden competir entre sí. Tendríamos diferentes formas de hacer juicios morales por la misma razón que una cámara de fotos tiene diferentes maneras de tomar fotos (de modo automático o de modo manual). Nuestras *reacciones viscerales* morales-emocionales son muy eficientes, dándonos una respuesta clara y contundente ("no seas violento"). Pero estas emociones no son muy flexibles. Por ejemplo, pueden fijarse en las características no esenciales de una situación y pueden ser ciegas a las consecuencias más amplias de nuestras acciones.

Los fotógrafos a veces se enfrentan a nuevos retos en su arte y no pueden confiar en los ajustes automáticos instalados en su cámara. Del mismo modo, a menudo podemos cometer errores en nuestro pensamiento moral. Por ejemplo, como el filósofo Peter Singer observó hace décadas, somos muy insensibles a las necesidades de los otros cuando están distantes (un juicio que parece comprobar el refrán, "ojos que no ven, corazón que no siente"). Resultaría raro permitir que un niño se ahogara ante nuestros ojos por la simple razón de que no queremos mojarnos la ropa nueva. Sin embargo, sí permitimos que millones de niños en el mundo se mueran por desnutrición y enfermedades evitables sin escandalizarnos y dejar de lado todo asunto insignificante hasta que se resuelva. Evolucionamos en un entorno en el que se pudo ayudar a la gente cercana desesperada pero no a *extraños distantes*. Somos sensibles a eventos inmorales únicamente cuando somos testigos directos o, al menos, de manera indirecta a través de fotografías o imágenes de televisión. Esto da cuenta de que la evolución puede haber dado sensibilidad automática para eventos próximos pero no para sucesos lejanos. Para esto necesitamos la razón que nos permita ser conscientes de la necesidad del otro, que, como dice Cruz a Martín Fierro, nos duela el dolor ajeno.

▶ **Donde aprieta el zapato.** *loc. adv.*
coloq. Donde más afecta una cosa,
donde más duele.

Es importante saber de qué se trata la psicopatía

Los diarios, los libros de historia, la literatura, la televisión y el cine innumerables veces han puesto la luz sobre casos emblemáticos de psicopatía en nuestro país y en el mundo. El caso del clan Puccio es uno de los más resonantes de los últimos tiempos en Argentina. Pero, más allá de estos casos rutilantes, ya sea por la identidad del personaje, el rol social que cumple, la temeridad del acto, el vínculo o la vastedad del suceso, en la realidad, un psicópata puede ser cualquier persona –un vecino, un compañero de trabajo, un médico, un abogado, un maestro, un jefe de personal o un político–. Estos hombres y mujeres –aparentemente inofensivos– entienden el bien y el mal y no están fuera de contacto con la realidad. Sin embargo, carecen de empatía, lo que los hace manipuladores sin escrúpulos y, solo algunas veces, criminales. El término "psicopatía" incluye un conjunto de rasgos o conductas interpersonales, afectivas, antisociales y de estilo de vida (dicho esto, es fundamental también subrayar que la gran mayoría de las personas con tendencias antisociales no son psicópatas). Las características asociadas con la psicopatía son: ausencia de miedo, encanto superficial, capacidad de manipulación, gran sentido de autoestima, mentira patológica, crueldad, insensibilidad, frialdad extrema bajo presión, carencia de aceptación de responsabilidad por sus acciones y, como consecuencia de eso, falta de culpa o remordimiento, escasez de empatía, nulos o frágiles lazos sociales, débil respuesta emocional, impulsividad y trastornos de conducta tempranos. Estas particularidades son más simples de detectar, por lo exagerado del rasgo y de sus actos, en un asesino serial, pero no tanto en nuestro contexto cotidiano o nuestra vida social. La investigación neurocientífica actual sugiere que existe un continuo de la psicopatía que va desde aquellos que son altamente psicópatas a personas que tienen un menor número (o intensidad) de rasgos de este tipo de personalidad.

Los psicópatas difieren el uno del otro, y su condición, como hemos dicho, puede variar en severidad. Si tienen las cualidades intelectuales y trabajan en una profesión en la que ejercen el control y el poder sobre otras personas, pueden destacarse ya que son asertivos, no posponen las cosas, se concentran en los aspectos positivos de las situaciones, no asumen los problemas como cuestiones personales, no se amedrentan cuando las cosas van mal, no se critican a sí mismos excesivamente y son calmos bajo presión. "¡El problema es de los demás!", suelen repetirse internamente.

Varios científicos sugieren que los psicópatas serían similares, aunque de una manera más sutil, a los pacientes con lesión frontal, que no tienen una respuesta emocional que les dice: "¡Esto no está bien!", ya que están emparentados con las decisiones *utilitarias*, es decir, dispuestos a un análisis sin emoción. Pero, en realidad, algunos psicópatas son mucho más complicados que los pacientes con lesiones frontales ya que trabajan muy duro para mezclarse como uno más.

El cine, la literatura y, muchas veces, también la ciencia se detienen más en la historia del psicópata que en la

de sus víctimas. Pero comprender la conducta y el proceder del psicópata quizás sea el paso fundamental para
saber hacerles frente.

> ▶ **Con la sangre en el ojo.** *loc. vb.*
> *coloq.* Estar resentido.

¿Esto es el aguante?

> *… los vamos a matar.*
> Remate de canción de tribuna de fútbol.

La violencia representa un perjuicio general para el bienestar de los seres humanos y plantea un gran desafío para
los Estados. En todas las especies, tanto la agresión como
la cooperación son comportamientos codificados genéticamente y son esenciales para la supervivencia. Konrad Lorenz, fundador de la etología moderna y premio
Nobel por sus estudios sobre la conducta, sostenía que
en los animales la agresión está motivada por la supervivencia, mientras que en los humanos el comportamiento
agresivo puede ser canalizado o modificado.

Muchas veces nos preguntamos por qué una sociedad como la argentina es violenta. Más allá de que lo
sea (siempre esto se da en términos relativos en relación
consigo misma en otro tiempo o con otras naciones de
características similares), la violencia nunca se manifiesta

por una única causa sino que depende de una red de factores que se conjugan. Pero una comprensión sobre esto debe incluir necesariamente una apreciación del cerebro humano y su mediación en la conducta. Experimentos en Suiza realizados por el investigador Walter Hess en la década del 40 demostraron que la estimulación en regiones cerebrales específicas (por ejemplo, en el hipotálamo) producía en animales conductas de ira y agresión. Estas revelaciones dieron cuenta de ciertas áreas cerebrales relacionadas con la violencia.

La expresión de los genes puede ser modulada e influida por el aprendizaje, el ambiente y la experiencia social. Entonces, la preponderancia o no de la agresión está influida por el ambiente. Por ejemplo, en períodos de exacerbación nacionalista, un discurso corriente es que "el otro es el enemigo a exterminar". El resultado extremo de esto son los genocidios, en los cuales se vuelve aceptable para un grupo realizar acciones criminales y para una parte amplia de la sociedad consentirlo a través del apoyo explícito, pasivo o la omisión. En otras palabras, el *contexto* ayudó a soltar el freno en el cerebro para la agresión (según algunos investigadores, estos frenos estarían en las áreas laterales de los lóbulos frontales). Y, como en otros órdenes, a mayor gente que hace eso, más admisible se vuelve.

Además de juzgar y condenar estos crímenes, intentar entender qué hace que las personas de carne y hueso lleven adelante esta agresión plena y que una sociedad en

un determinado momento lo tolere contribuye también
a que no se vuelva a repetir.

Los seres humanos, en numerosas oportunidades, no
podemos modificar las emociones que surgen de manera
visceral pero sí trabajar para modular las consecuencias
de estas emociones. Esto nos diferencia de otras especies.
La educación, la cultura, las instituciones, la sanción social y las leyes, entre otras acciones eminentemente humanas, pueden influir en el control de la violencia. Para
que el huevo nunca llegue a ser serpiente.

▸ **Aceitar la máquina.** *fr. vb. coloq.*
Sobornar. Ofrecer dinero para agili-
zar trámites, permisos, etc.

El cerebro corrupto

"La corrupción mata" se repitió como lema descarnado
después de la tragedia de la estación Once donde murie-
ron 51 personas (y una por nacer) que solo cometieron
el pecado de levantarse temprano para ir a trabajar desde
el suburbio a la Capital Federal, que esperaron en la estación, que viajaron apiñados como todos los días, que
confiaron que ese tren descangayado al menos los depo-
sitaría en la terminal para de ahí ir corriendo y empezar
el día laboral. Pero no. Crímenes a carradas llegaron. Corruptos apoltronados en un sistema corrupto generaron

una vez más muertes inocentes, como todos los días generan heridas inocentes, hambres inocentes, desasosiegos inocentes.

La corrupción podría definirse, en el sentido social, como una creencia compartida, expandida y tolerada de que el uso de la función pública es para el beneficio de uno mismo, de su propia familia y amigos. En un comentario publicado en la prestigiosa revista científica *Nature* en 2011 por el aniversario del último terremoto devastador en Haití, Nicholas Ambraseys y Roger Bilham calcularon que el 83% de todas las muertes como resultado de derrumbes de edificios durante los últimos treinta años ocurrieron en países que padecen, según marcan también las estadísticas, los sistemas más corruptos. En un *ranking* de la percepción de corrupción en 175 países en los que puntuaban los propios ciudadanos, Argentina se ubicó en el puesto 107.

Como bien describe el *World Development Report* de 2015, la corrupción ha sido la norma social por defecto en la mayor parte de la historia. El principio de que todas las personas son iguales ante la ley ha surgido progresivamente en la historia y en muchos países es todavía una tarea pendiente. La corrupción no es excluyente de la especie humana (se han evidenciado conductas corruptas en chimpancés, abejas y hormigas). Entre los seres humanos, tampoco es excluyente del poder político (aunque la hay) ni de los empresarios prebendarios (aunque la hay) sino también de la sociedad que a su medida, la ejerce o, al menos, tolera. Esto se ha estudiado desde la sociología y las ciencias políticas, desde la historia y el derecho. Es importante tener en cuenta que un comportamiento humano puede tener causas al mismo tiempo biológicas, psicológicas, culturales y sociales, las cuales interactúan para influir y no son necesariamente disyuntivas.

En 2014 la revista científica *Frontiers in Behavioral Neuroscience* publicó el resultado de un experimento en el cual se midió la conductancia de la piel, que es una medida de variación emocional general, al ofrecer una coima, recibirla o esperar para ver si se había descubierto el hecho de corrupción en el que se estaba implicado. Se simuló una subasta y se les daba a las personas la posibilidad de sobornar al subastador para obtener beneficios. Las primeras veces, podían sobornar libremente pero, luego, el perdedor podía exigir inspeccionar la operación. Entre los resultados se encontró que tanto subastadores como sobornadores eran menos corruptos cuando sabían que podían ser observados. Además, la actividad electrodérmica aumentó cuando la persona decidió de forma positiva, honesta y prosocial. La mirada del otro (o la posible mirada del otro) es la que sanciona el oportunismo. Es también la que genera en los participantes de la experiencia el miedo a ser descubiertos y la ansiedad. Por supuesto que existe otra mirada del otro posible: una mirada cómplice o complaciente, de una persona o de la sociedad que justifica la acción. Justifica su accionar. Si no hay sanción social, se pierde el mecanismo de premios y castigos, se naturaliza el delito.

Mediante el estudio de nuestro comportamiento evolutivo y la resolución de dilemas morales, se observó que, sin importar cultura, edad, clase social o religión, el hombre es corrupto por naturaleza: piensa primero en el bien propio y luego considera reglas morales y sociales; sus castigos y sus percepciones. No realizar actos de corrupción implica una actitud prosocial frente a una actitud exclusivamente en pos del bien individual. La ley y la mirada social influyen positivamente en nuestra conducta.

La corrupción es una condición ya que, si bien es una decisión individual cometer actos de este tipo, en realidad no se trata solo de una conducta singular desviada. En otras palabras, no hay seres humanos corruptos sino una sociedad corrupta en la cual los seres humanos (dispuestos a la corrupción) actúan. En un estudio que realizó el investigador Dan Ariely, se observó que un pequeño soborno puede tomar una influencia dramática en el comportamiento moral de un individuo. En este experimento, los participantes que recibieron un pequeño soborno pasaron luego a engañar y robar en tareas posteriores. Ese hallazgo podría tener consecuencias importantes para la comprensión de las normas sociales que conducen a la corrupción generalizada en los gobiernos, las instituciones o la sociedad. Todos los países tienen corrupción y seres humanos corruptos. La diferencia, en parte, radica en cuán tolerada es la corrupción en esa sociedad. Entrevistas cualitativas realizadas a expertos en corrupción y en distintas áreas (política, comercio exterior, industria farmacéutica y de la construcción, y el deporte), pueden arrojar una tendencia común de las organizaciones corruptas. Esto hicieron dos psicólogos y concluyeron en que las organizaciones corruptas se suelen autopercibir como en medio de una guerra que los hace mantener la actitud de que los fines justifican los medios. Esto tiene implicancias en los valores generales de la organización: racionalizar la falta de ética y castigar a los que no son corruptos. Si lo relacionamos con la Argentina, este marco de crisis en el que parecemos estar inmersos permanentemente es una de las excusas sobresalientes, ya que priman las decisiones de corto plazo y el individualismo. La crisis actúa como el bosque que tapa el árbol, es decir, el *detalle* de la corrupción frente a la zozobra general. Pero no, la corrupción no es un detalle, es propulsora y protagonista de la crisis. La crisis es una coartada del corrupto.

El informe "Mente, Sociedad y Conducta" elaborado por el Banco Mundial menciona que en países adonde la corrupción es una norma aceptada y no hay castigo ni sanción social para esta conducta, se puede llegar al extremo de que parte de la sociedad no respete e incluso se burle del funcionario honesto. A su vez, muchas de esas personas, que en forma privada critican la corrupción, no se rebelan contra el sistema para no ser aislados y tildados como "diferentes". Hay situaciones adonde incluso policías fueron castigados (por sus colegas y por su entorno social) por no aceptar sobornos, ser honestos y *violar* la norma establecida. En ese mismo informe se describe cómo personas de países con alto índice de corrupción que tienen inmunidad diplomática en Nueva York, y por esta situación no deben pagar por multas de tránsito, tienen más infracciones que diplomáticos que provienen de países con menor índice. Esto aporta evidencia a la idea de que la corrupción, en parte, es influenciada por normas sociales internalizadas.

No hay transformación sin leyes, sin castigo y sin sanción social. En una investigación que realizó la Universidad de Palermo sobre la manera en la que consideran los argentinos que se consigue el ascenso social, los resultados encontrados fueron tristemente sorprendentes: para el 24% de la población, el ascenso socioeconómico se logra a través del fraude o la corrupción; en segundo lugar, debido a herencia familiar (21%) y solo el 16% a la educación y el 13% a través del esfuerzo. Lo impactante, también, es que si el corte se hace por los más jóvenes, los resultados son aún más alarmantes.

Se han hecho diversos experimentos para mostrar bajo qué circunstancias las personas se muestran mejor predispuestas a actuar en beneficio del bien común (como, por ejemplo, cuando pagan los impuestos) y bajo qué circunstancias actúan de modo más egoísta. Un tipo de tarea experimental que se usa es el "juego de los bienes públicos". Un ejemplo de este juego sería que personas en un grupo reciban 100 pesos cada uno y pueden decidir cuánto quieren poner secretamente en un pozo común que será duplicado por el administrador. Es decir, si hay diez jugadores y todos ponen 100, el total será 1000, se duplicará (2000) y cada uno recibirá 200. Sin embargo, si una persona no pone nada al pozo común y el resto pone sus 100, esta persona recibirá más dinero (sus 100 originales sumado a la repartición del doble de lo que puso el resto). Un típico vivo. Cuando se juega más de una ronda, los jugadores empiezan a ver que no todos están poniendo lo que podrían poner y se están beneficiando a costa del resto (ya que la repartición final podría ser mayor). Por lo tanto, ellos mismos dejan de aportar tanto. El resultado es que la actitud egoísta de pocos contagia a los que originalmente más cooperaban.

La cooperación se suele dar cuando las personas sienten que si ayudan, van a recibir algo a cambio, aunque sea en un futuro lejano (concepto clave para el pago de impuestos en relación con los beneficios en salud, educación, seguridad, etc.). También se da cuando las personas se sienten observadas. Esto sucede hasta con una foto de unos ojos, que en una plaza muestran aumentar la cantidad de recolección de desechos de los perros; en una oficina, hace aumentar la cantidad de donaciones para el café de todos; en un laboratorio; reduce la cantidad de acciones tramposas. Nuestro cerebro responde automáticamente a la mirada del otro, sea real o artificial, producto de la evolución. Que nos reconozcan por una actitud altruista nos hace sentir bien a nosotros, pero también trae beneficios a todos.

No es inevitable la corrupción ni los argentinos somos así fatalmente. Pero sin castigo, ejemplos y sanción social la corrupción puede convertirse en norma establecida. No hay excusas ni tiempos que la apañen. Tenemos que comprenderlo y ser mejores para nosotros y para nuestra comunidad. Debemos estar convencidos y convencer. Y para eso será bueno repetirlo en cada libro, en cada nota de un diario, en cada foro, en cada sobremesa: la corrupción es un crimen.

▶ **Vender un buzón**. *loc. vb. coloq.*
Engañar, estafar, hacer un cuento.
Obs. Se refiere al típico "cuento del tío" que se hacía a los inmigrantes o a la gente del interior de Buenos Aires, ofreciéndole el estafador un buzón como negocio y esgrimiendo como futura ganancia lo que obtendría con el cobro de la correspondencia.

Una inteligencia de patas cortas

En nuestro país existe una rara calificación que se utiliza para darnos corte de cierta cualidad excepcional: la viveza criolla. Quizá la más ajustada descripción para este carácter sea la capacidad intuitiva e inmediata para darse cuenta de cómo son las cosas, para tomar decisiones a partir de eso y para, así, sacar ventaja por sobre los demás. Justamente, referido a esto último, resulta extraño que esta actitud sea pensada como una acción que impactará favorablemente sobre un universo colectivo. La llamada "viveza criolla", entonces, refiere a la cualidad de una persona capaz de encontrar y tomar atajos para llegar a su meta antes que los otros.

A propósito de *atajo*, entre sus acepciones, la más conocida es aquella que representa la abreviación del camino en sí. Pero hay una, ligada a una práctica específica como es el esgrima, que se define como una "treta para herir al adversario por el camino más corto esquivando la defensa". Eso mismo parece ser lo preponderante de la viveza criolla: cómo hacer algo de la manera más sencilla posible sin que exista resistencia, porque el otro no lo esperaba o porque *se comió todos los amagues*. Justamente, el amague es una impostura, parecer una cosa y ser la otra, engañar. La viveza criolla encuentra su arma principal ahí mismo: en el engaño.

Lo primero que podríamos preguntarnos es si verdaderamente la viveza es criolla. Debemos decir que el arte del engaño no es diferencialmente argentino ni de otra nacionalidad o cultura en particular, sino, más bien, común a la especie humana.

Desde el punto de vista de nuestro funcionamiento cognitivo, sorprendentemente, mentir es un proceso muy complejo y exigente. Ocultar o exagerar la verdad, inventar una excusa o perpetrar un engaño no son tareas sencillas. Mentir implica, aunque parezca curioso, un esfuerzo mucho mayor que decir la verdad. La viveza criolla, entonces, tan emparentada con el arte del engaño, no es un valor que está ligado a la falta de esfuerzo, sino a la falta de escrúpulos. Muchas veces se considera *vivo* al que no quiere trabajar y busca las mil y una tretas para lograrlo. Pero, si lo pensamos bien, esa búsqueda probablemente le haya ocupado más energía que el cumplimiento responsable de su tarea.

El vivo puede tener una actuación doblemente engañosa (el engaño del engaño). A menudo imaginamos la idea de la mentira relacionada con otra persona. Pero también uno puede mentirse a sí mismo. Robert Trivers, reconocido biólogo que, entre otras cosas, se ha dedicado a estudiar la perspectiva evolutiva del engaño, sostiene que tan importante como la mentira es el autoengaño. Las formas más comunes de engañarse a sí mismo tienen que ver con la racionalización de una situación para convencerse de que una mentira es verdad, con atender intencionalmente a solo una parte de la información disponible y negar otra o con alterar ciertos detalles de los recuerdos. Según Trivers, estos autoengaños tienen varias ventajas, una de las cuales es que evitan poner en funcionamiento todas aquellas capacidades complejas que demandaban tanto gasto de energía al cerebro durante el estado previo. Además, si se cree en aquello que no es cierto, muy probablemente será mucho más fácil convencer a otra persona. Incluso, el autoengaño puede ayudar a convencerse a sí mismo de que se es mejor.

Todo esto nos lleva a formularnos una segunda pregunta: ¿es la viveza criolla verdaderamente una viveza? Más allá de que las definiciones que hace la ciencia sobre la inteligencia son variadas, podemos exponer aquí dos en particular: una tiene que ver con la eficaz adaptación al medio y, la otra, con generar soluciones novedosas a los problemas. También la ciencia llegó a la conclusión de que cuando uno trabaja con otros, la inteligencia individual se expande. El vivo representa entonces una versión rudimentaria del inteligente, ya que se adapta al medio y logra un truco eficaz. Como expresó Marco Denevi, el autor de *Rosaura a las diez*, viveza es "la habilidad mental para manejar los efectos de un problema sin resolver el problema". Logra, en realidad, una ventaja inmediata y de corto plazo, una victoria pírrica. La viveza es una inteligencia de patas cortas.

Pongamos un ejemplo cotidiano: se produce un embotellamiento en una ruta, todos los automovilistas se ponen nerviosos por el tiempo de espera y el vivo aparece transitando por la banquina, lo que le permite eludir *su propio* trastorno a costa de uno mayor del de los demás. Primera cuestión a considerar: esa acción está prohibida por las normas públicas porque no es el uso adecuado ni conveniente de la banquina y probablemente genere un accidente para sí mismo, para otro o la imposibilidad de circulación de alguien que realmente lo necesite; segunda cuestión: en algún momento ese auto que se adelantó va a necesitar volver a entrar a la ruta y va a generar un nuevo y mayor perjuicio para los otros que se quedaron esperando. Como decía Denevi, el vivo no buscó una solución duradera y colectiva del problema, sino un atajo para lograr su solución mezquina. Veamos otro ejemplo parecido (pero peor): en medio de un tránsito dificultoso por una avenida, una ambulancia se abre camino con su sirena. Los autos dan paso para que la emergencia pueda ser atendida. Pero, detrás de la ambulancia, el vivo se cuela aprovechando el camino que abre la desgracia ajena. Como se ve, la viveza suele estar teñida de caranchismo.

Muchos investigadores postulan que una de las características que presionaron evolutivamente para hacer del cerebro humano algo tan complejo es la capacidad de engaño. Ahora bien, esta capacidad natural, como tantas otras, puede entrar en conflicto con otras capacidades también muy humanas: la moral, por ejemplo, pero también la calidad de la interacción con el otro o la de ver el largo plazo.

A este grupo de habilidades cognitivas que nos permiten analizar el largo plazo se las denomina "funciones ejecutivas". A grandes rasgos, ya que nos detendremos sobre esto en el próximo capítulo, las funciones ejecutivas nos permiten hacer frente a situaciones novedosas e involucran una serie de habilidades: la planificación del futuro, la resolución de problemas, la realización de objetivos, la inhibición de la respuesta prepotente, entre otras.

Tenemos una responsabilidad colectiva sobre esto y es bueno reflexionar sobre nuestra manera de ser y de actuar. Muchas veces nuestra sociedad considera una virtud preponderante en un líder la viveza de trampear las reglas, decir una cosa y actuar de la manera contraria, provocar y aprovechar la zancadilla del oponente. Debemos tener en cuenta, más bien, que los más eminentes próceres de nuestra historia fueron líderes que no tomaron atajos. La Argentina de la viveza criolla se vuelve dramáticamente representada desde hace décadas en el diputrucho, en el despilfarro, en la evasión de impuestos, en el uso clientelar del Estado, en la vista gorda a la corrupción cuando hay un veranito económico, en el hambre en un país que genera alimentos para varias Argentinas, en el desmedro de la excelencia, del esfuerzo, del conocimiento.

Quizá, como los países desarrollados e igualitarios, debamos usar más *las funciones ejecutivas* para afrontar transformaciones sustanciales de largo aliento: la educación de calidad y las discusiones de grandes problemas que tienen que ver con el progreso. O considerar una auténtica virtud las inteligencias criollas como las de Sarmiento, Moreau de Justo, Houssay, Leloir, Milstein, Grierson, Storni, Borges y Favaloro, entre otros. O las de los inmigrantes que construyeron con el sudor el futuro, las de los hombres y mujeres argentinas que todos los días se levantan a la madrugada para llevar a sus hijos a la escuela e irse a trabajar por ellos, por su familia y por su patria.

Claro que los argentinos debemos ser vivos de verdad, es decir, una comunidad integrada que actúa con la inteligencia de saber que el mejor destino está al pensarnos ahora y en el futuro el uno con el otro.

Capítulo 4

¿Cómo decidimos?

Como ya dijimos, los seres humanos somos animales sociales, por lo que nuestra forma de pensar, decidir y actuar está fuertemente condicionada por los otros. Nuestras preferencias, expectativas y patrones de conducta se construyen dentro del conjunto de las interacciones sociales de las que somos parte.

Dicho esto de otra manera, tenemos una tendencia a adoptar formas de pensar y actuar que encontramos en el entorno social, lo cual moldea nuestras preferencias de forma implícita. Por ejemplo, solemos buscar el reconocimiento social, que actúa como recompensa ante determinadas acciones que tienen un valor social. El valor del reconocimiento social es tan alto que en ciertas ocasiones puede llegar a influir en la conducta de una persona en mayor medida que un incentivo monetario. Así las personas tienen un estímulo para tomar decisiones que estén alineadas con los intereses del grupo.

Otra tendencia de los seres humanos es la cooperación. Sin embargo, la cooperación no es una conducta incondicional. Depende de diversos factores como de dónde proviene la persona que requiere la ayuda y qué actitud tiene para retribuir al grupo. Los seres humanos tienden a cooperar en mayor medida con quienes pertenecen al endogrupo (grupo del cual se hace parte) y con los que tienen, a su vez, actitudes cooperativas. Tendemos a ayudar a quienes (nos) ayudan, y a premiar o castigar las acciones de los demás si estas son cooperativas o no, respectivamente. Esto quiere decir que la decisión de cooperar en determinado momento puede verse influida por la visibilidad del nivel de cooperación que tiene el otro. De esta manera, ambientes o sociedades donde se exhiben o se resaltan los actos cooperativos de las otras personas pueden incentivar a un individuo a tomar la decisión de ayudar. Por el contrario, si un individuo percibe que los demás colaboran poco, su voluntad para cooperar va a disminuir. Vinculado a esto se encuentra la influencia que ejerce en nuestra conducta el hecho de sentirnos observados.

Asimismo, la toma de decisiones depende de nuestras preferencias, creencias y recursos, que se forman a partir de las *relaciones sociales*. El conjunto de las relaciones sociales del que formamos parte (la *red social*) es la principal fuente de información acerca de qué conductas son adecuadas y qué actitudes debemos tener respecto a determinados asuntos. Dentro de una red social los individuos pueden aprender conductas nuevas o pueden recibir refuerzos para las conductas que ya poseen, que transforman a esta en una pieza fundamental del orden social. De hecho, es más probable que una persona adopte una conducta nueva o genere un cambio si alguien cercano o importante lo hace.

Muchas de nuestras actitudes, que juegan un rol esencial en el momento de tomar una decisión, surgen de las relaciones entre personas. La forma en la que vemos el mundo y lo pensamos parte de la comprensión que tiene nuestra comunidad sobre él. Los conceptos, relaciones, categorías, estereotipos y todo aquello que compone nuestra forma de entender el mundo conforman *modelos mentales*. Cuando los compartimos se fortalecen la cohesión y la cooperación dentro del grupo, y esto facilita el entendimiento al momento de resolver problemas colectivos.

Los modelos mentales afectan la toma de decisiones, ya que son base de los marcos de referencia (la herramienta que utilizamos para juzgar qué información es relevante y qué valor debemos darle al momento de tomar una decisión). Los modelos mentales influyen en nuestra percepción, dirigen nuestra atención y afectan la forma en que recuperamos información de la memoria, con lo cual, en última instancia, determinan el aprendizaje y la forma en que construimos el significado de nuestra experiencia. A través de ellos establecemos los supuestos que tenemos sobre el funcionamiento del mundo, y cómo y por qué actúan las personas. Los modelos mentales se encuentran en la base tanto del pensamiento automático como del pensamiento deliberado y tienden a perpetuarse a sí mismos, ya que las personas suelen ignorar o desestimar la información que contradice sus creencias, fenómeno conocido como *sesgo confirmatorio*. Los modelos mentales que construimos no necesariamente son coherentes entre sí, de forma que un individuo puede poseer una serie de modelos que lo lleven a pensar y actuar de formas diferentes e incluso contradictorias. El modelo mental con el que opera una persona en determinado momento es resultado de claves contextuales, que hacen que uno sea más accesible que otro. De esta manera, es posible influir en la toma de decisiones y en la conducta de un individuo al introducir claves contextuales que activen determinados modelos.

Los modelos mentales surgen de dos maneras: algunos son innatos, producto del *conocimiento del mundo* que tenemos como especie; y otros son adquiridos socialmente, a través de las experiencias de una persona en su comunidad. Estos marcan la forma en la que nos concebimos y percibimos nuestras capacidades. La identidad social nos lleva a creer que poseemos los atributos del grupo al que pertenecemos, lo cual determina nuestras expectativas del futuro. Esto hace que las identidades sociales sean un elemento contingente de nuestra toma de decisiones.

Dentro de un grupo también surge una serie de creencias compartidas sobre lo que es esperable y lo que no (también conocidas como *normas sociales*), las que determinan determinan en gran medida la toma de decisiones de sus individuos. Seguir normas está en nuestra

El cerebro argentino

naturaleza, venimos al mundo con un mecanismo que nos permite observar las interacciones de los que nos rodean e imitarlas, algunas veces de forma consciente y otras veces de forma no consciente. De hecho, el proceso de establecimiento de las normas sociales sucede en la mayoría de los casos de forma implícita, sin que haya alguien eligiendo deliberadamente su aplicación. De esta manera, las normas sociales afectan nuestra toma de decisiones la mayoría de las veces de forma no consciente, a veces para bien y otras para mal. Así, por ejemplo, un estudio en Francia mostró que los adolescentes que pensaban que sus pares tomaban más alcohol que el que realmente tomaban, tendían a presentar mayores ingestas de alcohol ellos mismos. También venimos programados para observar a los demás y castigar su conducta cuando se desvía de la norma (por un lado, la ruptura de una norma genera fuertes emociones en nosotros y, por otro lado, al castigar la violación de una norma en nuestro cerebro se activan circuitos de recompensa).

Las identidades sociales que desarrollamos, las redes sociales y las normas sociales que rigen en nuestro entorno tienen una gran influencia en el proceso de toma de decisiones. De todo esto trata este capítulo de *El cerebro argentino*. Para eso, nos detendremos a describir la arquitectura de estos procesos, el rol de la conciencia y a qué se llama "funciones ejecutivas". También nos preguntaremos por la eficacia de las intuiciones y por los beneficios de postergar (o no) una decisión. Respecto de las decisiones sociales e institucionales, abordaremos la relación intrínseca que existe entre el cerebro y la ley, la psicología del liderazgo y el impacto que deben tener las investigaciones científicas en las políticas públicas. Por último, y anclado en las decisiones urgentes que debemos asumir en nuestro país, atenderemos a la emergencia argentina.

El título provisorio de este capítulo fue: "Se trata de decidir". Esta es la cuestión.

Arquitectura de las decisiones

Nuestro cerebro está constantemente tomando decisiones, desde las más simples, como adonde mirar o qué pedir en un bar, hasta dilemas morales o con quién casarse. Pero elegir sabiamente no es fácil. El cerebro es propenso al error y a la irracionalidad, entendida como el desvío respecto a las normas de la lógica. No pocas veces buscamos el placer a corto plazo a expensas de consecuencias negativas en el largo plazo. Para bien o para mal, las emociones tienen un gran impacto en nuestras decisiones. El miedo, el amor y el odio explican la mayoría de las situaciones en las que los humanos nos alejamos de la racionalidad. Somos especialmente susceptibles a las señales en el medio ambiente que desencadenan emociones, y estas pueden beneficiar el proceso de toma de decisiones, pero también pueden complicarlo.

Muchas veces quisiéramos creer que los seres humanos tomamos decisiones habiendo considerado toda la información posible y relevante, ajustado el valor que le damos a cada una de nuestras opciones en función de las particularidades del contexto y las necesidades del futuro, siempre con imparcialidad, comprendido objetivamente cuáles son nuestras capacidades y limitaciones, y basado en objetivos claros y sistemáticamente definidos. Sin embargo, la evidencia que nos aportan la psicología, las neurociencias y otras disciplinas que han investigado este tema nos indican que esto casi nunca es así. Decidimos la mayor parte del tiempo en forma rápida, automática (con lo primero que nos viene a la mente), instintiva, no consciente, emocional y sin esfuerzo; además, como adelantamos en la introducción del capítulo, las normas sociales influyen en cómo decidimos; y utilizamos modelos mentales (lo que percibimos e interpretamos está ligado a conceptos y visiones del mundo extraídas de nuestras sociedades e historias compartidas) cuya activación depende fuertemente del contexto.

Para comprender la toma de decisiones humana es necesario descomponerla, ya que este es un proceso muy complejo que involucra una gran cantidad de variables y múltiples aspectos, desde una decisión perceptual muy simple, a las decisiones personales, sociales, económicas y morales. Nuestras decisiones son producto de la interacción entre nuestra mente y el contexto. El cerebro tiene la tarea de reunir información del mundo que nos rodea y de nuestro cuerpo, para dirigir nuestra conducta de la forma más apropiada; y esto lo puede hacer básicamente de dos maneras: con un análisis deliberado, de forma reflexiva, lenta, considerando diversos factores relevantes, basada en el razonamiento, con esfuerzo mental; y, como mencionamos, también de forma automática. El psicólogo cognitivo y premio Nobel de Economía Daniel Kahneman popularizó esta dicotomía de funcionamiento entre sistemas rápidos y lentos en el gobierno de nuestras decisiones, pero muchos otros autores en la historia del pensamiento humano aludieron a esta división de tareas en el concierto mental. Así, Platón dividió el alma en una parte apasionada y una parte más deliberativa, y luego filósofos como David Hume e Immanuel Kant debatieron sobre la emoción y la razón en la toma de decisiones morales. Hoy la neurociencia muestra evidencia de que la tensión que sentimos entre la pasión y la razón, entre la intuición y la deliberación, en realidad se basa en una tensión entre sistemas que compiten en el cerebro.

Cada uno de estos sistemas tiene ventajas y desventajas. En muchas situaciones el sistema rápido toma información y llega a conclusiones correctas. También nos puede llevar por mal camino, por eso contamos con el sistema más lento que nos permite evaluar si nuestra intuición es equivocada o nuestras emociones nos nublan el panorama. De todas maneras, muchas veces nuestro sistema emocional o intuitivo prevalece sin una evaluación y esto nos lleva a fallas en la toma de decisiones.

Imaginemos que estamos parados en el cordón de una vereda de una calle angosta y súbitamente nos arrojamos hacia atrás porque un colectivo venía hacia nosotros y nos iba a atropellar. Esta reacción fue demasiado rápida para ser consciente. Luego, cuando pasó el peligro, nos damos cuenta conscientemente de la situación y de la decisión que nos salvó la vida. Mientras caminamos, manejamos o andamos en bicicleta, el cerebro procesa miles y miles de cálculos que nos permiten no ser conscientes de esos actos que damos por obvios. Seguramente habremos visto en un semáforo algún muchacho que hace malabares increíbles con pelotas de colores. Durante los años de práctica se fueron formando circuitos cerebrales especializados en su cerebro en un tipo de aprendizaje que llamamos "procedimental" y que le permiten hacer esta tarea con movimientos complejos en forma rápida y eficiente sin ser consciente. Cuando aprendemos nuevas habilidades, estas cambian la estructura del cerebro. Esto sucede con la mayoría de las actividades que hacemos desde que somos bebés y en la medida que crecemos (ver, reconocer patrones de imágenes, caminar, bañarnos, tomar mate mientras leemos, etc.) que fortalecen circuitos cerebrales que permiten que estas acciones sean automáticas y eficientes. ¿O nunca nos pasó cuando manejamos en la ruta que por un tiempo no atendimos a los detalles del manejo y sin embargo adelantamos unos kilómetros sin ser conscientes?

Como dijimos, una gran proporción de todas las decisiones que tomamos sucede fuera de la conciencia. El cerebro tiene la capacidad para procesar información proveniente del entorno y de nuestro propio cuerpo de forma rápida, eficiente y utilizarla para evaluar y elegir futuros cursos de acción. Algunos autores sugieren que para hacer esto el cerebro se apoya en dos tipos de proceso: el reconocimiento de patrones y el uso de etiquetas emocionales. El reconocimiento de patrones consistiría en la integración de información almacenada en el cerebro sobre experiencias y decisiones tomadas en el pasado para ser usada como guía en la toma de decisiones. Si encontramos indicios de que la situación del presente se asemeja a una experiencia pasada –al reconocer un patrón– tomaremos acciones que sigan un curso similar intentando obtener resultados análogos a la situación original. Sin embargo, tomar decisiones a partir de patrones reconocidos puede llevarnos al error en la medida en que asumamos que una situación presente se asemeja a una anterior y tomemos las mismas acciones, cuando en realidad se trata de dos situaciones diferentes que requieren dos tipos de acción divergentes. Por su parte, el cerebro se apoya en las etiquetas emocionales para seleccionar la información más relevante para la toma de decisiones y designar una serie de posibles acciones congruentes con la situación. Las etiquetas emocionales son marcas que imprime el cerebro en los pensamientos y experiencias almacenadas en la memoria que contienen información afectiva sobre la valencia (peligroso, agradable, molesto, etc.) y su intensidad (muy peligroso, poco peligro, etc.) en cada recuerdo. De esta manera, cuando nos encontramos nuevamente con aquella situación o estímulo que hemos etiquetado, ya poseemos información útil para decidir rápidamente qué acción debemos tomar. La valencia y la intensidad con la cual etiquetamos la información también definen su *saliencia* –o qué tan visible es–, determinando la facilidad con la cual podremos acceder a ella al momento de buscarla. Todo esto hace que el proceso de búsqueda sea más eficiente y por ende, podamos tomar una decisión efectiva rápidamente.

Estos procesos tienen lugar durante la toma de la mayoría de decisiones. Dependemos de ellos en gran medida cuando realizamos acciones que son básicas y rutinarias, para las cuales, como mencionamos, hay un conjunto de conexiones en el cerebro ya especializadas para hacerse cargo de la tarea. Estas conexiones son el resultado del aprendizaje, con lo que la rapidez y eficiencia con la que pueden responder depende de la experiencia, o si se quiere, de la práctica. Y de esta misma manera, las decisiones que puede tomar este sistema están limitadas a contextos similares, donde las variables y los posibles resultados se corresponden con los escenarios donde estas respuestas ya fueron ensayadas.

No es fácil darnos cuenta del uso constante que hacemos de estos procesos y tampoco de la importancia que tienen para nuestra vida cotidiana. Sin embargo, cuando estos procesos se ven alterados, las consecuencias son imposibles de ignorar. Daños en determinadas regiones cerebrales pueden dar lugar a alteraciones en el procesamiento emocional, sin el que, como mencionamos, facilita la toma de decisiones. Estos pacientes pueden llegar a tener importantes dificultades para tomar todo tipo de decisiones, incluso las más simples y triviales como qué comida preparar o qué vestir. Dichos pacientes no podrían utilizar las mencionadas etiquetas emocionales para tomar decisiones rápidas. En cambio, tienen que hacer una evaluación deliberada y analítica de sus opciones, lo que resulta bastante tedioso porque deben darle un valor a cada una de ellas, considerando una inmensa cantidad de variables (como por ejemplo su valor nutricional, precio, impacto ambiental, salubridad, color, peso y todo lo que podría ser relevante para llegar a una decisión). Las personas sin este tipo de lesiones cerebrales no deciden qué comer luego de hacer un análisis sistemático y exhaustivo de todas estas variables. En cambio, nos guiamos por un sistema de preferencias implícito (basado en las etiquetas emocionales) que nos permite ahorrar tiempo en tomar esta simple decisión y abocar nuestros limitados recursos cognitivos en procesos de pensamiento controlado (procesos conscientes) para resolver tareas más complejas.

▶ **Parar la pelota.** *loc. vb. coloq.* Tranquilizarse, serenarse. Se lo utiliza comúnmente para tener la posibilidad de observar el terreno y decidir sabiamente.

El rol de la conciencia

A pesar de que podemos ejecutar muchas actividades cotidianas en *piloto automático*, también tenemos una notable capacidad para anular nuestros hábitos e impulsos. La conciencia encarna el rol del *director ejecutivo* de la mente. Esta tendría poder de veto sobre nuestras acciones automáticas y es capaz de coordinar una serie de procesos básicos y automatizados para evaluar diferentes aspectos de la situación, de manera que pueda generar una respuesta que se adecúe de forma óptima a las particularidades del contexto. Este tipo de respuesta no podría lograrse por medio del procesamiento automático, ya que, como dijimos, solo genera respuestas similares a demandas similares. Cuando el contexto cambia o surge algún imprevisto y la forma en la que valoramos y reaccionamos habitualmente deja de ser válida, la conciencia debe entrar en acción para dar sentido a la nueva información y poder generar una respuesta que se adecúe más al nuevo entorno.

Sin embargo, como hemos visto, con un sistema de procesamiento consciente, deliberado y controlado, no garantiza que las decisiones que tomamos sean las más racionales ni las más adecuadas. Daniel Kahneman y su colega Amos Tversky se encargaron de sacar a la luz otras formas en que el pensamiento rápido se desvía de la racionalidad y toma atajos para llegar a una solución. Estos atajos son conocidos como heurísticos, y consisten en reglas de pensamiento que no se basan en un cálculo cuidadoso y sistemático de las variables, ni en predicciones de posibles resultados basadas en la estadística Bayesiana. Por el contrario, tienden a tomar información sobre la experiencia previa, muchas veces parcial y poco representativa de la realidad, para generar conclusiones rápidas. La naturaleza de estos procesos limita las oportunidades que tenemos de revisar y contrastar sus resultados.

A partir de estos conocimientos se generó un fuerte interés por desentrañar todas las desviaciones de la racionalidad que tiene el ser humano en su juicio y así se arribó a la idea de "sesgos cognitivos". Muchos de ellos parten de una realidad: para tomar una decisión es necesario buscar en el entorno información relevante para resolver el problema en cuestión, y sucede que en el entorno siempre hay más información de que la que nuestro sistema de pensamiento puede procesar. Los criterios para decidir qué se considera relevante incluir en nuestro recorte surgen del *marco de referencia*. Este marco opera desde un nivel no consciente –basado en información sobre el contexto y en el resultado de decisiones previas– ya que sería poco conveniente tener que construir todo un sistema de referencia cada vez que tomamos una decisión. Y precisamente como los marcos operan de modo no consciente tenemos pocas oportunidades de cuestionar su validez. Al apoyarnos en ellos podemos llegar a considerar información accesoria y dejar de lado información esencial en el proceso de tomar una decisión. Es decir que tendremos una evaluación sesgada de la situación.

El tipo de información que seleccionamos para tomar una decisión no depende únicamente de nuestro marco de referencia, también depende de cómo está dispuesta la información en el entorno. Es decir, que el orden y la forma en que la información nos es presentada pueden determinar su saliencia, lo que incide en la probabilidad de que sea tomada como pieza de información relevante y el valor que le daremos luego.

Además, en circunstancias donde debemos hacer uso de información con la que ya contamos, la facilidad con la cual una pieza de información aparece en nuestra mente –su accesibilidad– incide en la probabilidad de que esta sea tomada como pieza de información relevante.

De los fenómenos anteriores podemos aprender dos cuestiones fundamentales de la toma de decisiones. Primero, en la toma de decisiones la evaluación de la situación es un paso fundamental. Allí seleccionamos, recortamos y organizamos la información que tenemos disponible para establecer cuáles son nuestras alternativas. Segundo, esta evaluación no es un proceso objetivo y libre de sesgos. Para realizar una evaluación nos basamos, por un lado, en un marco de referencia, que guía nuestra atención y determina la forma en la que realizamos el recorte; y por otro, el orden y la forma en la que la información nos es presentada afecta la forma en la que la integramos. En otras palabras, el procesamiento que hacemos de la información no sigue necesariamente un razonamiento lógico.

Una vez que hemos comprendido la situación y establecido cuáles son nuestras alternativas, debemos asignarle un valor a cada una para poder deliberar cuál es la más conveniente. En este proceso también pueden aparecer fenómenos que nos desvíen de tomar una decisión lógica y racional. Habitualmente, nuestro sistema automático de pensamiento es el encargado de asignar valor a las opciones y establecer nuestras preferencias. Muchas veces el valor que le asignamos a una opción no es resultado de un análisis sistemático, por ejemplo un cálculo de utilidad esperada –en donde el valor de una alternativa es el resultado de multiplicar la probabilidad de su ocurrencia con las ganancias que traería–. En cambio, el valor que le asignamos a una opción puede ser resultado de computar información accesoria como el número de opciones que disponemos, la secuencia de las opciones o la existencia de una opción predeterminada, o la saliencia que tenga una opción determinada por una norma o una identidad social, entre otras.

Las opciones predeterminadas tienen un poderoso efecto sobre nuestra toma de decisiones. Esto es porque es más sencillo y económico cognitivamente aceptar una opción predeterminada que construir una preferencia. Como vimos en el caso de la donación de órganos, es más fácil aceptar o rechazar una opción que ya está dada, que pensar activamente en otras alternativas y establecer un valor para cada una.

Cuando asignamos el valor a una opción también podemos ser irracionales en la medida en que nuestra valoración tiende a ser relativa y no absoluta. Esto quiere decir que el valor lo construimos en función de un punto de referencia. Este heurístico, denominado "de anclaje y ajuste", domina muchas de nuestras negociaciones y estimaciones numéricas. Así, cuando se fija un precio o un valor original sobre un tema en discusión, a veces incluso arbitrario, las posteriores cifras que se manejan quedan marcadas por ese anclaje y giran alrededor del valor original, sin desviarse mucho del mismo.

También vinculado a la asignación de valor encontramos el fenómeno de aversión a la pérdida, que nos demuestra hasta qué punto un mismo elemento puede ser interpretado de formas diversas afectando nuestras decisiones, por ejemplo, en este caso, las financieras. De acuerdo con este sesgo, las personas experimentan con mayor intensidad la pérdida de determinado valor que la ganancia del mismo valor. O sea, una cifra idéntica, por ejemplo, un monto de dinero, puede ser valorado en forma diferente según se lo gane o se lo pierda.

También el valor que asignamos a determinado resultado está condicionado por el momento en que esperamos obtenerlo. Dicho de otra manera, es muy diferente el valor que tiene un resultado en un muy corto plazo, al que tiene el mismo resultado en un muy largo plazo. El presente es más saliente que el futuro, por eso tendemos a asignar más valor a los resultados que obtenemos en un corto plazo –un verdadero *sesgo del presente*–. Pongamos un ejemplo de esto: Alfonso, un niño de 12 años, está completando ejercicios *online* como preparación para un examen de matemáticas. Se siente frustrado por las señales visuales y auditivas que le indican errores que comete. Además, está ansioso por terminar los ejercicios de forma rápida y jugar con su videojuego favorito. Sin embargo, Alfonso sabe que si obtiene una calificación aprobatoria en el examen, tendrá dos meses de vacaciones. La toma de decisiones requiere hacer concesiones tales como la supresión de la necesidad de recompensa inmediata y tolerar castigos o errores en el corto plazo, con el fin de lograr objetivos a largo plazo. Sin embargo, esto no es tarea fácil. Evolutivamente estamos preparados para focalizarnos en lo concreto, en la recompensa inmediata (sistema rápido) y no tanto en las consecuencias abstractas a largo plazo de nuestras decisiones (sistema lento). Utilizar el sistema lento, racional, requiere un esfuerzo cognitivo y es un recurso escaso.

Uno puede lograr lo que quiere (no siempre, por supuesto), pero si no maneja el tiempo y las emociones, puede terminar frustrado. Ahí es donde el autocontrol cumple una función determinante: saber decir que no a una solución o satisfacción a corto plazo, reconocer que por más simple que parezca no es la solución correcta. Resulta imprescindible ordenar nuestras prioridades.

Según una publicación de la *Harvard Business School* hay ocho medidas que podemos poner en práctica para mejorar nuestra toma de decisiones.

1. Pasar del sistema rápido al lento. Para poder hacerlo es necesario evaluar en detalle todas las variables que intervienen en una decisión tomando en cuenta resultados pasados y la probabilidad de resultados futuros.

2. Mirar la situación desde la perspectiva de un observador. Al adoptar este punto de vista, se reduce la extrema confianza que podemos tener en nuestro conocimiento al tomar una decisión y vamos a poder ser, entonces, más flexibles a la hora de evaluar el hecho y los resultados posibles de las acciones tomadas.

3. Considerar lo opuesto a la decisión que estamos por tomar. De esta manera se reducen los errores de juzgamiento debido a los sesgos que nos impone la confianza excesiva en nuestro conocimiento del tema y de los resultados que obtuvimos en el pasado con decisiones parecidas, entre otros.

4. Tomar decisiones en grupo. Se trata también de una buena forma para sobrepasar los sesgos individuales.

5. Saber cómo funcionan los sesgos, tener más información para no dejarse llevar por ellos.

6. Evaluar el rendimiento de un equipo, en vez de evaluar detenidamente cuánto contribuyó o no cada uno. De esta manera no se le achacará todo lo bueno o lo malo a una sola persona.

7. Realizar razonamientos analógicos. Esta estrategia se vincula con tener la habilidad de encontrar un principio de funcionamiento común a varias tareas.

8. Analizar todas las opciones en conjunto en vez de una por una.

▶ **Cantar la justa.** *loc. vb. coloq.* Decir la verdad.

Corazonada

Se dice que todas las historias derivan de los clásicos. La de Euríloco, por ejemplo, ese personaje homérico que "barruntando que se trataba de una trampa" se niega a entrar en la morada de Circe, quien a fuerza de brebajes logra hechizar a sus compañeros para transformarlos en cerdos. ¿Qué lo llevó a tomar esa decisión intuitiva si hasta entonces no tenía evidencia de lo que le ocurriría?

Comúnmente llamamos "intuición" a esas corazonadas, esas percepciones en las que no intervienen los razonamientos analíticos. Las neurociencias cognitivas entienden que se trata de asociaciones aprendidas. Estas percepciones se deben a procesamientos veloces que resultaron necesarios en la evolución. Nuestros antepasados discriminaban rápidamente las emociones de enojo, miedo o tristeza en los extraños con los que se cruzaban de modo de garantizar su supervivencia.

Los sentidos están conectados con los centros que se encargan de generar las respuestas emocionales del cerebro; es por ello que siempre *sentimos* antes de analizar las situaciones.

Los seres humanos realizamos evaluaciones sobre personas, objetos y situaciones en solamente fracciones de segundo. Los investigadores Nalini Ambady y Robert Rosenthal observaron que las impresiones sobre los demás se configuran casi tan rápidamente como lo que dura un parpadeo. Por ejemplo, registraron que las personas podían tener una idea sobre la calidez de otra persona antes de un análisis deliberado.

La mayoría de nuestros juicios se convierten en automáticos si aprendemos a asociar determinadas señales con ciertos sentimientos. Es posible también hacer referencia a una intuición experta que se presenta a partir de la experiencia ganada dentro de una profesión u oficio, como, por ejemplo, les sucede a los mecánicos de autos, que pueden reconocer los problemas con solo darle un vistazo al automóvil.

La intuición a veces (aunque no siempre) beneficia la toma de decisiones. Un estudio llevado a cabo en la Universidad de Ámsterdam relevó el funcionamiento de la intuición en las decisiones. Dividieron a los participantes en tres grupos y les entregaron información compleja acerca de posibles departamentos para vivir. Al primer grupo le solicitaron que dijera sus preferencias inmediatamente después de leer los datos; al segundo le otorgaron tiempo para que analizaran conscientemente la información. Sin embargo, sus resultados solo fueron levemente mejores que los del primer grupo. Por último, hicieron que los integrantes del tercer grupo tuvieran un momento de distracción para que pudieran procesar la información compleja de manera inconsciente. Esto es posible porque, como sabemos, cuando nos relajamos, el cerebro procesa información intensamente. La conclusión de esta experiencia mostró que sus juicios fueron más organizados y notablemente mejores. Es decir, cuando tenemos que tomar decisiones complejas, puede ser productivo tomarse un tiempo para esperar el resultado intuitivo de nuestro procesamiento no consciente que asocia la nueva información con aquella previamente aprendida.

Ahora bien, como la intuición consiste en asociaciones aprendidas, puede manifestarse a través de prejuicios. Así, podemos presentar actitudes implícitas que expresan cautela, miedo o disgusto hacia quienes no nos resultan familiares o que nos recuerdan a personas con las que tuvimos malas experiencias. Por lo tanto, solo deberíamos confiar sin más en nuestra intuiciones si son expertas (en el caso de los ajedrecistas tardan a veces una década en desarrollar esta habilidad), dado que la mayoría de nuestras intuiciones son generalizaciones simplistas.

"Circe", como la hechicera de *La Odisea*, se llama uno de los relatos más famosos de Julio Cortázar de su libro inaugural, porque sobre el mito homérico apoya su historia *de amor, de locura y de muerte* de Delia y Mario. Ella es quien hechiza a los hombres con pociones en forma de bombones y él, quien, al final del cuento, desiste de comerlos y preservar su vida. Como Euríloco, una buena fortuna a fuerza de corazonadas.

Más sobre la intuición

Para que se produzcan procesamientos veloces cuando tomamos decisiones basados en nuestra intuición es fundamental la comunicación entre el corazón y el cerebro, un *matrimonio* que muchas veces la historia quiso separar pero que la ciencia nos enseña lo íntimamente relacionados que están. Las emociones surgen de una interacción constante entre ambos. Imaginemos la siguiente situación: estamos caminando y de repente desembocamos en un callejón oscuro; así, seguramente comenzaremos a sentir los latidos del corazón; el cerebro rápidamente registra lo que está pasando tanto en nuestro cuerpo (el corazón que late) como a su alrededor (un callejón que nos recuerda una película de terror). En esta intersección entre lo que sucede, cómo reacciona el cuerpo (porque no olvidemos que además empezamos a transpirar, nuestra tensión arterial aumenta, etc.) y cómo el cerebro registra todo esto, surge la emoción que nos incita a salir corriendo hacia el otro lado. Y todo eso ocurrió en milésimas de segundo, tan rápido que ni siquiera llegamos a ver que, del otro lado del callejón, estaba uno de nuestros amigos esperándonos y que nada malo iba a pasar.

¿Qué sucede si esta comunicación entre el corazón y el cerebro se ve de alguna manera alterada? En un estudio

realizado por el Laboratorio de Psicología Experimental
y Neurociencias (LPEN) de INECO, con los investigadores Agustín Ibáñez, Roberto Favaloro, Blas Couto y
Lucas Sedeño, realizamos un estudio en un paciente en
espera para un trasplante cuyo corazón no funcionaba
correctamente, y se mantenía vivo gracias a un aparato
externo que hacía las veces de corazón. Por su problema
cardíaco, existía una falla en la comunicación entre el
corazón y el cerebro. Es más: la bomba externa que lo
mantenía con vida interfería en el registro de sus sensaciones corporales. En este contexto, evaluamos distintos
aspectos del procesamiento emocional del paciente. Así
descubrimos que las fallas en esta comunicación entre
el corazón y el cerebro le provocaba dificultades para
reconocer correctamente las emociones de los demás o
incluso para sentir empatía. Y lo más impactante: esta
dificultad para procesar las emociones se relacionaba con
su forma de tomar decisiones intuitivas. Más allá de que
cognitivamente no tenía severas dificultades, esta incapacidad para seguir sus *corazonadas* afectaba la toma de
decisiones en contextos de incertidumbre o cuando tenía
que actuar a gran velocidad.

Esto demuestra cómo secretamente las sensaciones de
nuestro cuerpo están detrás de nuestras intuiciones. Y
eso de la *corazonada*, que muchas veces fue entendido
como metáfora, está mucho más próximo a la literalidad.

Elogio de la postergación

Un estribillo muy recordado de los años 80 en las radios de nuestro país repetía "No sé lo que quiero, pero lo quiero ya". Esto, que sonaba a plegaria, ponía en cuestión una de las habilidades más importantes para un ser humano: su capacidad para ejercer el autocontrol.

Las neurociencias se han dedicado a estudiar esta capacidad del ser humano ya que conocer sus bases neurobiológicas puede aportar información para entrenarla y regularla. Un ejemplo clásico del estudio de una conducta tan compleja como la del control de los propios deseos fue la línea de investigación sobre *postres dulces* realizada en la Universidad de Stanford a finales de los 60 y durante la década del 70. En estos estudios, enfrentaban a niños de entre 4 y 6 años a una de las golosinas favoritas en Estados Unidos: los malvaviscos. Los niños recibían una instrucción: podían elegir comer la golosina en el momento, o esperar un tiempo dado (entre quince y veinte minutos) y así recibir no uno sino dos malvaviscos. Es decir, podían obtener una módica recompensa inmediata o una recompensa mayor si eran capaces de esperar un determinado tiempo. Esta capacidad de estar dispuestos a esperar para recibir una recompensa mayor es referida como "gratificación diferida" o "retardada" y es el resultado de la destreza de autocontrol por la cual el cerebro es capaz de sopesar los beneficios de una decisión. En este caso, esperar veinte minutos duplicaba la recompensa. El estudio encontró que niños de mayor edad eran más capaces del autocontrol, es decir, del diferimiento de la gratificación. Esto es muy lógico, pues a medida que los niños crecen, su corteza cerebral va madurando y adquiriendo nuevas habilidades.

Pero más interesante aún fue el análisis longitudinal de los datos a lo largo de los años. Aquellos niños que en edad preescolar lograban demorar la gratificación, eran descriptos diez años más tarde por sus padres como "adolescentes muy competentes".

También se observaban calificaciones más altas entre las personas que en su infancia habían podido esperar para recibir el doble de la recompensa.

Asimismo, un estudio de neuroimágenes en 2011 con participantes originales del experimento de Stanford cuando estos ya habían llegado a la edad adulta mostró diferencias sustanciales en dos áreas del cerebro entre los que habían logrado diferir la gratificación y los que no: la corteza prefrontal y el estriado ventral, áreas relacionadas con las capacidades ejecutivas y con la recompensa.

Muchos estudios demuestran que aquellas personas que no pueden postergar sus tentaciones en la vida adulta (es decir, poseen menor autocontrol) tienen una mayor tendencia a tener problemas de adicción o de tomar decisiones que terminan siendo inadecuadas. Una de las claves es que el circuito cerebral que alimenta esta capacidad está superpuesto con el conjunto de redes que permiten concentrarse en las consecuencias a largo plazo de las recompensas inmediatas.

Como dijimos a lo largo de este libro, nuestro cerebro cambia a lo largo de la vida a partir de cada experiencia, con lo cual no hay nada que diga que los que no pueden postergar sus tentaciones no tengan la posibilidad de cambiar. Pero sí que, mientras tanto, esta incapacidad de autocontrol perjudica ciertas habilidades ligadas al mediano y al largo plazo. Será fundamental en los próximos años de investigación neurocientífica identificar estrategias para ayudar a las personas con riesgo de adicciones a ejercitar el autocontrol.

> ▸ **Desensillar hasta que aclare.** *loc.*
> *vb. rur.* Esperar el momento oportuno, la ocasión, sin precipitarse.

Anticipar la jugada

> *Dios mueve al jugador, y este, la pieza.*
> *¿Qué Dios detrás de Dios la trama empieza*
> *de polvo y tiempo y sueño y agonía?*
> "Ajedrez", de Jorge Luis Borges

Se denominan "funciones ejecutivas" al grupo de habilidades cognitivas que nos permiten adaptarnos a nuevas y complejas situaciones. Estas se definen por sus resultados ya que su objetivo es mantener de manera efectiva una conducta dirigida hacia el fin propuesto.

Por eso, involucran aquellas conductas que van más allá de las habituales y cotidianas. A diferencia de otros animales que solo tienen la capacidad de reaccionar ante lo inmediato, nosotros podemos perseguir metas, aun cuando se trata de acciones que contradicen nuestra forma de actuar en el pasado o nuestras necesidades inmediatas. Esto se debe a que somos capaces de anular nuestros hábitos e impulsos.

Se trata de procesos mentales orientados al autocontrol físico, cognitivo y emocional. Los ejemplos van desde la planificación, la toma de decisiones, la organización, la capacidad de abstracción, el control inhibitorio, el desarrollo de estrategias hasta la flexibilidad cognitiva y la memoria de trabajo. Además, son fundamentales en el monitoreo de habilidades más básicas, tales como la memoria y la percepción en la realización de tareas complejas. Estas funciones, consideradas *de orden superior*, se relacionan con el desarrollo de los lóbulos frontales, las estructuras más recientes del cerebro humano. Esta área cerebral implica la integración de varios subsistemas, recibe la información de los cambios que se producen en el organismo y participa en la regulación de los estados de ánimo. Es decir, constituye un sistema que regula la información exterior con la interior.

En la vida diaria, este complejo sistema se ve afectado cuando estamos sobrepasados de tareas y demandas. Nuestra actividad laboral moderna, no estructurada y continua, las llamadas telefónicas, los *mails*, los mensajes de texto, las redes sociales y las noticias permanentes representan una gran carga para nuestras funciones ejecutivas dado que consumen una enorme cantidad de energía. La fatiga mental resultante se revela en forma de errores, pensamiento superficial y deterioro de la autorregulación. Cuando la red de funciones ejecutivas está abrumada, pierde las riendas y nuestro comportamiento es impulsado por las señales inmediatas. Entonces respondemos simplemente a lo que está delante de nosotros, independientemente de su importancia.

Estar quemados

El estrés laboral o síndrome de *burnout* (lo que comúnmente llamamos "estar quemados") es un estado de decaimiento físico, emocional y mental caracterizado por padecer cansancio crónico, sentimientos de desamparo, desesperanza, vacío emocional y por el desarrollo de una serie de actitudes negativas hacia el trabajo, hacia la vida propia y hacia los demás.

¿Cómo llegamos a eso? El agotamiento emocional (disminución y pérdida de recursos emocionales) suele ser lo primero que aparece. Esto se manifiesta a través de la pérdida progresiva de la energía vital y una desproporción entre el trabajo realizado y el cansancio experimentado (*no sé qué me pasa, no hice tanto y no doy más*). La irritabilidad, la queja y la pérdida de la capacidad de disfrutar de las tareas son características de ese momento.

Posteriormente surge la deshumanización o desconsideración por el otro: ante la dificultad de manejar el malestar, se tiende a expresar la hostilidad hacia el medio y a generar actitudes negativas hacia los demás. La falta de realización personal es la tercera fase de este proceso: la pérdida de ideales repercuten en la autoestima y en los sentimientos de autoeficacia.

Los síntomas físicos más comunes del síndrome de *burnout* son la fatiga crónica, los dolores de cabeza, las alteraciones de sueño y gastrointestinales y la pérdida de peso; y a nivel emocional, además de los ya citados, los sentimientos depresivos y la falta de concentración. Esto trae consigo muchas veces también la ausencia de motivación por acudir al trabajo, el abuso de drogas (café, tabaco, alcohol, fármacos, etc.), la incapacidad para relajarse o el aislamiento social.

¿Cuándo *nos quemamos*? Cuando existe mucha sobrecarga laboral, o cuando aquello que tenemos que realizar es monótono y repetitivo. El ambiente físico o social también influye: por ejemplo, cuando trabajamos en lugares ruidosos, pequeños o con poca ventilación; o cuando existen relaciones deterioradas con superiores, personal a cargo o compañeros. También puede incidir la búsqueda de perfección absoluta o la necesidad de control total.

La detección temprana del síndrome de *burnout* es fundamental para prevenir el malestar generalizado que provoca. Pero en todos los casos, para prevenirlo o tratarlo es fundamental reservar tiempo y espacio para las cosas que nos despejan y nos hacen disfrutar de la vida como son los *hobbies*, los paseos al aire libre, la práctica de deporte y las relaciones con nuestros amigos y nuestra familia.

Debemos tenerlo en cuenta cada día: ser trabajadores responsables y profesionales eficaces no se logra necesariamente por trabajar mucho. Para eso, además de nuestra dedicación y esfuerzo, también es clave sentirse bien.

▶ **Echarse a andar**. *loc. vb. rur.* Decidirse alguien a una acción difícil.

No dejar para mañana

En la primera viñeta se ve a Mafalda que mira a Felipe parado en su cama, desplegando un póster sobre la pared. En la segunda, a ambos leyendo la frase que exhibe el póster desplegado: "No dejes para mañana lo que puedes hacer hoy" y a Felipe, afirmando: "¡Bueno!". En la última, la del remate, Felipe le dice a Mafalda y a todo el mundo: "¡Mañana mismo empiezo!". Frecuentemente nos encontramos ante una lista de tareas a realizar y, en vez de ponernos en marcha y comenzar inmediatamente con el trabajo, nos distraemos, revisamos *mails*, chequeamos redes sociales, perdemos el tiempo haciendo un sinfín de cosas sin importancia para el momento. En otras palabras, *procrastinamos*, es decir, evitamos llevar a cabo nuestras responsabilidades.

Llamamos "procrastinación" al abandono de nuestros objetivos importantes a largo plazo en pos de una gratificación inmediata. Así, postergamos nuestras obligaciones, aun cuando se trata de actividades que disfrutamos y nos resultan placenteras. La procrastinación es considerada uno de los fenómenos más frecuentes de nuestros tiempos. El psicólogo Ben Tal Shahar, de la Universidad de Harvard, relevó que más del 70% de los estudiantes universitarios se reconocen como procrastinadores.

Cuando esta conducta se convierte en una forma de vida e invade los diferentes ámbitos, no solo comienza a representar un gran obstáculo hacia nuestra felicidad sino que también repercute negativamente en nuestra salud. Los procrastinadores suelen desarrollar hábitos perjudiciales como dormir mal, hacer poco ejercicio físico y, como consecuencia de la dilación de las tareas, enfrentar altos niveles de estrés. Además, generalmente, no se realizan chequeos médicos porque, por supuesto, se trata de un asunto más que puede esperar.

La doctora Fuschia Sirois, de la Universidad Sheffield, fue una de las primeras investigadoras en estudiar la relación entre la procrastinación y las enfermedades cardíacas. Descubrió que están altamente vinculadas y que uno de los principales factores de la hipertensión arterial y la enfermedad cardiovascular es justamente la procrastinación: la poca compasión por sí mismos, el sentimiento de culpa y una mala manera de enfrentar los desafíos son rasgos característicos de las personas que desarrollan estas conductas.

¿Pero por qué llevamos a cabo frecuentemente esta conducta aparentemente irracional? Aun cuando no existe una explicación única o sencilla del fenómeno, algunas hipótesis sugieren que la procrastinación parte de principios generales de la motivación humana en combinación con ciertos rasgos de personalidad o estados disfuncionales. Uno de estos principios generales es que todas las personas tendemos a evitar los estímulos, situaciones o tareas displacenteras. El segundo es que la motivación para llevar a cabo una conducta es inversamente proporcional al tiempo que resta para obtener la recompensa o el resultado de la conducta. Por ello, cuando enfrentamos una tarea que nos resulta difícil o desagradable y disponemos de tiempo (o creemos que tenemos ese tiempo) para realizarla, todos sentimos la tendencia a evitarla o postergarla. Sin embargo, la capacidad de las diferentes personas para resistir a esa tentación depende de rasgos tales como su capacidad ejecutiva, su tendencia a la distracción o su impulsividad (entendida como la tendencia a dejarse llevar por la gratificación inmediata). Estados como el estrés, la fatiga, la ansiedad o la depresión también atentan contra nuestra capacidad de resistir la postergación.

A su vez, los avances tecnológicos y el gran desarrollo de las redes sociales no representan una ayuda para superar esta conducta. Una técnica que proponen los investigadores para evitar la procrastinación consiste el forzar el comienzo de los primeros cinco minutos de la tarea postergada. No es imprescindible estar inspirado, relajado o con determinada predisposición para poner en marcha las actividades adeudadas. Simplemente hay que imponerse los cinco minutos de largada sin pensar mucho y, luego, todo fluirá mejor. Por ejemplo, si debemos hacer ejercicio físico y esperamos sentirnos con energía y ganas para ello, probablemente no comencemos nunca. Es necesario vestirse y empezar de una vez con la actividad. La energía vendrá cuando estemos en acción. Otra técnica que puede ayudarnos es descomponer nuestra tarea en partes más pequeñas o simples y comprometernos a realizar por lo menos una de esas partes de forma inmediata. Al descomponer la tarea en sus partes mínimas, no nos abrumamos y no nos genera tanta ansiedad.

Alcanzar grandes logros no es algo mágico; por el contrario, nos lleva mucho tiempo y esfuerzo. Por eso, la mejor estrategia que podemos tener para conseguirlos es avanzar de a poco y no estresarnos por alcanzar la meta.

La única certeza de no alcanzar alguna vez la cima es si nunca hemos empezado a subir la cuesta. Aunque sea, como reflexiona Felipe en otra viñeta: "¿Y si antes de empezar lo que hay que hacer empezamos lo que tendríamos que haber hecho?".

▶ **No soy Mandrake**. *fr. pr. coloq.*
Referido a la posibilidad de hacer
magia, no soy un mago.

¿Quién decide?

En un momento de la famosa serie *House of Cards*, Francis Underwood mira a la cámara y dice: "Siento que la toma de decisiones en la presidencia de Estados Unidos es una ilusión". Muy distantes de ese mundo pero próximos a la reflexión, neurocientíficos de gran prestigio sostienen más o menos lo mismo: que el libre albedrío es, en gran medida, *una ilusión*.

¿Quién decide cuando decidimos? ¿Uno? ¿El mundo? ¿El destino? Durante siglos la filosofía, la religión y luego la ciencia han debatido acerca de la existencia (o no) del libre albedrío, es decir, de la facultad que tendría una persona para poder elegir, tomar sus propias decisiones y, de esta manera, ejercer el control sobre la propia vida.

Hoy sabemos que nuestra genética y el entorno colaboran en mayor o menor medida para modular nuestro organismo y nuestra conducta. Si un mismo cerebro de un niño hubiese crecido en un lugar y una época diferente del que vivió, seguramente se habría amoldado a cada entorno y tomado decisiones a partir de ese contexto. La cultura, las experiencias, las historias compartidas por la sociedad, las creencias colectivas, pero también la alimentación y la exposición solar, entre otros elementos,

interactúan con nuestros genes y nuestro organismo influyendo en la estructura de nuestro cerebro y definiendo
quiénes somos. En cierta manera, nuestra libertad es condicionada por el mundo que nos rodea o nos toca vivir.

Para Descartes, nuestra libertad se expresa cuando
ante una situación determinada podríamos haber actuado de una manera diferente. ¿Podríamos de verdad haber
decidido distinto a como lo hicimos? ¿Tenemos los seres
humanos control sobre nuestras acciones? ¿Hay alguna
decisión que podamos tomar en forma independiente de
nuestra historia? Plantearse este tipo de preguntas nos
puede inducir a malas interpretaciones del libre albedrío,
que no tiene por qué ser una sola entidad absoluta e indivisible. Estos dilemas han sido abordados desde innumerables posturas, que han arrojado conclusiones ubicadas en los espacios más disímiles del espectro: desde la
aseveración de que no existe de ninguna manera el libre
albedrío hasta la afirmación de que está presente en cada
acción, pasando por numerosos matices que aparecen en
el medio de estos dos extremos. Por nombrar algunas de
estas líneas encontramos: el determinismo físico, desde
donde se piensa que no habría libre albedrío ya que todas
las acciones del presente están determinadas enteramente
por los eventos que las antecedieron; el compatibilismo
clásico, que considera que existe un cierto determinismo
pero también contamos con posibilidades alternativas de
decisión para actuar libremente; y el libertarismo metafísico, que contempla que no existe la determinación y,

por ende, los seres humanos sí tendríamos libre albedrío. Las neurociencias estudian qué grado de influencia consciente tenemos en nuestras decisiones, y han intentado intervenir aportando información sobre cómo surgen en el cerebro. Esto ha dado lugar al surgimiento de lo que se conoce como *neurociencias del libre albedrío*. Algunos de sus hallazgos han resultado ser muy llamativos y han aportado argumentos que parecen cuestionar la existencia de una libertad total.

Benjamin Libet, investigador de la Universidad de California en San Francisco que ya presentamos en *Usar el cerebro*, condujo un conocido experimento en los años 80, en el cual les pedía a sus participantes que decidieran apretar un botón en un momento cualquiera, sin previo aviso, mientras registraba la actividad eléctrica de su cerebro asociada a este movimiento. Cuando movemos intencionalmente alguna parte del cuerpo pueden registrarse dos tipos de señales eléctricas: una señal que surge de la acción motora (por ejemplo, apretar un botón) y una señal, que la antecede, que surge de la preparación para realizar este movimiento, conocida como "potencial de preparación". Libet quería observar si este potencial de preparación se relacionaba con el registro consciente que tenían los sujetos de querer mover la muñeca o si esta señal se relacionaba con una actividad automática. Para ello, les pedía a los participantes que observaran en un reloj el lugar de la aguja al momento de decidir hacer el movimiento. Así encontró que el potencial de preparación

antecedía al registro subjetivo de querer mover la muñeca. Esto indicaría, según él, que en el cerebro toda la cadena de sucesos eléctricos necesarios para el movimiento
se inicia antes de tener conciencia de querer realizarlo.
Dicho de otro modo, si los sujetos *decidieran* conscientemente mover la muñeca a las 14:01:55, el cerebro ya
estaba ejecutando la acción a las 14:01:54. A partir de
sus observaciones, algunos autores han sugerido que habría evidencia científica de que la noción que tenemos de
control de nuestras acciones, como decía Underwood, es
una ilusión. Es importante aclarar que Libet, en realidad,
no midió la decisión de mover, sino la estimación metacognitiva de una decisión ya hecha (sobre *metacognición*
ya nos hemos referido en la introducción de este libro).
Además, esta versión de libre albedrío involucra una explicación radical y absoluta que asume que toda decisión
depende absolutamente de aspectos conscientes.

La idea de una voluntad consciente también fue puesta en cuestión desde las neurociencias por el psicólogo
Daniel Wegner de la Universidad de Harvard. Le pidió
a una voluntaria que usara guantes y posara frente a un
espejo. Otro investigador del laboratorio ubicaba sus
brazos por detrás de ella de tal manera que parecieran los
de la voluntaria, como a menudo suelen hacer los niños
para jugar. Ambos participantes tenían auriculares a través de los cuales Wegner le daba indicaciones al investigador para mover o no los brazos. La voluntaria reportó
que cuando oía la instrucción de mover los brazos antes

de que se produjera el movimiento, ella tenía la sensación de que eran sus propios brazos los que se movían, pero cuando la instrucción la escuchaba después de que se efectuaba el movimiento, esta sensación desaparecía. Wegner relativizó así la noción de experiencia consciente al plantear que la misma es, justamente, una ilusión.

Estos y otros experimentos sugieren que, para algunas acciones, nuestros cerebros inician el proceso de toma de decisiones antes de que seamos conscientes. Esto es esperable para muchas de ellas. Si tuviéramos que pensar cada pequeña cosa que hacemos cotidianamente no podríamos hablar con fluidez, bailar, caminar o manejar. La atención consciente requiere esfuerzo y es un proceso más lento. Por eso los experimentos que llegaron a la conclusión de que el libre albedrío es una ilusión involucraban decisiones simples y rápidas (se les pide a las personas que no planifiquen sus decisiones, sino que esperen a tener un impulso).

Eddy Nahmias, un influyente filósofo y neurocientífico de la Universidad de Georgia, señala que quienes consideran que estos hallazgos implican que el libre albedrío es una ilusión, lo hacen partiendo de una concepción equivocada de libre albedrío. Según Nahmias, algunos pensadores que sostienen que este no existe asumen que se encuentra en un *alma inmaterial* o en una *mente no física*, pero las neurociencias muestran evidencia de que nuestras mentes son físicas y que la toma de decisiones surge de la actividad de nuestro cerebro. Concluir que

la conciencia o el libre albedrío son ilusiones es apresu-
rado. Sería, según Nahmias, como inferir a partir de los
descubrimientos de la química orgánica que la vida es
una ilusión porque los organismos vivos están compues-
tos por elementos no vivos. Precisamente el progreso en
la ciencia sobreviene de la compresión de un todo en
términos de sus partes, sin sugerir que el todo no existe.

No existiría el libre albedrío si se pudiera demostrar de
alguna manera que la deliberación consciente y el autocontrol racional no son posibles. Nada de esto es probable aunque sea cierto que la conciencia no funciona
exactamente como pensamos, y que hay limitaciones significativas en la extensión de nuestra racionalidad, auto-
conocimiento y autocontrol.

No hace falta suponer que nuestra conciencia debe
estar en todas las decisiones que tomamos para poder
afirmar que contamos con un libre albedrío. Necesitamos la deliberación consciente para hacer la diferencia
en lo que importa, cuando tenemos que tomar decisiones trascendentes para nuestra vida o la de los demás,
planificar o vetar una acción. Cada día, constantemente,
debemos tomar una gran cantidad de decisiones, algunas
muy simples y otras muy complejas. Los recursos cognitivos son limitados y la deliberación consciente demanda
una gran cantidad de recursos, con lo cual no podemos
esperar que todo lo que hacemos pase por nuestra conciencia. Algunas de nuestras acciones, como por ejemplo la manera en la que debemos mover cada uno de los

dedos, junto con manos y muñecas, para escribir una oración como esta, escapan a la conciencia, porque ella está ocupada con las decisiones más importantes como la manera de seguir esta argumentación, su estilo y su forma. Cada acción que realizamos, cada decisión que tomamos, cada creencia que tenemos están elaboradas por circuitos cerebrales a los que no tenemos acceso. Los procesos no conscientes operan en casi toda nuestra vida. El cerebro controla la compleja maquinaria de nuestro cuerpo y lleva adelante decisiones automáticas sin que tengamos conocimiento.

El cerebro consciente juega un rol mucho menor del que imaginamos. Muchas veces vamos en auto de regreso del trabajo y nos damos cuenta de que estamos llegando a casa sin haber prestado demasiada atención al camino que hacemos a diario. Sin embargo, antes de llegar, en una esquina aparece súbitamente un camión que pasa muy rápido y esto hace que la conciencia entre en acción. Nuestra conciencia además juega un rol importante, realizando decisiones ejecutivas, cuando hay conflictos internos entre los muchos sistemas automáticos del cerebro: es, de alguna manera, un árbitro que monitorea los resultados de operaciones no conscientes del cerebro y nos permite planificar a largo plazo incluso evaluando las propias funciones cognitivas.

Algunos filósofos entienden que el libre albedrío es un conjunto de capacidades para imaginar futuros cursos de acción, para deliberar sobre las razones para elegirlos,

para planificar las propias acciones en consecuencia de lo
deliberado y para controlar las acciones de cara a deseos
que compiten. Actuamos con libre albedrío en la medida en que tenemos la oportunidad de ejercitar estas capacidades en ausencia de presiones irracionales externas
e internas. Somos responsables de nuestras acciones en
la medida que poseemos estas capacidades y tenemos la
oportunidad de ejercerlas.

Por eso quizás Francis Underwood utilice la reflexión
sobre la ilusión en sus decisiones como una estrategia
más, razonada y consciente, para lograr sus cometidos.

El cerebro ante la ley

Cuando en el comienzo de la película, se ven a los
doce hombres alrededor de una mesa, algunos inquie-
tos o apurados, otros desconcentrados o con angustia,
lo que está por suceder es un veredicto que absuelva o
mande a la silla eléctrica a un joven acusado de matar
a su padre. Así se desenvuelve la votación preliminar
que deberá ser unánime y funcionará como el punto de inicio del conflicto que atravesará todo el film:
once votan que es culpable, pero uno, tan solo uno,
que no. Cuando con fastidio algunos le preguntan por
qué, él solo atina a responder: "Tenemos que hablar".
"La duda razonable es imprescindible", podría haber
agregado el personaje de Henry Fonda en *Doce hombres en pugna*. Por eso cuando le vuelven a preguntar

sobre la culpabilidad o inocencia del muchacho dice con seguridad: "No lo sé".

Más allá del desarrollo de las instituciones, los estudios y redacción de leyes, debemos recordarnos que tanto jueces, como abogados, testigos e imputados son *personas* con sus memorias, decisiones, emociones y razonamientos humanos. Es por eso que aquellos avances ligados al estudio de la mente necesariamente tienen un impacto en la reflexión y administración del derecho en la sociedad. Así, las neurociencias modernas han dado lugar a nuevas preguntas, impensadas hace unos años atrás en el ámbito de la ley, del tipo: ¿nuestros actos son automáticos o voluntarios? ¿Existe el libre albedrío y la responsabilidad personal? ¿Podemos comprender la impulsividad, la adicción y el cerebro en desarrollo? ¿Interviene en las acusaciones, los testimonios e, inclusive, en los veredictos el sesgo o prejuicio racial? ¿Se puede mediante imágenes cerebrales distinguir la verdad de la mentira? Un claro ejemplo de esto es la creación del Centro de Derecho, Cerebro y Comportamiento en el prestigioso Hospital General de Massachusetts de la Universidad de Harvard. Este centro reúne a expertos en el campo de la ley, la neurología, la psiquiatría, la psicología y las neurociencias cognitivas, entre otros, con el fin de hacer una *traducción* científica adecuada de los avances en el estudio del cerebro a la esfera legal. En la Argentina, en nuestro laboratorio, se ha creado en 2014 el Instituto de Neurociencias y Derecho (INEDE).

Los seres humanos tendemos a pensarnos como seres racionales. Sin embargo, como reiteramos a lo largo de este capítulo, en nuestra conducta diaria hay una gran cantidad de sesgos y aspectos emocionales que se apartan de lo que sería una decisión racional. Veamos un ejemplo. Un estudio analizó las sentencias de ocho experimentados jueces israelíes que durante diez meses debían decidir sobre otorgar o no la libertad condicional a 1112 personas presas. El ritmo de trabajo era agobiante, ya que debían decidir por día alrededor de 35 casos. Los resultados de esta investigación demostraron que había un 65% más de probabilidades de que otorgaran la libertad condicional si tenían que decidir el caso después del almuerzo y un 0% al final del día. Recordemos que tomar decisiones es un trabajo mental que requiere de gran cantidad de recursos cognitivos, mayormente localizados en la corteza prefrontal, área clave en la toma de decisiones. Estos recursos tienen una capacidad limitada que se recupera con tiempos de descanso y una alimentación adecuada. En este estudio, el agotamiento de recursos influyó en que los jueces decidieran acudiendo a sus sesgos o cansancio en el final de la jornada. El sistema judicial intenta ser racional y equilibrado, por eso resulta bastante perturbador pensar que pueda ser condicionado por el funcionamiento automático de las decisiones humanas.

Como mencionamos en el capítulo 1, décadas de investigación en neurociencias han dado evidencia de que la memoria es reconstructiva, es decir, los recuerdos no permanecen inalterables y se pueden modificar: en parte son construcciones que reflejan cómo interpretamos nuestras experiencias, en lugar de ser reproducciones literales, fotográficas y objetivas de esas experiencias. Además, la evocación de nuestra memoria puede distorsionar los recuerdos de una manera sutil. La memoria y la imaginación dependen de muchos de los mismos procesos cognitivos y neuronales, por lo que es fácil confundir una experiencia imaginada con una experiencia recordada *real*.

Cada vez que recordamos un evento alteramos el trazado de esa memoria. Estudios de los neurocientíficos Elizabeth Loftus y John Palmer dieron cuenta de que es posible cambiar el recuerdo de los testigos a través de preguntas sugestivas. En un conocido experimento se les presentó a diferentes grupos de personas el mismo video de un accidente automovilístico y se les pidió que estimaran la velocidad que llevaban los autos al momento del impacto. Los participantes tendían a *recordar* que iban a mayor velocidad cuando en la pregunta se usaba verbos como "embistieron" y mucho menos velocidad cuando se usaba verbos como "entraron en contacto". Lo que es más sorprendente es que cuando se les preguntaba si habían visto vidrios rotos, el doble de personas contestaba que sí cuando se usaba un verbo más intenso en comparación a cuando se usaba uno más atenuado. Estos resultados demostraron que el modo en que se realizan las preguntas (incluso ciertas afirmaciones) durante un interrogatorio pueden influir sobre la manera en la cual recordamos un evento (esto mismo se utiliza en las llamadas "campañas sucias", donde las mismas preguntas, como un caballo de Troya, llevan consigo la valoración que se intenta horadar).

Este experimento evidencia lo maleable que pueden ser nuestros recuerdos por la *sugestión*. Hoy, además, sabemos que el porcentaje de error en la identificación en una rueda de reconocimiento es excesivamente alto (entre un 40% y un 70%) y su valor diagnóstico de la implicación de alguien en un delito es realmente muy bajo, prácticamente lo que esperaríamos producto del azar. Por otra parte, distintas investigaciones sugieren que el sesgo o prejuicio racial es básicamente automático, por lo cual también podría operar sobre la percepción, el reconocimiento y/o el testimonio.

Asimismo cuando una persona es testigo de un suceso y después adquiere información nueva sobre ese hecho, esta puede provocar alteraciones en su recuerdo. Si esa nueva información es *falsa*, entonces es posible que dé lugar a errores en el informe de memoria del testigo. En los Estados Unidos alrededor de trescientos individuos fueron liberados luego del análisis de la evidencia de material genético en la escena del crimen. Más del 70% de estas personas habían sido condenadas en base a la memoria de testigos. Estos testigos no eran mentirosos, sino gente común convencida de que su memoria era precisa y lamentablemente para los condenados no lo había sido.

La psicología del testimonio es una rama de la psicología jurídica que estudia la exactitud y credibilidad del testimonio. La capacidad de un testigo para percibir no suele ponerse en duda ni por el sentido común (*a mí no me lo contaron*) ni en muchos casos por la propia justicia (de lo que hablamos no es del flagrante *falso testimonio*). Esta presunción debe ser modificada, puesto que el testigo debería ser sometido a una serie de pruebas para determinar su capacidad de percepción. La exactitud del testigo hace referencia a si los hechos que relata han sucedido tal como él dice; en tanto que la credibilidad del testigo se refiere a si se considera que ese testigo o una parte de su declaración inspira confianza e induce a creer que los hechos sucedieron tal como declara.

En otro orden, hay casos dramáticos dentro del ámbito jurídico que involucran cuestiones éticas sobre las que las investigaciones en neurociencias tienen mucho para aportar. El estado vegetativo suele ser permanente luego de tres meses de un daño cerebral por anoxia (deprivación de oxígeno) o de doce meses luego de un traumatismo de cráneo. Un caso muy impactante en los Estados Unidos fue el de Terri Schiavo (una paciente en estado vegetativo permanente), que dividió a la sociedad: ella aparecía despierta (sus ciclos vitales eran normales), pero no consciente (conectada con el entorno). Frente a esa situación constante, el marido quería desconectarla y sus padres no. Este tipo de casos generan un debate ético relacionado con la naturaleza de la conciencia, la calidad de vida, el valor que la sociedad le atribuye a la vida y cómo manejamos la incertidumbre. En algunos pacientes en estado vegetativo se observa, con las neuroimágenes modernas, activación cerebral ante ciertos estímulos. Los datos de estos experimentos y de otros similares permiten estudiar las bases neurales de la conciencia. Sin embargo, hay que ser muy cautos, ya que la existencia de actividad cerebral no significa que la red de conciencia esté preservada: se trata de islas de reserva cognitiva que no representan un sistema integrado de conciencia.

La interacción entre la ciencia y otras disciplinas que parecen ajenas permiten poner en cuestión ciertas seguridades y patrones que muchas veces parecen inamovibles. Esto no vale únicamente en este caso para el derecho o la historia, también sirve para tensar las seguridades de la ciencia.

Como lo pidió el Jurado 8 en *Doce hombres en pugna*, debe existir diálogo entre juristas, neurocientíficos y profesionales de otras disciplinas y determinar así de manera crítica y consensuada en qué ámbitos y medida los estudios sobre el funcionamiento de los procesos mentales pueden ser utilizados eficazmente para producir innovaciones en el sistema legal. Este campo común de trabajo brindará herramientas para una mejor justicia, es decir, para una mejor vida en comunidad.

La psicología de la tiranía

Una red de hilos invisibles, más invisibles que los hilos del telégrafo, comunicaba cada hoja con el Señor Presidente, atento a lo que pasaba en las vísceras más secretas de los ciudadanos.

El Señor Presidente, de MIGUEL ÁNGEL ASTURIAS

Luego de las atrocidades cometidas durante la Segunda Guerra Mundial, toda la sociedad comenzó a preguntarse cómo fue posible que eso sucediera. Así fue postulado uno de los conceptos que permitió dar cuenta del desgarrador e inconmensurable crimen contra la humanidad, el de la "banalidad del mal", formulado por Hannah Arendt. La filósofa dio cuenta de que Adolf Eichmann, quien se había refugiado en Argentina, estaba siendo juzgado en Jerusalén y sería condenado a la pena capital, no mostraba una personalidad perversa, sino más bien era un hombre ordinario.

La psicología social, de gran desarrollo a partir de la segunda mitad del siglo XX, también comenzó a indagar en las posibles razones que llevaban a que algunos seres humanos se comportaran cruelmente contra sus semejantes. Las primeras investigaciones planteaban que cuando las personas actúan de manera colectiva empeora su capacidad de razonar moralmente y si además tienen la función de ejercer poder, pueden sentir un impulso de desenvolverse autoritariamente. Uno de estos estudios es el conocido y polémico experimento de los años 70, que ha sido objeto de varias películas, y fue desarrollado por el psicólogo Philip Zimbardo de la Universidad de Stanford. El objetivo era reproducir las condiciones de vida de una cárcel para estudiar la dinámica de los voluntarios, la mitad de ellos fueron asignados al grupo de los guardias y la otra mitad, al grupo de los prisioneros. Fue tal la violencia de los guardias que la experiencia debió detenerse y se concluyó que este tipo de comportamientos agresivos era causado por las relaciones grupales y contextos donde se habilita el exceso de poder. Entonces se esgrimió que los seres humanos comunes se pueden volver crueles y agresivos en un contexto grupal, lo que significaría que estas estructuras colectivas son inherentemente peligrosas.

Sin embargo, en los últimos años se han puesto a discusión estas conclusiones. Se ha demostrado que los grupos no solo tienen el potencial de perpetrar actos antisociales, sino que, por el contrario, pueden representar el camino para terminar con situaciones de opresión. Asimismo, las personas, al trabajar en conjunto, pueden crear un mundo social basado en valores compartidos que les permiten autorrealizarse colectivamente. Investigadores de la Universidad de Exeter y de St. Andrews junto con la BBC retomaron el experimento de Stanford modificando las condiciones generales de desarrollo. Las nuevas reglas determinaron que hubiera una instancia en la que los prisioneros podrían ser promovidos a guardias. Consecuentemente, varió la identificación de los miembros con sus grupos. Cuando los prisioneros tenían la posibilidad de *ascender* actuaban de manera individual y no sentían pertenencia de grupo. En cambio, una vez finalizada esta etapa, los prisioneros comenzaron a trabajar juntos de modo que mejoró su organización y efectividad. En cuanto a los guardias, se presentaron conflictos en torno a la manera de ejercer el control y no lograron organizarse. A lo largo de la experiencia se produjeron dos motines. El primero buscó establecer un sistema igualitario entre los dos grupos; pero al fracasar surgió otro motín liderado por personas que querían imponer un comportamiento autoritario. Los investigadores concluyeron que la tiranía no se debió al comportamiento de las personas en grupo, sino al fracaso particular de la primera de las acciones.

La tiranía es producto de procesos sociales. Pero las personas no pierden la cabeza al formar parte de un colectivo y solo se identifican con ese grupo cuando hallan sentido de hacerlo. Los seres humanos pueden hacer cosas terribles en grupos, pero no hay algo esencialmente dañino en los grupos. Entonces, ¿qué procesos hacen que los colectivos sociales adquieran dinámicas tiránicas? Según los investigadores, son dos las circunstancias. Una sucede si los grupos que tienen poder defienden valores opresivos. El otro escenario tiene lugar cuando las personas que comparten valores democráticos y humanísticos no tienen éxito. Cuando la ruptura del sistema produce tal caos que la vida cotidiana se vuelve imposible, las personas se encuentran más abiertas a alternativas, incluso a aquellas que solían parecerles no atractivas. De esta manera, la promesa de un orden rígido y jerárquico se les hace más seductora.

El arte supo abordar a su modo los devenires y sentidos de las tiranías. Tanto que la literatura latinoamericana consolidó en el siglo pasado un subgénero que fue conocido mundialmente como "novela de dictadores". Escritores como el guatemalteco Miguel Ángel Asturias con *El Señor Presidente* y el paraguayo Augusto Roa Bastos con *Yo, el supremo*, el colombiano Gabriel García Márquez con *El otoño del patriarca,* y el peruano Mario Vargas Llosa con *La fiesta del chivo,* entre tantos otros, ficcionalizaron historias de arbitrariedades y sometimientos de los poderes tiranos. En todos los casos, la narración intenta dar sentido a la pregunta que también había interpelado a la filosofía y a la ciencia: ¿cómo es posible que la tiranía suceda?

Más acá en el tiempo y en la geografía, el discurso del derecho y la justicia dejó grabado en la memoria un lema sobre tiranos y tiranías. Fue cuando el fiscal Julio César Strassera en el final de la acusación contra la Junta Militar que encabezó la última y sangrienta dictadura argentina dijo a los señores jueces: "Nunca más".

Necesidad de liderazgo

El liderazgo es tanto influenciar a individuos para contribuir a los objetivos del grupo como coordinar el trabajo para lograr esos objetivos; es decir, se habla de liderazgo tanto cuando hay conducción como cuando hay coordinación o manipulación. Lo importante de ambas acepciones es que siempre que hay un líder es porque hay objetivos y un grupo que debe cumplirlos.

La primera pregunta que debemos hacernos al respecto es ¿por qué hay líderes y por qué hay liderados? Tanto liderar como seguir a un líder son estrategias que practicamos para resolver problemas en ambientes ancestrales. Muchos investigadores sostienen que el liderazgo es una característica universal de las sociedades humanas: cuando se crean grupos ad hoc para estudios de laboratorio, las estructuras de liderazgo emergen rápidamente. Los humanos reconocemos el potencial de liderazgo propio y/o en otros. La psicología evolutiva o biología del comportamiento postula que la selección natural favoreció el desarrollo de mecanismos que resolvían problemas adaptativos que nuestros ancestros enfrentaron. Ejemplos de estos mecanismos llamados "adaptaciones psicológicas" son la habilidad para detectar el engaño y las estrategias de apareamiento.

Ahora bien, como sabemos, el liderazgo no es exclusivo de la especie humana. Los investigadores de la Universidad de Bristol Nigel Franks y Tom Richardson han mostrado que entre las hormigas también se da este tipo de relaciones en torno a la enseñanza; entre los búfalos, hay patrones de algo similar a la votación para determinar cuál será la dirección a tomar. Durante gran parte de nuestro pasado evolutivo, el liderazgo fue informal, como lo es entre otros animales que actúan en grupo; es probable, según Jared Diamond, profesor de biología de la Universidad de California en Los Ángeles, que el liderazgo recién se haya formalizado desde la revolución agrícola, hace unos 10.000 años, lo que hizo posible que los líderes acumularan recursos y que los usaran para seguir teniendo posiciones de privilegio.

Con la complejización de las interacciones sociales, el liderazgo pasó a ser un elemento involucrado en sistemas sofisticados, estudios, consultores y empresas de *marketing*, peleas intestinas, series de televisión, sagas de filmes multipremiados y portadas de diarios. Pero esa es otra historia.

▶ **Cortar el bacalao**. *fr. coloq.* Tener el control. Ser el que manda.

▶ **Tener la sartén por el mango**. *fr. coloq.* Tener el control. Ser quien manda.

▶ **Agarrar la manija**. *loc. vb. coloq.* Tomar el poder y ejercerlo ampliamente; tomar decisiones fundamentales.

¿Todos podemos liderar?

En los últimos años fueron surgiendo nuevas teorías científicas sobre la psicología del liderazgo. Estas entienden como su condición, no el ejercicio de autoridad absoluta, sino la tarea de conocer y comprender los valores y las opiniones de sus seguidores. Las grandes instituciones (los Estados, las compañías multinacionales, las organizaciones multilaterales) y también las pequeñas asociaciones (clubes, pequeñas y medianas empresas, escuelas, hospitales), cuentan en su haber con el liderazgo de personas que encauzan los deseos colectivos y los organizan. Pero los sesgos o las idiosincrasias de las sociedades promueven un tipo de liderazgo que se vuelve más afín a sus intereses. La ciencia política, la sociología y la filosofía se encargaron de estudiar a través del tiempo las condiciones de esos liderazgos. También las neurociencias plantean una nueva psicología del liderazgo que puede ayudarnos a comprender a líderes y liderados. El líder debe tratar de posicionarse como uno más del grupo, pertenecer al conjunto más que estar por encima. Ser más la regla que la excepción. No existe un conjunto característico de personalidad fija que pueda asegurar un buen liderazgo, dado que los rasgos personales más deseables dependen de la naturaleza del grupo liderado.

Según esta realidad social, los líderes pueden seleccionar sobre qué rasgos enfocarse. Los líderes que adoptan esta estrategia deben tratar no solo de encajar en su grupo, sino también de dar forma a la identidad de este, de manera que su propia agenda y las políticas sean una expresión de esa identidad. Según un artículo del reconocido psicólogo Daniel Goleman de 2004, las cualidades tradicionalmente asociadas al liderazgo, es decir, inteligencia, fuerza, determinación, autoridad y visión amplia, son en realidad insuficientes. A partir de un estudio realizado con doscientas empresas globales, se detectó que también es necesaria la *inteligencia emocional*. Este término da cuenta de la habilidad de las personas para reconocer, comprender y manejar sus emociones como también reconocer, comprender e influenciar las emociones de los demás. Más allá de las diferencias entre los distintos tipos de líderes necesarios para diferentes situaciones (programación o *marketing*), lo que une a casi todos es justamente eso: la inteligencia emocional.

Goleman propone que la inteligencia emocional estaría compuesta por cinco actitudes que se pueden medir para arribar a un coeficiente emocional:

- ser consciente de las emociones propias,
- autorregular las emociones,
- la motivación,
- la empatía
- y las habilidades sociales.

Reflexionemos brevemente sobre cada una de estas actitudes.

Cuando decimos que es necesario ser consciente de las emociones, nos referimos no solo a reconocerlas sino también entender sus efectos sobre los demás. Por esto es importante expresar lo que sentimos con confianza y humor. Por ejemplo, si sabemos que las fechas límites nos generan mucha ansiedad, es mejor adelantarse a esa ansiedad y trabajar anticipadamente; o, en lugar de pelearse con un compañero, entender que está enojado y que tal vez no sea este el mejor momento para conversar.

Por otro lado, si autorregulamos las emociones, podremos decidir ante una situación mala no gritar ni quejarnos y, en cambio, reflexionar y ofrecer soluciones para mejorarla. Asimismo, una persona con autorregulación logra adaptarse a lo nuevo, es decir, ser flexible. La flexibilidad cognitiva es una característica del pensamiento humano que nos da la posibilidad de enfrentarnos y adaptarnos a los cambios a la vez que nos permite generar nuevas ideas que nos conduzcan a la innovación y que promuevan el crecimiento tanto individual como social. Hay experiencias que muestran que las personas que realizan alguna tarea por primera vez, tienen más posibilidades de cambiar las representaciones mentales para una segunda vez que aquellos que la hicieron muchas veces. Una posible explicación de esto sería que al saber que las estrategias que aplicaron hasta entonces siempre funcionaron, los expertos son más reacios a cambiar. A pesar del rol tan central que tiene para el progreso humano, se sabe muy poco acerca de cuáles son las bases neuronales de la flexibilidad cognitiva. Dado que esta característica se puede expresar de múltiples maneras en el comportamiento humano, hay en general un consenso respecto de que no se trata de un constructo unitario sino que varía en función de las demandas de la tarea a resolver.

La tercera actitud ligada a la inteligencia emocional es la motivación. Si bien muchas personas están estimuladas por factores externos como un salario, un premio o un título, los líderes tienen una motivación intrínseca. El primer signo de motivación es la pasión por el trabajo: los líderes buscan, en general, desafíos creativos, aman aprender y se sienten muy orgullosos cuando algo está bien hecho. En general, este tipo de personas no se llevan bien con el statu quo, suelen cuestionar y querer saber por qué las cosas se hacen de una manera y no de otra; también están siempre deseosos de explorar nuevos acercamientos a su trabajo.

La otra característica es la empatía, ya que tenerla permite considerar la emoción del otro al tomar decisiones. De esta manera, el líder puede entender las emociones del equipo al que debe guiar, poder elegir qué persona hará determinada tarea teniendo en cuenta sus gustos e intereses y, además, puede anticiparse a posibles conflictos dentro del equipo. El líder sin empatía es solamente un jefe. En cambio el líder empático es también un mentor y eso genera lealtad.

Por último, un líder debe tener habilidades sociales, ser amigable con el propósito de guiar a otros hacia una decisión o postura. No se trata, por supuesto, de tener amigos sino de tener un objetivo: poder movilizar a los demás (y a uno mismo) hacia la dirección deseada.

Por supuesto que a la hora del trabajo, no solo es importante la inteligencia emocional sino también las habilidades técnicas y las habilidades cognitivas. Sin embargo, puestos a funcionar en grupos de trabajo se mostró que la inteligencia emocional llegó a ser casi dos veces más importante que el coeficiente intelectual y que las habilidades técnicas para predecir altos rendimientos.

¿Es posible desarrollar la inteligencia emocional? Si bien hay un componente genético relacionado con las habilidades de la inteligencia emocional, también juega un rol importante el desarrollo. La inteligencia emocional aumenta con la edad y la madurez. Para mejorar nuestra inteligencia emocional, lo que hay que estimular es el sistema límbico a través de la motivación, la práctica y *feedback* (retroalimentación) con sus liderados. El nuevo liderazgo debe tener la grandeza de motivar el trabajo en equipo y el pensamiento de largo plazo. El nuevo líder debe comprender también que puede equivocarse (y de hecho, se equivoca) y que admitir los errores no lo hace más débil, sino más fuerte. El terco está más próximo al inseguro que al sabio. Líder se nace, se hace y, lo más difícil, se sostiene.

▶ **Hacer capote.** *loc. vb. rur.* 1. Caer en gracia, causar buena impresión, quedar bien. 2. Captar voluntades. 3. Triunfar, sobresalir, destacarse. 4. *En el juego*, tener suerte, ganar am-

pliamente. *Obs. Proviene del juego de*
cartas: "dar capote" es cuando un juga-
dor gana todas las bazas en una mano.

Pensar las políticas públicas

El desarrollo y el intento de implementación de políticas
públicas por lo general se basa en la hipótesis de que los
seres humanos tomamos decisiones deliberadamente, independientemente, y basados en nuestros intereses. Sin
embargo, como hemos referido, a la hora de decidir, por
lo general tomamos lo que viene a la mente sin esfuerzo, las normas sociales guían gran parte del comportamiento, somos cooperadores condicionales y utilizamos
modelos mentales. Muchas veces las personas toman decisiones que, sin saberlo, van en contra de sus intereses
y su bienestar y tienden a repetir esas conductas sin co-
rregirlas. En algunos casos estas *malas* decisiones pueden
acarrear grandes costos. Por ejemplo, una serie de malas
decisiones pueden sostener o empeorar la situación so-
cioeconómica de una familia ya desfavorecida.

El conocimiento acumulado por la ciencia hasta el
momento sobre cómo tomamos decisiones puede ser
utilizado en el diseño de políticas públicas y para mejorar la conducta de las personas en áreas de gran impacto como la salud (conductas que promueven o atentan
contra la salud), la educación (el acceso a oportunidades educativas de calidad), el cuidado del ambiente

(el manejo óptimo de los recursos esenciales para la supervivencia) y el manejo de los bienes (el bienestar financiero, como las inversiones, los gastos, etc.). Las políticas que más podrían beneficiarse de este abordaje son aquellas que buscan o requieren que las personas cambien su condición para reducir la pobreza, lograr el crecimiento de la prosperidad compartida y el bienestar general de la población.

Existen dos causas importantes de problemas en la toma de decisiones, una motivación insuficiente (como ya describimos en el apartado sobre el *burnout*) y los sesgos cognitivos (por ejemplo, subestimamos cuánto nos tomará terminar una tarea, ignoramos información que nos revela fallas en nuestra planificación, sobreestimamos nuestras capacidades y somos demasiados optimistas). Como es difícil modificar las conductas que llevan a estos errores, para mejorar las decisiones puede ser de ayuda transformar el contexto en el que se toman: intervenciones que rediseñan el entorno pueden mitigar el impacto negativo de la inadecuada motivación y de los sesgos. Estas intervenciones cambian la forma en que percibimos la situación y respondemos a ella, y son especialmente útiles cuando tomamos decisiones que van en contra de nuestros intereses o bienestar inmediato.

En relación con la salud, algunas de las enfermedades de mayor prevalencia, como la hipertensión, la obesidad o la diabetes, entre otras, son causadas en parte por la conducta de las personas. Asimismo, muchas otras enfermedades

FACUNDO MANES – MATEO NIRO

podrían evitarse o tener consecuencias menos graves si se tomaran acciones para prevenirlas. De esta manera, tomar las decisiones correctas en el momento correcto tiene un valor importantísimo para la salud de los individuos, y por ende para el desarrollo de una población.

No solo los adultos toman decisiones que tienen impacto en su futuro, los chicos en la escuela también toman decisiones de gran importancia en relación al compromiso y esfuerzo que generan en su estudio. Algunos cuentan con mayores dificultades para tener éxito académico que otros. En algunos casos pueden llegar a creer que no cuentan con las habilidades necesarias para finalizar sus estudios y preguntarse: "¿Para qué me esfuerzo si no tengo talento?".

Este tipo de creencias están relacionadas a un modelo mental en el cual se concibe que las habilidades son un recurso inmutable, con el que se nace (es decir, se tiene o no se tiene). Como mencionamos antes, los modelos mentales tienen una gran influencia en las decisiones que tomamos, en parte porque establecen cuáles son los futuros posibles y los resultados más factibles de nuestra conducta. Dicho de otro modo, determinan nuestras expectativas. Si un chico cree que no tiene talento y que no hay nada que pueda hacer para cambiar eso, es posible que luego de terminar el secundario con muchas dificultades considere que iniciar y terminar una carrera en una universidad sea imposible. Los investigadores Carol Dweck y David Yeager han realizado intervenciones en escuelas en donde se promueven cambios en los modelos mentales de los chicos con respecto a sus habilidades. El objetivo es hacerles entender que ciertas habilidades no son fijas sino maleables, es decir, que a través de la práctica y el esfuerzo es posible desarrollarlas. Este cambio de modelo mental permitiría tener nuevas expectativas sobre su propio futuro y tomar decisiones acordes a estas.

El cuidado del ambiente es fundamental para el bienestar de una comunidad. Su cuidado no solo garantiza la disponibilidad de recursos esenciales para la vida humana, como el agua, sino que evita la aparición de enfermedades, desastres naturales y otros fenómenos climáticos que son potenciales amenazas para la subsistencia de las comunidades que lo habitan. Aunque la preservación del medio ambiente depende en gran medida de factores políticos, económicos y tecnológicos, entre otros, la conducta de las personas puede afectar de manera considerable su entorno. Muchas organizaciones y entidades gubernamentales realizan constantemente campañas e intervenciones para visibilizar el impacto que tienen las personas sobre el medio ambiente y la necesidad de tomar acciones para mitigarlo, y sin embargo estas no siempre son tan efectivas como se quisiera. Una forma de complementar estas políticas para *empujar* a las personas a tomar acción es a través de intervenciones que visibilicen las conductas proambientales de otros individuos de la comunidad, aprovechando el efecto que tienen los *modelos* y las comparaciones sociales en la toma de decisiones.

Esta es una forma de sacar un provecho beneficioso del efecto de las normas sociales sobre nuestra conducta.

Las decisiones financieras que tomamos impactan en gran medida en nuestra situación económica, y muchas veces resulta muy difícil saber cómo tomar buenas decisiones en este ámbito. Para tomar buenas decisiones financieras es necesario poder proyectar el valor futuro de las acciones presentes, realizar un análisis imparcial de los costos y beneficios de cada una de mis opciones, poder establecer un plan y adherir a él rigurosamente, invirtiendo sabiamente y sin gastar demás, entre otras cosas. Desde un gobierno o una organización pueden pensarse formas de auxiliar este proceso.

También ciertas condiciones pueden llevar a las personas a correr mayores riesgos de caer en sesgos y fallas en el razonamiento. Situaciones estresantes, como la pobreza, generan una sobrecarga cognitiva. Quienes se encuentran en esta condición deben dedicar gran cantidad de recursos mentales para resolver la forma de satisfacer sus necesidades básicas y para lidiar con un entorno muchas veces hostil. Esto lleva a que el sistema dependa en mayor medida de procesos automáticos que de procesos deliberados en la toma de decisiones, ya que los primeros son más económicos a nivel de recursos cognitivos. Un alto nivel de estrés y la ausencia de suficiente estimulación cognitiva, lo cual puede suceder en entornos carenciados, también puede afectar el correcto desarrollo de procesos fundamentales para la toma de decisiones, como la atención. Otra fuente de estrés y de sobrecarga cognitiva es el cansancio en los ambientes laborales. Un estudio británico demostró que los médicos tendían a sobreprescribir antibióticos, aun cuando no era necesario, conforme avanzan sus turnos de atención más prolongados, a pesar de conocer las consecuencias negativas de dicha práctica. Esto es: cuanto más cansados, más probabilidad de incurrir en una indicación incorrecta. Esto por supuesto atañe también, y quizá en mayor sentido, en aquellos que por falta de trabajo formal o necesidades imperiosas trabajan de sol a sol para poder garantizar las necesidades básicas de ellos y su familia.

Cómo explicamos antes, los modelos mentales son un conjunto de creencias acerca de cómo funciona el mundo, cuáles son nuestras facultades, cuál puede ser nuestro futuro y cuáles son nuestras oportunidades, entre otras. Se ha evidenciado que las personas que pertenecen a comunidades desfavorecidas tienden a tener un bajo sentido de autoeficacia y pocas expectativas del futuro, con lo cual viven y toman decisiones basados en el presente. En consecuencia, los esfuerzos que podrían hacer para mejorar su futuro, como por ejemplo ahorrar o invertir en educación, se ven comprometidos.

En una intervención experimental, un grupo de familias observaron videos motivacionales en los cuales personas de su comunidad narraban sus experiencias acerca de cómo habían mejorado sus condiciones socioeconómicas, resaltando el valor que tuvo para ellos establecerse objetivos y esforzarse. Seis meses después se observó que las familias que habían visto estos videos habían generado más ahorros y habían invertido más en la educación de sus hijos, que las familia promedio de su comunidad. En esta intervención las familias que vieron los videos fueron expuestas a información que desafió sus modelos mentales, modificando la creencia de que ni siquiera a través del esfuerzo ellos podrían cambiar su futuro. De esta manera, se generó en ellos una nueva expectativa que los llevó a tomar decisiones pensando en su futuro; una decisión que en el largo plazo los podría ayudar a superar sus condiciones.

Los sesgos son parte del sistema de razonamiento de todos los humanos, no son consecuencia de un bajo nivel educativo ni de ingreso. Por ende, estos tampoco están ausentes en el pensamiento de quienes lideran un Estado o una organización. Si los líderes toman conciencia de dichos sesgos y utilizan este conocimiento para tomar mejores decisiones, es posible que estas decisiones conduzcan a resultados más favorables para todos.

La emergencia argentina

Antes de concluir el capítulo sobre decisiones individuales y colectivas y de abordar el último, sobre la felicidad, queremos reflexionar sobre las decisiones urgentes y el largo plazo en Argentina. Esto, por supuesto, será retomado en el apartado final, pero es necesario que sea también en este marco.

La principal riqueza de un país es el capital mental de quienes lo habitan. Hace siglos, la prosperidad estaba basada en la posesión de la tierra; luego, en la explotación de minerales y la producción industrial. Hoy, la clave del desarrollo está en la capacidad de pensar, de crear, de innovar. Muchos países, más pobres en recursos naturales que Argentina, se han convertido en naciones fecundas gracias a la inversión en educación, investigación y conocimiento.

Como vimos en capítulos anteriores, ese capital mental abarca tanto recursos cognitivos como emocionales de las personas. También sus habilidades sociales y la capacidad de afrontar desafíos. Este capital trae consigo el valor de permitir una mejor calidad de vida al individuo y, a la vez, contribuir de manera efectiva a la de su comunidad.

La capacidad de imaginar, de reflexionar, de recordar y de proyectar, de elaborar las estrategias para llevarla a cabo, es lo que permite la transformación de lo dado en lo deseado y novedoso. Los seres humanos somos seres sociales capaces de forjar un entramado comunitario muy complejo. Tanto es así que se han postulado diversas teorías que sostienen que el tamaño de la neocorteza del cerebro se relaciona mayormente con el tamaño de grupo común en cada especie. Es por esta complejidad que los seres humanos inventamos las bibliotecas, las escuelas, los Estados. Y es por esta necesidad de estructuras que trascienden a las familias y las pequeñas comunidades que el ser humano también inventó la política.

La política es una gran herramienta de transformación social que hace posible la organización comunitaria y que aquellos proyectos que se imaginan puedan concretarse.

Por supuesto que no todos los que formamos parte de una comunidad imaginamos lo mismo. Por eso existe la posibilidad de proponer, elegir, discutir y ponernos de acuerdo. Esa oportunidad de transformación está dada a través de diversos resortes, pero, sin dudas, el que resulta fundamental es la convicción del propio pueblo sobre aquel objetivo al que se quiere llegar y de cuál es el mejor camino.

La idea del camino permite reflexionar sobre dos elementos fundamentales de los proyectos sociales: uno es lo urgente, lo que no puede esperar; y otro, la meta deseada. Esto puede ser definido también a partir de los múltiples sentidos que tienen ciertas palabras. En esas dos estrategias de abordar un recorrido están las dos acepciones que otorgan los diccionarios al término "emergencia": la situación de urgente peligro; y lo que emerge, lo que brota, lo que sale a la luz.

Una comunidad que se organiza debe considerar que, en primer lugar, tiene la obligación de atender las necesidades más urgentes. Y qué mayor emergencia –aunque no la única– que la de cuidar a sus niños. No hay política más prioritaria que proteger su integridad física y mental. La falta de estímulos adecuados, la carencia de afecto y el hambre de un chico constituyen una inmoralidad y un crimen, además de un suicidio social. La carencia nutricional produce un impacto tremendamente negativo en el desarrollo neuronal de los niños. Como ya vimos, la ciencia ha determinado que la malnutrición y la desnutrición están asociadas con alteraciones cerebrales. Sin buena nutrición y sin estímulo afectivo y cognitivo, el cerebro se vuelve débil y vulnerable. Es decir, que cuando el Estado desprotege a un niño, estamos vedándole el presente y arrebatándole el futuro a alguien que necesita como nadie de su comunidad y de las instituciones públicas. Esto lo sabe la ciencia pero lo resuelven las políticas públicas, y ahí tenemos que estar los médicos, los abogados, las amas de casa, los albañiles, para pensar, decidir, llevarlas adelante y aceptar como propias esas decisiones. Si hablamos de Argentina, es un escándalo que exista el hambre en un país que produce alimentos para 400 millones de personas, es decir, para varias Argentinas. Esto, que en sí mismo resulta intolerable, tiene un impacto social mayúsculo. Como señala UNICEF, la desnutrición crónica elimina oportunidades a un niño, pero también al desarrollo de una nación. El conocimiento, la meta.

La mayoría de los niños al nacer tiene la misma capacidad de aprender. Sin embargo, desde muy temprano, el contexto sociocultural impacta sobre ellos. La posibilidad de que puedan desarrollar al máximo su potencial depende, en gran parte, del apoyo del entorno ligado a la estimulación cognitiva y afectiva y a la nutrición. Los altos niveles de estrés ambiental y psicosocial al que están expuestos los niños de familias con recursos insuficientes

influyen negativamente en su desarrollo físico y psicológico. Además, por las necesidades de sobreocupación de
sus padres, tienen menores posibilidades de recibir apoyo
y estimulación por parte de sus cuidadores primarios. Así,
un niño pequeño que está frecuentemente ligado a situaciones desapacibles, experimenta la activación persistente
del sistema neuroendócrino que controla las reacciones al
estrés a través de la liberación de hormonas. Por eso mismo, pueden aumentar los niveles de cortisol de manera
crónica y afectar de manera negativa el desarrollo cerebral dañando neuronas en las áreas asociadas a las emociones y el aprendizaje. El desenvolvimiento temprano
de las habilidades cognitivas está gestado por múltiples
factores como la nutrición, la salud y las interacciones
con sus cuidadores. El apoyo y afecto de los cuidadores
en la primera infancia es un predictor importante del desarrollo de áreas cerebrales asociadas a la memoria, como
el hipocampo. Por eso, es necesario que existan proyectos
institucionales que busquen suplir, potenciar o complementar aquello que las familias que sufren carencias no
pueden otorgar. La calidad de la crianza y la estimulación verbal son fundamentales para el sistema neuroendócrino de respuesta frente al estrés, el desenvolvimiento
de habilidades cognitivas y del lenguaje de los niños. El
investigador Clancy Blair, de la Universidad de Nueva
York, observó que los niños cuyos cuidadores brindaron
mayor estimulación tienen menores niveles de cortisol y
mejor capacidad de las funciones ejecutivas (habilidades

cognitivas que nos permiten adaptarnos a situaciones nuevas y complejas). El hecho de que muchísimos niños en la Argentina no puedan alcanzar su potencial en los primeros años y, en consecuencia, entrar en la escuela sin una base sólida para el aprendizaje es una injusticia para con ellos pero, también, una enorme pérdida de capital mental para el futuro del país. Es imprescindible implementar con celeridad programas de intervención en la temprana infancia que puedan mitigar las condiciones de desventaja ambiental.

Algunos programas existentes se han focalizado en otorgar subsidios para aliviar a las familias de los gastos de bienes y servicios durante el desarrollo infantil. Eso está muy bien, es necesario pero no es suficiente. Otros países lo han desarrollado también con disparidad de eficacia. Los resultados sugieren que los programas deben ir más allá. Porque además de una necesidad real ligada a los ingresos de las familias, para lograr una mejoría en las prácticas de crianza es imprescindible el compromiso general para que todos los padres adquieran (adquiramos) los conocimientos acerca del desarrollo infantil, para mantener conductas de crianza positivas y tener la oportunidad de poner en práctica estas competencias.

Por otro lado, hay evidencia a favor de que, si los padres tienen recursos estables y predecibles (lo que requieren es *trabajo digno*), disminuye su estrés y aumenta su autoestima, por lo tanto, acrecienta su capacidad de atención y soporte afectivo a las necesidades de sus hijos.

Revirtamos esto de manera urgente por moral, por justicia, por conveniencia o por vergüenza, pero que sea ya.

A la vez debemos modificar nuestro sesgo que nos impide ver el largo plazo.

Cuando observamos la historia de nuestro país, nos damos cuenta de que aquellos proyectos más provechosos son los que fundaron nuevos paradigmas porque supieron ver más allá y trascender, así, a su puñadito de tiempo. Somos un país que no puede darse el lujo de echar por la borda tantos proyectos de tantos argentinos que no tuvieron "miopía del futuro".

Y el futuro no perdonará a las políticas que abdiquen del conocimiento. El crecimiento económico por sí solo no erradica la pobreza, a menos de que vaya acompañado de una mejora en la calidad educativa. La política del conocimiento requiere la convicción social de que nuestros talentos son nuestro principal capital. Y los líderes deberán entenderlo también.

El compromiso político de las personas debe entenderse como una señal valiosa del interés por su comunidad. A esto se refirió el Papa Francisco cuando expresó que "la política es una de las formas más elevadas del amor, de la caridad. ¿Por qué? Porque lleva al bien común, y una persona, que pudiendo hacerlo, no se involucra en política por el bien común, es egoísmo; y el que use la política para el bien propio, es un corrupto". Cuanto más próximos estén los intelectuales, los profesionales y los obreros de la actividad política, cuanto más desdibujadas estén esas fronteras entre "el palacio y la calle", más cerca estaremos de una sociedad democrática, moderna y desarrollada que desea emerger. Para lograrlo, no importan los nombres propios ni las candidaturas de una u otra persona, sino la sociedad que lo promueva.

Martin Luther King concluyó un recordado discurso de esta manera: "Al igual que Moisés, pude subir a la montaña y ver la tierra prometida. No importa qué pase conmigo. Lo importante es que como pueblo llegaremos". Ese mismo deseo es lo que dará la felicidad y nos llevará al futuro.

Capítulo 5

Felicidades

Si el objetivo de la sociedad es aumentar la sensación de bienestar de las personas, el crecimiento económico en sí mismo no lo logrará. Se ha reportado que, luego de alcanzar cierto ingreso económico, aumentos significativos en la riqueza no se tradujeron en un nivel similar de felicidad y bienestar. Para los responsables de generar políticas públicas esto fue un descubrimiento sorprendente. La Asamblea General de las Naciones Unidas aprobó entonces una resolución invitando a los países miembros a medir la felicidad de sus pueblos y a usar estos datos para guiar sus políticas públicas.

¿Qué es la felicidad? ¿Cuáles son las claves para alcanzarla? ¿De qué factores depende ser feliz? ¿Cómo influyen los otros en nuestra felicidad? ¿Qué hacemos nosotros por la felicidad de los demás? Estas preguntas aparecen en reflexiones evidentes o implícitas, porque nos pasamos la vida, de una u otra manera, intentando alcanzarla.

La reflexión respecto de la felicidad como componente integral de la existencia del ser humano nos remonta a los tiempos de Aristóteles, que ya intentaba determinar e identificar los distintos aspectos que hacen a este concepto. Por supuesto que también fue tomado por la literatura, la religión y la filosofía. Y es un debate recurrente en la economía, la práctica política, la publicidad y el *marketing*. Todo parece confluir a la búsqueda de la felicidad.

Pese a que se argumenta que se trata de una noción demasiado vaga y compleja, la ciencia también ha intentado abordarla. La psicóloga Sonja Lyubomirky, especialista mundial sobre el tema, dice que la felicidad es la experiencia de alegría, satisfacción o bienestar positiva en combinación con una sensación de que la vida de uno es buena, que tiene significado y que vale la pena vivirla. Científicos ingleses, a su vez, formularon una ecuación matemática con el objetivo de predecir los niveles de felicidad de las personas. También se han diseñado encuestas que intentan, a partir de escalas numéricas, calcular tanto individual como socialmente un índice de bienestar. Esto fue lo que investigadores de nuestro país, de la Universidad de Palermo, implementaron para estudiar qué tan felices y satisfechos con la vida los argentinos nos percibimos a nosotros mismos. En su informe de 2015, estos investigadores observaron que un 84% de los encuestados se mostraron como personas felices (es decir, una amplia mayoría). Entre los factores que fueron valorados como importantes para el bienestar se mencionó la familia, los amigos y la pareja. La tasa de satisfacción baja cuando se evalúa la situación económica y laboral. Aunque resulte contradictorio con esto último, nadie declaró que el dinero es un factor de impacto para tener la felicidad. Sin embargo, cuando se analiza detalladamente los datos de las personas que se perciben infelices, la falta de recursos tiene un peso considerable.

Otra variable muy importante para comprender y asimilar los niveles de satisfacción es la edad. A partir de esto, investigadores de diferentes lugares del mundo han descripto lo que ellos llamaron "el ciclo de la felicidad". Este ciclo, según cómo se perciben las personas en cada etapa de la vida, puede representarse como una letra U, correspondiendo a los extremos los niveles de mayor felicidad. Si este gráfico acompaña el desarrollo de nuestra vida, vemos que tanto la infancia y primera juventud como, sorprendentemente, la vejez son los momentos más felices. Asimismo, que los mayores índices de infelicidad se dan en la mediana edad (ligado a las preocupaciones laborales, al desarrollo profesional, a la búsqueda del estatus social, a las múltiples responsabilidades familiares). Luego de eso, la forma de encarar los problemas, la experiencia de vida, el aprovechamiento de los momentos y la posibilidad de enfocarse más en el presente son algunos de los rasgos que contribuyen a los felices años de la vejez. Esto es en el resto del mundo, pero no así en la Argentina. Contrariamente a este último planteo, a partir del estudio ya citado de la Universidad de Palermo, en nuestro país la letra que grafica el ciclo de felicidad parecería ser, más que la U, la letra L. Es decir, el bienestar no logra incrementarse en las personas de edad avanzada. Mientras que el 40% de las personas encuestadas de entre 18 y 24 años y el 33% de las personas de entre 35 y 49 se percibe muy feliz, solo el 22% de los mayores de 65 dice gozar de mucha felicidad. Si a las personas que se declaran muy felices se les incorpora el grupo de quienes se consideran bastante felices, los porcentajes son elevados pero vuelven a disminuir en el mismo grupo etario: de 90% en los más jóvenes baja al 70% en los mayores de 65 años.

Son varias las causas que dan lugar a esta situación, entre las que se encuentra la falta de consideración que tenemos en nuestro país hacia las personas mayores. Como hemos visto en capítulos anteriores, por un sistema arraigado a un pasado remoto quedan fuera de la agenda social en una etapa saludable, productiva y con gran experiencia. A su vez, las condiciones de vida no son buenas porque generalmente las necesidades básicas no están aseguradas: carecen de acceso a una atención de la salud de calidad; los haberes jubilatorios suelen ser módicos, bajos o muy bajos; y mantener una vivienda se dificulta. Además, la sensación es que las posibilidades personales de modificar esta situación son pocas, hecho que redunda en mayor frustración e infelicidad.

Nuestra felicidad debe ser considerada en un carácter individual y social: puede lograrse y de ahí la importancia de conocer cómo podemos hacerlo. Si no trasuntan en mejores condiciones de vida y en la felicidad de las personas que la conforman, las instituciones modernas y las naciones no habrán tenido sentido.

En este último capítulo del libro abordaremos el tema de la felicidad y, en relación con esto, la importancia de los otros. Es por eso que nos preguntaremos qué rol cumplen la amistad y el amor, la risa y el optimismo en nuestro bienestar. También, en un apartado especial y a modo de caso, analizaremos qué le produce la música a nuestras emociones y, por último, al final del capítulo y antes de la considerada "proclama", nos preguntaremos por la felicidad cotidiana y las claves del bienestar.

La virtud del apego

"¿Me contás un cuento?", suelen pedirnos nuestros hijos antes de dormir. ¿Por qué lo harán? ¿Será que buscan conocer una vez más la historia de dragones y princesas o, más bien, querrán que esa nuestra voz los acompañe en ese último rato de vigilia?

El apego es fundamental en el desarrollo cognitivo y el comportamiento social porque son nuestros lazos los que nos permiten llevar adelante una vida plena. Resulta difícil pensar en cualquier comportamiento que sea tan importante para nosotros como esto. La alimentación, el sueño y la locomoción son imprescindibles para la supervivencia, pero el ser humano, como ya ha planteado la filosofía, es un "animal social". Son nuestros lazos sociales los que nos permiten una vida plena.

¿Por qué es importante estar juntos? Abordémoslo primero desde la biología. El apego entre cuidador y bebé se comprende como un sistema de regulación *diádica* (según el diccionario, dos seres estrecha y especialmente vinculados entre sí). Las experiencias vinculares madre-hijo de los primeros años de vida son críticas para el desarrollo de los circuitos cerebrales relacionados con la regulación fisiológica, afectiva y conductual del niño. Las conductas de cuidado de la madre (cuidador primario) le permiten al niño desarrollar mecanismos para regular el estrés, las emociones, las situaciones novedosas y comprender los estados mentales en épocas posteriores.

Las experiencias de apego estarían asociadas al desarrollo y conectividad del hemisferio derecho del cerebro del bebé y, en particular, a las redes cerebrales que forman parte del *cerebro social*. Entre ellas, como hemos visto, las que implican la habilidad para inferir los estados emocionales e intencionales de los otros.

Otro momento clave es la adolescencia, una etapa crítica con cambios sustanciales en el cerebro social. En este período de transición y cambios, los adolescentes con apego seguro se verán favorecidos en la reorganización cerebral al contar con figuras de apego disponibles para realizar procesos de regulación interactiva con ellas, figuras que continuarán influyendo en el desarrollo de nuevas habilidades sociales.

En una investigación realizada por nuestro equipo de la Fundación INECO y la Universidad Favaloro se exploró el procesamiento de información emocional de adolescentes con diferentes estilos de apego. A los participantes se les presentaron estímulos (rostros y palabras) con valencia positiva o negativa, mientras se les realizaba un estudio que permitía ver la actividad eléctrica cerebral. Los resultados mostraron que los adolescentes con diferentes estilos de apego procesan, a nivel cerebral, de forma diversa la información emocional. Los adolescentes con estilo de apego inseguro mostraron un sesgo negativo para el procesamiento de información, lo que sugeriría que son más propensos para detectar estímulos negativos y así activar conductas evitativas. Esto puede comprenderse porque los mismos percibirían el entorno como más amenazante. Otro hallazgo relevante fue que los adolescentes con apego seguro presentaron mejores habilidades en tareas que evaluaban funciones ejecutivas, las cuales están involucradas en la regulación, planificación y control de diversos procesos cognitivos.

Así como el apego y la capacidad para establecer lazos con otros seres es esencial en el desarrollo y beneficia nuestras funciones cognitivas; por el contrario, el aislamiento social impacta negativamente en nuestro cerebro. Uno de los fundadores de los estudios en el área de la neurociencia social, John Cacioppo, de la Universidad de Chicago, relata investigaciones en las que han encontrado que las personas desconectadas de otros individuos sufren consecuencias en la salud. Tan negativo es el impacto que quienes se sienten aislados tienden a morir más tempranamente que aquellos que tienen más conexiones sociales. Esto mismo sucede con los animales sociales como los perros, los caballos, los roedores e, incluso, las moscas.

Estos resultados son acordes a lo mostrado en estudios anteriores que sostienen que el apego seguro se asocia a mayores habilidades cognitivas. Un elogio más, esta vez desde la ciencia, del arte del arrullo.

> ▶ **Dar una mano**. *loc. vb. rur.* Ayudar, colaborar.
> ▶ **Hacer pata**. *loc. vb. coloq.* Favorecer *a alguien* brindando compañía o apoyo.
> ▶ **Poner el hombro**. *loc. vb. rur.* Trabajar a favor de una causa colectiva.
> ▶ **De corazón**. *loc. vb. coloq.* Con sinceridad, con sentimiento.

El poder de la confianza

Una pareja conversa animadamente sobre sus planes comunes para el futuro; una madre despide a su hijo en el jardín de infantes y saluda a la maestra, a quien le confía a su pequeño para que lo eduque y lo cuide; un pasajero lee una revista en el asiento del avión mientras el piloto vuela cruzando el océano; un paciente saluda a su médico antes de la operación, un cliente a su arquitecto, un parroquiano al cocinero... estas y todas las personas, con sus intereses, sus alegrías y sus sueños, quieren (y necesitan) confiar en los demás para vivir. La confianza se transforma así en condición necesaria para la construcción de una verdadera comunidad.

Las neurociencias han estudiado en los últimos tiempos los mecanismos neurales que subyacen a este sentimiento de confianza entre los seres humanos. Se han podido identificar así dos regiones cerebrales involucradas: la zona del estriado ventral, asociada con el procesamiento de las emociones positivas y los sistemas de recompensa; y la corteza prefrontal medial, ligada a la inferencia del estado mental del otro, a la toma de decisiones y al monitoreo de lo que está pasando fuera de nuestro foco de atención.

Una experiencia consistió en el llamado "juego de la confianza". Dos participantes iniciaban el juego con la misma cantidad de dinero cada uno (por ejemplo, 1000 pesos). A su turno, tenían que decidir cuánto dinero le daban al otro, considerando que esa suma se triplicaría en la cuenta ajena: si el primero daba 400 pesos, el otro acumularía 2200 y este se quedaría con 600. Luego se le informaba al segundo jugador la cantidad de dinero que le había sido transferida y le tocaba, entonces, el turno de entregar la suma de dinero que deseaba. Los estudios mostraron que cuanto mayor era la cantidad de dinero otorgada al otro, mayores eran los niveles de oxitocina liberados en el cerebro del primero. La oxitocina es una hormona que actúa como neuromodulador del sistema nervioso central y afecta el comportamiento social. En esta misma dirección, cuando el segundo participante devolvía sumas aún más grandes, la oxitocina liberada en su cerebro era mayor. La conclusión fue que las personas entregaban el dinero porque confiaban en que el otro tomaría una actitud similar. La clave, como en muchos aspectos de la vida, estaba en la confianza.

El mismo juego también se utilizó en otro estudio pero de manera más compleja. Los jugadores estaban siempre interactuando con una computadora pero no lo sabían. De hecho, se les hacía creer que las partidas involucraban a tres participantes distintos: un amigo cercano, un extraño y una máquina tragamonedas. Como resultado, los investigadores observaron que los participantes transferían más cantidad de dinero y sentían mayor recompensa personal cuando *interactuaban* con un amigo cercano.

No existe posibilidad de desarrollo social sostenido sin la confianza en el otro (para algunos estudiosos, los niveles de confianza son predictores de riqueza en una sociedad). En nuestros países, muchas veces los malogrados índices económicos devienen justamente de un nivel deficitario de confianza.

A propósito de este tema, podemos traer a cuento *Un elefante ocupa mucho espacio*, de Elsa Bornemann, que fue prohibido durante la dictadura en Argentina como tantos otros libros (los considerandos que hace para tal decisión el decreto 3155/1977 son porque de este "surge una posición que agravia a la moral, a la familia, al ser humano y a la sociedad que este compone"). Ahí, el elefante Víctor logra convencer a los otros animales del circo de unirse para hacer una huelga que les permitiera recuperar su libertad. Cualquier actitud de desconfianza entre ellos llevaría el plan al fracaso; cualquier traición, al castigo. Lo nombran delegado, lo apoyan y actúan todos juntos, inclusive el león, que se creía rey. Confiar en el otro es lo que les permitió cumplir con el deseo colectivo de vivir libres.

La naturaleza de la amistad

Los lazos positivos y duraderos son imprescindibles para el bienestar general de los seres humanos. Estas relaciones sociales (por ejemplo, entre cónyuges, familiares y amigos) juegan un papel esencial en la sociedad humana ya que afectan a las funciones psicológicas, fisiológicas y de comportamiento. Los vínculos sociales que proporcionan un sentido de pertenencia nos protegen contra los sentimientos de soledad, depresión e, incluso, la ansiedad.

La amistad es un rasgo distintivo que impregna el paisaje social humano. Una canción del compositor uruguayo Jaime Roos grafica de modo sobresaliente este valor. Nos dice que todos, alguna vez, pasamos por la puerta de un bar donde unos *tipos* alrededor de una mesa discuten, se abrazan, recuerdan, sonríen. "Es simple junarlos", concluye la estrofa, "son viejos amigos".

Está demostrado que otras especies también desarrollan este tipo de vínculo, lo que sugiere que la amistad no es solo una *invención* humana sino que constituye un rasgo evolutivo. Estudios recientes evidencian que se involucran un conjunto compartido de circuitos y vías neurales en la formación y el mantenimiento de amistades en los seres humanos y en otros animales y, a su vez, sugieren que la amistad trae aparejado un impacto beneficioso para la salud y ventajas reproductivas en mamíferos, lo que puede traducirse en beneficios adaptativos. Algunos investigadores sostienen que entender la amistad lleva a conocer más plenamente lo que significa cada especie.

En otro estudio, investigadores analizaron cómo la presencia de seres queridos puede alterar la respuesta del cerebro a situaciones amenazantes. Encontraron que las regiones neurales asociadas con el procesamiento de una amenaza fueron significativamente menos activas cuando los sujetos tenían la mano tomada a una persona cercana afectivamente. Esta investigación indica que cuando nuestros seres queridos están cerca, somos menos propensos a activar estructuras cerebrales que regulan nuestra respuesta hormonal al estrés. Esto puede plantearse de manera más sencilla. Imaginemos a dos personas distintas que caminan por la vida y le hacen frente a los tipos habituales de pequeños factores de estrés, como por ejemplo ser despreciado por un compañero de trabajo, o a uno grande, como puede significar el despido laboral. Uno de los dos tiene pocos amigos, y la percepción es que debe hacer frente a estos factores de estrés por sí solo. El otro sabe que sus amigos *le cubren la espalda*. En cada amenaza, la persona con pocos amigos puede experimentar reacciones de estrés elevado en comparación a la otra.

También se analizó cómo nuestros cerebros responden cuando un amigo es amenazado por un extraño. Los cerebros de los participantes respondieron a las amenazas hacia ellos y a las amenazas a un amigo cercano de una manera muy similar. Estos datos sugieren algo revolucionario acerca de la amistad que evidencia una *confusión* entre uno mismo y un amigo en la forma en que el cerebro procesa la amenaza a ambos. Nuestra identidad incluye a las personas cercanas afectivamente.

John Cacioppo realizó una investigación en la que estudiaron la proporción de las interacciones con amigos en diferentes situaciones: cara a cara, en las redes sociales, en sitios de juegos o de citas. Cuanto mayor era el porcentaje de las interacciones *cara a cara*, esas personas manifestaban rasgos de menor soledad. Desde hace unos años, mucha gente utiliza las redes sociales para continuar comunicados con personas a la que vemos en forma seguida; pero algunos lo utilizan como un sustituto. Una analogía posible a esto es como cuando uno come papas fritas. Si se tiene hambre, es mejor que nada; pero no sustituye a una nutrición suficiente.

Desde el comienzo de nuestra historia evolutiva como especie, sobrevivimos y prosperamos al unirnos para brindar protección y asistencia mutua. El carácter de solidaridad es inmanente a los seres humanos y se trata de una verdadera suma de genética, biología, ambiente y cultura.

Cuando una persona se siente sola tiende a centrarse en su propio bienestar y en el instinto de conservación. Investigaciones sugieren que esto no es una decisión consciente. Más bien, los estudios dan cuenta de que, cuando una persona se siente sola, su cerebro está sintonizado para detectar automáticamente mayor información social negativa que positiva. Por lo tanto, la persona aislada puede llegar a ser más hostil y defensiva al hablar con los otros y tener menos habilidades sociales. Se ha demostrado que los seres humanos que están socialmente aislados, además de ser menos longevos como ya hemos dicho, poseen tasas más altas de depresión y se enferman más a menudo.

Muchas de las funciones del cerebro están involucradas en permitirnos tener interacciones humanas sanas. Una de esas funciones es la empatía. La empatía nos permite entender y responder a las experiencias emocionales de los demás. Estamos predeterminados a empatizar ya que, como dijimos, asociamos estrechamente a las personas cercanas con nosotros mismos. Cuando desarrollamos amistades, y contamos con gente en la que podemos confiar, nuestros recursos se expanden.

Con *familiaridad*, otras personas se convierten en parte de nosotros mismos.

En síntesis, pasar tiempo con los amigos causa una mayor actividad en los circuitos del cerebro que nos hacen sentir bien (los circuitos de recompensa). Aunque el entendimiento pleno de la contribución de las interacciones sociales humanas al cerebro es complejo y aún no se conoce completamente, se sabe que tener relaciones interpersonales valiosas, de larga duración y una vida social activa protege nuestro cerebro. Así lo entienden también esos amigos de la canción cuando los sorprende el amanecer ahí reunidos y por no abonar la despedida dicen: "Aguanten, che, son solo... las luces del estadio".

▶ **Temblar la estantería.** *loc. vb. col.*
Enamorarse locamente.

Amar con todo

No existe evidencia de una sociedad sin amor. Es más: si narrásemos la vida de cualquier persona como una sucesión de acontecimientos, podríamos dar cuenta de que el amor resultó ser el motor de gran parte de esos hechos vividos.

Se suele decir que se ama con el corazón, pero, para ser precisos, los seres humanos amamos con el cerebro y con todo el cuerpo.

Cuando nos enamoramos *locamente*, se activa una
red neuronal denominada sistema de recompensa cerebral. Esta red, como ya describimos, está asociada con
la motivación, el placer, la gratificación emocional y el
intenso deseo. El amor romántico es aún más que eso,
ya que se trata de una de las sensaciones más intensas de
la vida: es una obsesión que a uno lo posee y hace que
disminuya la activación en las áreas del juicio (por eso,
precisamente, se llama a ese estado "locura de amor").

Debemos decir también que el amor no es necesariamente una experiencia feliz. Esa obsesión de la que hablamos puede empeorar cuando uno no es correspondido.
Se estudiaron cerebros de personas que habían sufrido el
rechazo amoroso y, entre otros hallazgos, se observó que
había gran actividad en el área ventral tegmental (parte
de la red de recompensa cerebral), la misma que se activa en el amor romántico correspondido. Esto significa
que muchas veces, aunque uno quiera olvidar, el fuego
sigue encendido. Esto puede explicarse porque cuando
nos enamoramos también existe actividad en una región
del cerebro asociada con el apego profundo hacia otra
persona. Entonces, al sentirnos no amados, no tenemos
sentimientos de desamor romántico, sino que estamos
sintiendo el dolor del desapego. Y como el circuito de
recompensa cerebral sigue activo, sentimos una energía
y una motivación intensa, y la suficiente voluntad como
para arriesgar todo con tal de obtener ese preciado premio de la vida: una pareja apropiada.

El amor romántico tiene todas las características de una adicción: se piensa obsesivamente en algo (la persona amada, en este caso), uno se vuelve profundamente dependiente y posesivo sexualmente (a diferencia de cuando se tiene sexo ocasional), se asumen grandes riesgos para conseguir o preservar el vínculo, se distorsiona la realidad (vemos solo lo que queremos ver), existe una perseverancia extraordinaria y sentimos que necesitamos ver al ser amado más y más. Por otra parte, en el amor existe una curiosa persistencia: con el paso del tiempo, uno puede haber "olvidado" a la persona amada hasta que, por ejemplo, escucha una canción, vuelve a un lugar o huele un perfume que inexorablemente le recuerda a ese sujeto del pasado.

El amor, según entienden las neurociencias, es más que una emoción básica: es un proceso mental sofisticado que afecta nuestros cerebros a través de activaciones en áreas específicas. Este proceso está sostenido, además, por activaciones que median funciones cognitivas complejas, como la cognición social, la representación de uno mismo, la imagen corporal y las asociaciones mentales que se basan en experiencias pasadas. Diversos estudios de psiquiatría social han demostrado que cuando las personas están profunda y *locamente* enamoradas tienen fuertes manifestaciones somato-sensoriales: sienten el amor en su cuerpo, en sus mentes y, claro, reportan ser más felices. Asimismo, estudios de neuroimágenes funcionales han demostrado que el amor desactiva los circuitos cerebrales responsables de las emociones negativas y de la evaluación social. En otras palabras: la corteza frontal, vital para el juicio, se apaga cuando nos enamoramos y así logra que se suspenda toda crítica o duda. ¿Por qué el cerebro se comporta así? Quizá por altos fines biológicos y promover de esta manera la reproducción: si el juicio se suspende, hasta la pareja más improbable puede unirse y reproducirse. Las neuroimágenes han demostrado también que un área del cerebro importante en la regulación del miedo y las regiones implicadas en emociones negativas también se apagan. Esto podría explicar por qué nos sentimos muy felices con el mundo –y sin miedo de lo que podría salir mal– cuando estamos enamorados.

Las neurociencias llevan adelante diversas investigaciones para comprender cómo es este proceso tan complejo y fascinante, es decir, qué pasa en nuestros cerebros cuando nos enamoramos. Hay numerosas hipótesis sobre el papel del amor desde el contexto evolutivo. Investigaciones en psicología evolutiva y social han demostrado que el desarrollo cerebral está más relacionado con la complejidad de las interacciones sociales que con el ambiente circundante. Y en relación con el rol del amor en la evolución del ser humano, una de las hipótesis predominantes es que se trata del resultado de interacciones entre las bases genéticas de la compleja conexión social y las relaciones y apego entre personas. Asimismo, permite mantener una motivación sostenida sobre una pareja en vez de muchas, algo necesario para la procreación y asegurar la supervivencia de los descendientes en sus primeros años de vida.

Todo esto muy probablemente lo hayamos experimentado en nuestra vida, y lo habremos visto, oído y leído con creces en el cine romántico, los boleros, las telenovelas y la literatura rosa. Y también, como en este caso, en la literatura infantil: "Mientras la señorita de Ciencias hablaba, Santiago sentía que le pasaban cosas, cosas de esas que pasan por dentro. Para empezar, no podía dejar de mirar a Teresita, como si tuviera los ojos pegados a la cara de ella. Y además sentía que todo le corría a lo loco por el cuerpo". Este fragmento es de un libro de Graciela Montes, y tiene un título justo: *Historia de un amor exagerado*. Así, exagerado, como todas las historias de amor.

▶ **Saltar en una pata**. *fr. coloq.* Expresar alegría. Demostrar felicidad.

Dormir bien para estar despiertos

Una vez,
un perro militar
a la guerra
se fue para pelear.
Se quedó dormido
con un gran ronquido,
ni el cañón lo pudo despertar.

"Canción de cuna perruna", de MARÍA ELENA WALSH

Si llegamos a vivir hasta los 90, habremos logrado dormir alrededor de ¡treinta años! Además de que resulte placentero, alguna función importante en favor de nuestro bienestar debe cumplir el sueño en los seres humanos para que ocupe un tercio de la vida. ¿Cuál es? La mayoría de los animales y, probablemente, de los organismos vivos presentan un ritmo biológico de descanso-actividad. El sueño tuvo una implicancia crucial en el proceso de adaptación. Puede haberse originado por la necesidad de los animales de protegerse y para permitir que los organismos conservaran y restauraran su energía. Muchas especies buscan alimento y agua durante el día porque es más fácil ver cuando el sol ilumina. En cambio, cuando está oscuro, es el mejor momento para ahorrar fuerza, evitar ser devorados o caer en un precipicio. El sueño mejoraría la supervivencia mediante la optimización de los tiempos de actividad y ocio, además de permitir mantener los cerebros más ágiles. Durante el sueño, se consolidan aprendizajes importantes obtenidos durante el día y se secreta la hormona de crecimiento durante el desarrollo.

El sueño, lejos de ser una actividad pasiva, es sumamente activa, ya que el cerebro sigue trabajando toda la noche. Durante el sueño ocurren varios fenómenos en nuestro cuerpo: se produce una relajación postural característica, se elevan los umbrales sensoriales para desvincularnos del medio ambiente y aparece un patrón distintivo de actividad eléctrica cerebral.

Cuando una persona se duerme, atraviesa una serie de cuatros etapas bastante estructuradas en ciclos de alrededor de noventa minutos. Durante los primeros ochenta minutos, se traspasan tres fases de sueño cada vez más profundo, que se agrupan bajo el nombre n-REM (por su sigla, en inglés, *non-rapid eye movement sleep*, ya que los ojos no se mueven debajo de los párpados). Siestas cortas de menos de 45 minutos a veces son más efectivas porque nos despertamos antes de entrar en la fase más profunda del sueño (si alguna vez nos despertamos de la siesta *odiando al mundo*, seguramente es porque veníamos de estar en la fase más profunda del sueño). Después del sueño profundo, comienza la etapa más fascinante del sueño, el sueño REM (*Rapid eye movement sleep*, ya que los ojos ahora sí se mueven rápidamente de un lado a otro debajo de los párpados). Es cuando ocurre la mayoría de los sueños y suele durar alrededor de diez minutos. Cuando se mide la actividad eléctrica del cerebro con un electroencefalograma durante el sueño REM, es prácticamente indistinguible de la actividad que tiene el cerebro al estar despierto y activo, por lo que también lleva el nombre de "sueño paradójico". Solemos tener cuatro o cinco de estos ciclos de noventa minutos de sueño profundo seguido de sueño REM. Cuanto más sueño profundo tengamos y en qué momento de los ciclos nos despertemos va a influir en la calidad del descanso y en los beneficios que trae el sueño.

¿Pero por qué duermen los seres humanos y los otros animales? Una teoría propone que el acto de dormir surgió en la evolución para proteger a los individuos en aquellas porciones del día en las que no es necesario, e incluso podría ser bastante peligroso, buscar comida o copular. Dormir consistiría en permanecer en silencio y escondido de posibles depredadores. Así es que animales grandes como los caballos suelen dormir solo unas tres horas, ya que deben pasar mucho tiempo masticando el pasto para poder digerirlo y, por su tamaño, no suelen encontrar lugares ideales para esconderse. En el otro extremo, animales como los tigres y leones, duermen unas quince horas por día ya que tienen menos depredadores que se atrevan con ellos y además comen carne, de donde sacan nutrientes con más facilidad. Una segunda teoría, la que por sentido común solemos intuir, focaliza sobre la reparación del cuerpo durante el sueño: el metabolismo se desacelera y la hormona de crecimiento que repara el cuerpo es secretada mucho más al dormir.

Aunque quedan por responder numerosos interrogantes, sabemos que el sueño está asociado con funciones inmunes, endócrinas, de aprendizaje y memoria. En los humanos, también juega un rol esencial en nuestro bienestar emocional y puede conducir a ideas creativas. El sueño ayudaría a consolidar los nuevos recuerdos, a actualizar los antiguos sobre la base de lo que acabamos de aprender y a forjar nuevas conexiones neuronales filtrando de estas las que no tienen importancia. El cerebro dormido sabe qué información nueva es lo suficientemente significativa como para mantenerla y, por el contrario, qué puede atenuarse o desaparecer. En varios experimentos, se ha mostrado que, en particular, es el sueño REM el que permite consolidar el aprendizaje, sobre todo de memoria procedural de tareas perceptivas y motoras. En un estudio, se enseñó a los participantes a localizar rápidamente imágenes escondidas en fondos con distintas texturas y luego se los hacía dormir ocho horas. Cuando efectivamente dormían tantas horas y aun cuando se les interrumpía el sueño profundo a algunos de ellos, realizaban la tarea mejor que antes; por el contrario, cuando a un grupo se les interrumpió el sueño REM, no se observó esta mejoría. Durante la actividad onírica, simulamos la realidad, activamos zonas motoras y sensoriales; a pesar de no movernos, estamos practicando y preparándonos para distintas situaciones que pueden surgir.

Investigadores de la Universidad de Wisconsin-Madison realizaron un estudio por el que concluyeron que

durante el sueño aumenta la actividad en los genes involucrados en la producción de oligodendrocitos. Estas células son fundamentales ya que son responsables de recu-
brir las neuronas de mielina, que es un material aislante
que favorece la conducción del impulso nervioso. Por el
contrario, la privación de sueño produce una mayor actividad en los genes implicados en el estrés y la muerte celular.
El ciclo sueño-vigilia posee un equilibrio que se auto-
rregula espontáneamente desde nuestro nacimiento. Sin
embargo, una vez alterado, resulta muy difícil de recuperar. Se estima que antes de la expansión de la electrici-
dad el ser humano dormía unas tres horas más que en las
condiciones actuales. La iluminación artificial y la posterior implantación del trabajo por turnos nos ha separado progresivamente del ciclo natural de luz y oscuridad.
Los horarios tempranísimos de la escuela o el trabajo, las
programaciones de televisión que desplazan más y más
los horarios centrales a horas avanzadas de la noche, la
consulta permanente de redes sociales y el despropor-
cionado estrés cotidiano son algunos de los factores que
atentan contra nuestro descanso. El uso de aparatos tecnológicos en horas cercanas al momento de dormir puede dificultar la conciliación y el mantenimiento del sueño porque provocan una activación de la atención. Asimismo, la alerta y la luz de sus pantallas funcionan como
estimulantes y reducen el nivel de melatonina (hormona
que se encarga, entre otras cosas, de regular nuestro *reloj biológico*). Como consecuencia de esta situación,

hemos caído en un bucle estimulación-sedación, donde se utilizan estimulantes como la cafeína y la nicotina para la vigilia durante el día y sedantes tales como hipnóticos y alcohol en la noche para inducir el sueño. No todos tenemos idéntico *reloj biológico*. Hay personas que prefieren despertarse en la madrugada y comienzan el día muy temprano con energía y otras que necesitan varias horas para ponerse en funcionamiento luego de apagar el despertador en reiteradas oportunidades, se sienten mal apenas se levantan y no pueden comer nada hasta media mañana. Lo más probable es que estas mismas personas sí puedan quedarse estudiando o trabajando hasta altas horas de la noche. Es así que existe un porcentaje de hombres y mujeres que califican como *alondras* o *amantes de la mañana* y otro como *búhos* o *amantes de la noche*. El resto nos hallamos en algún punto intermedio. El estado de búho o alondra es llamado "cronotipo". Los cronotipos están asociados a variaciones genéticas, ánimo, función cognitiva y riesgos de problemas de salud. Algunos neurocientíficos aseguran que es importante descubrir a qué grupo cronobiológico pertenece una persona y así adaptar sus horarios de trabajo a su patrón de sueño natural. Sin embargo, otros especialistas mostraron que los *búhos* que suspendieron su exposición nocturna a la luz artificial y aumentaron su exposición a la luz solar lograron desplazar sus relojes biológicos hacia el despertar temprano y el dormir nocturno.

Uno de los trastornos más frecuentes del sueño es el insomnio. Se habla de insomnio cuando tardamos más de treinta minutos por noche para empezar a dormir, los despertares nocturnos son repetidos o se prolongan por más de media hora, existe baja eficiencia del sueño, o cuando dormimos menos de seis horas y media (aunque esta cantidad puede ser perfectamente saludable en la vejez). La presencia del insomnio por tiempo prolongado provoca consecuencias negativas en la calidad de vida y, en particular, se asocia con un peor rendimiento cotidiano, cambios en el estado de ánimo, irritabilidad y una mayor probabilidad de sufrir accidentes. Algunas de las causas comunes de insomnio son: el estrés, la ansiedad y la depresión; medicamentos recetados, incluyendo varios para el corazón y la presión arterial; la cafeína, el alcohol y la nicotina; condiciones médicas subyacentes; malos hábitos de sueño; y el envejecimiento. Es importante destacar que las preocupaciones y las creencias sobre el sueño y sus posibles consecuencias juegan un papel central en la gravedad y el mantenimiento del insomnio. Los insomnes suelen presentar un estilo de personalidad ansioso y perfeccionista, por lo que intentan controlar el proceso del sueño. Paradójicamente, cuanto mayor es el intento de control, mayor es la dificultad para conciliar el sueño. Las personas con insomnio crónico suelen presentar problemas en la atención y la memoria, disfrutan menos de las relaciones sociales y familiares, y exteriorizan más quejas físicas que las personas que no sufren de este problema. Asimismo, suelen irritarse más fácilmente y refieren estar tensas. Estudios longitudinales mostraron que la privación de sueño aumenta la mortalidad por causa de accidentes y exacerbación de enfermedades. La falta de sueño afecta al sistema endócrino, al sistema inmune y al metabolismo. Por lo tanto, puede convertirse también en un factor de riesgo para la obesidad, la diabetes y la falla cardíaca. Resulta clave conocer pautas para la higiene del sueño, que buscan desarrollar hábitos compatibles con el buen dormir. Una buena medida es asociar el dormitorio solo con esta actividad, eliminando de esta manera las conductas incompatibles con el sueño como ver TV, escuchar radio, leer libros (como este, por ejemplo) o revistas, etc. Además, este ambiente debe tener una temperatura adecuada y niveles mínimos de ruido y luz. También debe evitarse beber alcohol dos horas antes de acostarse porque, pese a ser depresor del sistema nervioso central, da lugar a un sueño poco reparador. Actúan como estimulante las bebidas, alimentos y medicamentos con cafeína, por eso no hay que consumirlos seis horas antes de dormir. Fumar y consumir grandes cantidades de azúcares tienen el mismo efecto. Otro consejo es no comer si se interrumpe el sueño, ya que generaríamos la costumbre de despertarnos cada vez que tenemos hambre. Pero todas estas respuestas a la pregunta inicial sobre las funciones del sueño, que ya de por sí parecen suficientes, están obviando una fundamental para los seres humanos.

Porque también el sueño ha servido de inspiración a una de las tradiciones más bellas de la literatura popular a lo largo de la historia: las nanas infantiles. A esas justamente se refirió Federico García Lorca cuando dijo que "para provocar el sueño del niño intervienen varios factores importantes si contamos, naturalmente, con el beneplácito de las hadas. Las hadas son las que traen las anémonas y las temperaturas. La madre y la canción ponen lo demás".

▶ **Dormir a pata ancha.** *loc. vb. coloq.* Dormir profundamente y sin sobresaltos. Con la variante **dormir a pata suelta**.

La gracia de la risa

Grandes pensadores de la antigüedad consideraron que solo los seres humanos reíamos, pero la ciencia ha demostrado a lo largo del tiempo que la risa se halla también en diferentes mamíferos (desde los roedores hasta los gorilas). Aunque existen condiciones neurológicas (por ejemplo, la epilepsia) y lesiones cerebrales específicas que pueden causar risa patológica, en general, se la asocia con un vínculo emocional y es una señal muy importante de interacción social positiva. Somos treinta veces más propensos a reír si estamos con alguien que si estamos solos.

Cuando nos reímos con otros accedemos a un sistema evolutivo de los mamíferos muy antiguo que ayuda a mantener vínculos sociales y a regular emociones.

Pero, ¿por qué nos reímos? Es claro que no todos nos reímos de lo mismo, a algunos el humor negro les parece terrible y a otros les encanta; algunos se ríen de cuestiones más groseras y a otros les gusta el *humor inteligente*; sin embargo, el humor nos atraviesa y por eso se dice que los argentinos tenemos buen humor.

Hace unos años se publicó un libro del científico cognitivo Matthew Hurley, el famoso filósofo Daniel Dennett y el psicólogo experimental Reginald Adams. Allí, los autores explican que la risa surge cuando el cerebro se da cuenta de que ha cometido un error: es la reacción que se genera al percibir una inesperada incorrección en el procesamiento de la información. El cerebro intenta todo el tiempo anticipar las situaciones, calcula por dónde va a pasar un auto al cruzar la calle, lo que va a decir la persona con la que conversamos o cómo va a moverse el jugador del equipo oponente en un partido. Las bromas juegan con lo imprevisto: plantean un escenario determinado que conduce a una conclusión tramposa que va a ser rechazada en el remate. Entonces el cerebro cae en esa *trampa*, pero rápidamente advierte cierta incongruencia. Darse cuenta de que las expectativas que teníamos eran equivocadas desata sorpresa y, luego, la risa. Según los autores, en la evolución se seleccionó el humor porque la emoción placentera que nos produce refuerza la habilidad de generar conjeturas y de inferir; además, el humor nos permitió vivir en un mundo de información incompleta a partir de la cual tenemos que tomar decisiones rápidamente.

Se ha demostrado que la corteza frontal tiene un rol clave en este proceso junto con otras áreas cerebrales también relacionadas con la cognición social. Entre sus principales funciones se ocupa de incorporar y relacionar la información proveniente de nuestros sentidos y de funciones ejecutivas complejas como la planificación, el pensamiento abstracto, la toma de decisiones y la flexibilidad cognitiva.

Hoy sabemos que el humor, que es considerado un evento cognitivo, ha sido un mecanismo evolutivo. Al liberar dopamina, serotonina y endorfinas en el cerebro, genera placer, mejora nuestro estado de ánimo y reduce el estrés. También entrena al sistema cognitivo en el procesamiento de información ambigua.

Cuando abundan los datos ambiguos e incompletos, se incentiva la posibilidad de que ocurran errores y de poder detectarlos.

▶ **Arrimarse al fogón**. *fr. rur* Reunirse. Invitar a integrarse a un grupo.

¿Qué le hace la música a nuestra vida?

El flautista dio media vuelta y se marchó de la plaza. Empezó a andar por una calle abajo y entonces se llevó a los labios la larga y bruñida caña de su instrumento, del que sacó tres notas. Tres notas tan dulces, tan melodiosas, como jamás músico alguno, ni el más hábil, había conseguido hacer sonar. Eran arrebatadoras, encandilaban al que las oía.

De *El flautista de Hamelin*, de los hermanos Grimm

Las personas rodean un fogón y, como sin darse cuenta, se pasan la noche cantando canciones que ni siquiera recuerda cada uno cuándo las aprendió ni cómo es que los otros también las saben. Es más, tampoco reconocen bien quién es alguno de esos otros que cantan al unísono con él, pero no les importa demasiado. Cantan juntos igual. Otros, a lo lejos, en la ciudad, bailan abrazados el tango o sueltos la música electrónica como poseídos por el sonido y las luces desafiando la alborada. Cuando esta arremete, frente al lugar donde transcurrió el baile que ya los trasnochadores abandonaron, mientras el encargado del edificio barre la vereda silbando, en un patio de escuela, varias hileras de niños cantan la canción a la bandera. Los maestros y directivos acompañan a sus alumnos con las gargantas, con los pies marcando el ritmo y con las manos repiqueteando como un buen antídoto para vencer al sueño. Algunos niños hacen lo mismo. En la calle que pasa por la puerta del colegio, un colectivo frena justo en el semáforo y adentro, jóvenes y no tanto están viajando con los auriculares como una manera de pasar el rato cada uno con su canción. Un auto, atrás, intenta pasarlo. Ahí hay un hombre que escucha música en la radio: la música es muy famosa, estuvo hace algunos años en los *ranking* internacionales, y el hombre y la mayoría de los que en sus autos y en sus oficinas y en sus casas en ese mismo momento en la ciudad escuchan la señal, la tararean. Un joven músico recorre entusiasmado el trayecto para llegar a casa del maestro, una orquesta intenta los primeros acordes en el ensayo anterior a una función que tienen programada el sábado siguiente en una sala del centro. En esa ocasión, se reunirá una multitud para oír lo que ellos van a tocar y será así porque están seguros de disfrutar de lo que hacen: música, ni más ni menos que eso, música.

Los seres humanos convivimos con la música en todo momento. Es un arte que nos hace disfrutar de tiempos placenteros, nos estimula a recordar hechos del pasado, nos hace compartir emociones en canciones grupales, conciertos o tribunas deportivas. Pero eso que resulta por demás natural, se produce a través de complejos y sorprendentes mecanismos neuronales, lo que motiva que desde las neurociencias nos hagamos muchas veces esta pregunta: ¿qué le hace la música a nuestro cerebro?

La música parece tener un pasado extenso. Prueba de ello son los hallazgos arqueológicos de flautas construidas con hueso de ave, cuya antigüedad se estima de 6000 a 8000 años, o más aún de otros instrumentos que podrían preceder al *homo sapiens*. Existen diversas teorías sobre esta coexistencia íntima con la música en la evolución.

Algunas de estas se dieron porque al estudiar la respuesta del cerebro a la música, las áreas que se ven involucradas son las del control y la ejecución de movimientos. Una de las hipótesis postula que esta es la razón por la que se desarrolló la música: para ayudarnos a todos a movernos juntos. Y la razón por la que esto tendría un beneficio evolutivo es que cuando la gente se mueve al unísono tiende a actuar de forma más altruista y estar más unida. Varios científicos, a su vez, sugieren que la influencia de la música sobre nosotros puede haber surgido de un hecho fortuito, por la capacidad de esta para *secuestrar* sistemas cerebrales construidos para otros fines, tales como la emoción y el movimiento. Escuchamos música desde la cuna o, incluso, en el período de gestación. Los bebés, en los primeros meses de vida, tienen la capacidad de responder más a ciertas melodías que a una comunicación verbal de sus padres. Los sonidos musicales suaves los relajan. Se sabe, por ejemplo, que niños prematuros que no pueden dormir son beneficiados por los latidos de la madre o sonidos que los imitan.

La música está considerada entre los elementos que causan más placer en la vida. Libera dopamina en el cerebro como también lo hacen la comida, el sexo y las drogas. Todos ellos son estímulos que dependen de un circuito cerebral subcortical en el sistema límbico y ganglios de la base, es decir, aquellos sistemas formados por estructuras cerebrales que gestionan respuestas fisiológicas ante estímulos emocionales y adictivos; particularmente, el núcleo caudado y el núcleo accumbens y sus conexiones con el área prefrontal. Los estudios que muestran activación ante los estímulos mencionados revelan un importante solapamiento entre las áreas, lo que sugiere que todos activan un sistema en común. Uno de los fundadores del laboratorio de investigación *Brain, Music and Sound*, en Canadá, el científico Robert Zatorre describe así los mecanismos neuronales de percepción musical: una vez que los sonidos impactan en el oído, se transmiten al tronco cerebral y de ahí a la corteza auditiva primaria; estos impulsos viajan a redes distribuidas del cerebro importantes para la percepción musical, pero también para el almacenamiento de la música ya escuchada; la respuesta cerebral a los sonidos está condicionada por lo que se ha escuchado anteriormente, dado que el cerebro tiene una base de datos almacenada y proporcionada por todas las melodías conocidas. Estas memorias fueron la base para una original investigación de nuestro laboratorio, liderada por Agustín Ibáñez y Lucía Amoruso, sobre mecanismos cerebrales que permiten anticipar acciones. Nuestro cerebro constantemente trata de anticipar qué va a suceder. Para analizar esto, les mostraron a expertos bailarines de tango videos en los que, según el nivel de experiencia, pudieran prever (o no) cuándo otros bailarines cometerían un error. Mientras ellos observaban, se registró la activación de ciertas regiones del cerebro con electroencefalograma de alta densidad. Esta investigación reveló que solo en los expertos, 400 milisegundos antes de que se iniciara la secuencia, la actividad cerebral ya anticipaba que iba a ocurrir un error. Existen circuitos en la corteza cerebral involucrados en la percepción, codificación, almacenamiento y en la construcción de los esquemas abstractos que representan las regularidades extraídas de nuestras experiencias previas. La construcción de expectativas y su posible violación es determinante para una respuesta emocional.

La relación de la música con el lenguaje también es objeto de estudio. El procesamiento del lenguaje es una función más ligada al hemisferio izquierdo del cerebro que al derecho en la mayoría de las personas, aunque las funciones desempeñadas por los dos lados del cerebro en el procesamiento de diferentes aspectos del lenguaje aún no están claros. El hemisferio derecho tendría un rol importante en procesar prosodia emocional (cuando usamos una entonación especial para expresar una emoción) y significados complejos como las que aparecen en las metáforas, la ironía y los textos. La música también es procesada por los hemisferios derecho e izquierdo. Evidencia reciente sugiere un procesamiento compartido entre el lenguaje y la música a nivel conceptual. Pero la música parece ofrecer un nuevo método de comunicación arraigada más en las emociones en comparación al lenguaje. Investigaciones muestran que lo que sentimos cuando escuchamos una pieza musical es muy similar a lo que siente el resto de la gente. Por eso las melodías, en muchos de los casos, pueden trabajar en nuestro beneficio a nivel individual, al modular el estado de ánimo e incluso la fisiología humana, de manera más eficaz que las palabras. La activación simultánea de diversos circuitos cerebrales producida por la música parece generar algunos efectos notables: en lugar de facilitar un diálogo en gran medida semántico, como hace el lenguaje, la melodía parece mediar un diálogo más emocional.

El área de la salud se vale de la música con el fin de mejorar, mantener o intentar recuperar el funcionamiento cognitivo, físico, emocional y social, y ayudar a lentificar el avance de distintas condiciones médicas es la musicoterapia. A través de la utilización clínica de la música, busca activar procesos fisiológicos y emocionales que permiten estimular funciones disminuidas o deterioradas y realzar tratamientos convencionales. Se han observado importantes resultados en pacientes con trastornos del movimiento, dificultad en el habla producto de un accidente cerebrovascular, demencias, trastornos neurológicos.

La música puede ser una herramienta poderosa en el tratamiento de trastornos cerebrales y lesiones adquiridas ayudando a los pacientes a recuperar habilidades lingüísticas y motrices, ya que activa a casi todas las regiones del cerebro. Estudios de neuroimagen muestran que tanto al escuchar como al hacer música se estimulan conexiones en una amplia franja de regiones cerebrales normalmente involucradas en la emoción, la recompensa, la cognición, la sensación y el movimiento. Las nuevas terapias basadas en la música pueden favorecer la neuroplasticidad –nuevas conexiones y circuitos– que compensan en parte las deficiencias en las regiones dañadas del cerebro. La música es física y anima a la gente a moverse con el ritmo. Cuanto más destacado es el ritmo, más radical y contundente el movimiento del cuerpo. El ejercicio físico puede ayudar a mejorar la circulación, a proteger el cerebro y facilitar la función motora. La música induce estados emocionales al facilitar cambios en la distribución de sustancias químicas que puede motivar estados de ánimo positivos y aumento de la excitación, lo que a su vez puede ayudar a la rehabilitación. Emoción, expresión, habilidades sociales, teoría de la mente, habilidades lingüísticas y matemáticas, habilidades visoespaciales y motoras, atención, memoria, funciones ejecutivas, toma de decisiones, autonomía, creatividad, flexibilidad emocional y cognitiva, todo confluye en forma simultánea en la experiencia musical compartida.

Las personas cantan y bailan juntas en todas las culturas. Sabemos que lo hacemos acá también y lo seguiremos haciendo en el futuro. Podemos imaginar que lo hacían también nuestros ancestros, alrededor del fuego, hace miles de años. Somos lo que somos con la música y por la música, ni más ni menos.

La felicidad de todos los días

Imaginemos por un momento que somos periodistas y, como nos ha tocado cubrir un móvil de televisión en el Día de la Felicidad, realizamos una encuesta callejera preguntando a cada uno cómo creería alcanzarla. Así, nos topamos con respuestas del tipo: con unas vacaciones en una playa del Caribe, con una suma grande de dinero, a través de un prestigioso premio o de una impresionante conquista amorosa. Pero, a la quinta respuesta, traccionados por nuestra vocación, agregamos una consigna para otorgarle mayor intriga y fervor al asunto: ¿Y después de eso qué? ¿Cuánto creés que te duraría esa felicidad?

En esta breve postal imaginaria se despliegan tres claves que podemos abordar para reflexionar, hoy, en estos breves renglones casi finales sobre el valor de la felicidad: ¿De qué se trata? ¿Por qué nos ocurre? ¿De qué manera se nos da?

Sabemos que el cerebro dicta toda nuestra actividad mental. Es por eso que, aunque resulte recurrente, debemos decir que también la felicidad depende de él. Podemos comenzar entonces dando cuenta de lo que le pasa a nuestro cerebro cuando estamos felices. Hace tiempo se sabe que el deseo y el placer evidencian cambios en la actividad neuronal y el flujo de ciertos neurotransmisores (como la dopamina) en los sistemas de recompensa del cerebro. Un estudio reciente, del Instituto Douglas de Montreal, determinó que el *núcleo caudado anterior* es considerablemente más pequeño en personas que se asumen como no-felices. Otros estudios demuestran que, cuando disminuye la dopamina en el cerebro, puede experimentarse también una pérdida de la capacidad de deseo y placer. Asimismo, cuando el cerebro no recibe estímulos placenteros, se produce un déficit de dopamina, provocando un estado de *anhedonia*, polo opuesto a la felicidad. Los niveles de dopamina inferiores a lo normal, que pueden estar relacionados con escasos momentos de satisfacción, provocan trastornos en los mecanismos de atención y concentración. También puede observarse falta de motivación y escasa respuesta a las recompensas.

Ahora bien, más allá de lo que nos pasa en la cabeza, la pregunta es cómo logramos que esa felicidad nos ocurra. Todos tenemos proyectos y motivaciones que nos producen preocupaciones cotidianas, esfuerzos y, en algunos casos, angustia: esto es lo que denominamos "circunstancias de la vida", es decir, factores del mundo externo. Muchas personas logran sus objetivos y creen (quizá por eso lo persigan) que por el hecho de conseguir el objetivo ansiado van a ser más felices y se van a relajar sus preocupaciones y angustias. Lamentablemente, esto no suele suceder: logramos un objetivo e inmediatamente después de un tiempo (puede ser una hora, un día, un año), empezamos a desear algo más: el que ganó uno quiere dos, el que pasó una quincena en la playa ahora desea un mes, el que recibió el premio nacional quiere el continental y el del continental aspira al mundial. Una buena opción es, más que pensar que uno va a ser feliz cuando consiga lo que le falta, sea pensar que se es feliz por todo lo que tiene. Pero esto, aunque parezca sencillo, también requiere de cierta predisposición y entrenamiento. El nuevo campo de la psicología positiva ha avanzado mucho en la respuesta mediante investigaciones científicas medibles, controladas y reproducibles.

La felicidad no equivale al hedonismo, a la presencia de placer y a la ausencia de dolor. El padre de la psicología positiva Martin Seligman, de la Universidad de Pennsylvania, propuso una teoría del bienestar –una descripción de lo que significa la felicidad– a partir de decenas de investigaciones, en la que lo describe como un constructo con cinco elementos. Cada uno de estos contribuiría al estado de felicidad y tendría tres propiedades: favorece el bienestar, las personas lo buscan como fin en sí mismo (otorga placer o sentido a la vida) y se pueden medir independientemente de los otros elementos. Hagamos un breve repaso de estos cinco elementos:

- La emoción positiva. Es el placer, el éxtasis, la comodidad y el aspecto más hedónico de la vida (por ejemplo, lo que nos produce la comida, el sexo, descansar, mirar la televisión, sentir el agua caliente de la ducha caer en el cuerpo). La mayoría de las personas suelen asociar esto a la felicidad y, sin embargo, es solo un aspecto.

• El fluir (*flow*). Es un estado psicológico específico que experimentamos cuando hacemos una tarea que nos apasiona (conversar con un amigo, practicar un deporte o jugar en la computadora). Durante esas actividades suceden sobre todo dos cosas: una es que perdemos la noción del tiempo; la otra cosa es que también perdemos noción de nosotros mismos. Esto sucede porque baja la ansiedad y el estado de alerta. Para que exista el *flow* tiene que haber un desafío u objetivo, que no sea muy grande, porque nos abrumaría, ni un desafío muy bajo, porque nos aburriría.

• El sentido. Resulta de hacer una tarea significativa por los demás, desde pasar tiempo con la familia hasta involucrarse en una ONG o ayudar al prójimo en el día a día. Significa encontrar un sentido a la vida más allá de uno.

• Los logros, el éxito y la experticia. Esto, sin dudas, es algo que ocupa la mente de muchas personas durante gran parte del día. Como ya vimos, ciertos logros no traen necesariamente el aumento de felicidad que se espera, aunque la ciencia encontró que hay personas para las cuales sí funciona y es porque pueden venir acompañados de emoción positiva, *flow* y sentido.

• Relaciones positivas. El estudio más largo de la psicología es de la Universidad de Harvard y se trata justamente sobre la felicidad. Se hicieron encuestas a distintas personas cada dos años para ver

qué circunstancias y actitudes hacían que mejorara
o empeorara su calidad de vida. Los resultados de
2015 (que reúne los resultados de 75 años) arrojaron
que uno de los factores más importantes es cuánto disfrutaban de las relaciones más íntimas. Somos
animales sociales, por lo cual las cosas que más nos
dan sentido, *flow*, placer, orgullo y confianza suelen
involucrar a otras personas.

Sonja Lyubomirsky, a quien ya presentamos, ha dedicado su carrera a medir científicamente el impacto de distintas estrategias y tareas en el aumento de la felicidad.
En su libro *La ciencia de la felicidad* resume un programa
específico para aumentar la felicidad duradera. Según las
investigaciones, a partir de estudios que comparan gemelos y mellizos, aproximadamente un 50% de la felicidad de una persona suele deberse a predisposiciones
genéticas. Estos estudios muestran que las influencias
genéticas generan personalidades con distintos niveles de
optimismo, alegría, extroversión, etc. Por lo tanto, todos
solemos desarrollar personalidades que tienden más o
menos al bienestar, ya que deben existir ciertas condiciones ambientales para que los genes se pongan de manifiesto. Por otro lado, un 10% de nuestra felicidad puede
ser mejorada por la circunstancias de la vida que vimos
anteriormente como ganar más dinero o conseguir un logro profesional (mucho menos de lo que nos hubiéramos
imaginado, ¿no?). El 40% restante está influido por las

intenciones y la voluntad, la manera de encarar la amplia variedad de cosas que nos suceden en el día y en la vida: la voluntad de ver positivamente las cosas, de hacer las tareas que incrementan el *flow* y ayudan a los demás.

En relación a esto, Lyubomirsky esboza una serie de actividades que han probado aumentar el nivel de felicidad cuando son practicadas frecuentemente. Por ejemplo, como dijimos al principio, en vez de preocuparnos sobre qué nos falta o qué nos puede pasar, debemos pensar por qué cosas estamos agradecidos. La biología seleccionó animales con una fuerte dosis de ansiedad y preocupación, ya que aquellos que más intentaban anticipar los riesgos del mundo más sobrevivían. Los avances de la medicina, de la tecnología y de la psicología deberían permitir comenzar a relajarnos y disfrutar de lo que conseguimos hasta acá. El ejercicio físico también es fundamental, ya que reduce el estrés. El estudio longitudinal de Harvard mostró que el 78% de las personas más felices dicen que ejercitan por lo menos tres veces por semana. Los deportes además pueden ser una fuente para construir un sentido de pertenencia a un grupo y un factor para desarrollar confianza. Sin duda, entrenar el cuerpo sirve para entrenar la mente. Por último, otra habilidad a entrenar es el optimismo: tiene que ver con pensar que uno es suficientemente bueno e inteligente y que, además, está aprendiendo, por lo que hay espacio para cometer errores. Este optimismo, a su vez, lleva a que efectivamente logremos mejores resultados.

Desde los estudios neurocientíficos también se plantea la relevancia de vivir con alegría y así trabajar en pos de *modular nuestra propia neuroplasticidad dirigida hacia la felicidad.*

Un cerebro infeliz es un cerebro menos inteligente, menos creativo y menos productivo. La felicidad, además, es un factor de protección contra enfermedades de diversa índole: los niveles más altos de emociones positivas se asocian a menores posibilidades de ansiedad o depresión asociados al estrés. Las personas, cuando se sienten bien, se enferman menos, viven más y tienen una mejor calidad de vida. Hagamos de la felicidad un ejercicio cotidiano.

▶ **Vivito y coleando**. *fr. coloq.* Estar
y sentirse bien.

Final feliz

¿De qué hablan esos finales de los cuentos infantiles cuando dicen que héroes y heroínas vivieron *felices por siempre*? ¿Cómo es que habrán vivido esos personajes? Y, sobre todo, ¿cómo lograron el bienestar en sus vidas de cuento? Los seres humanos somos los únicos animales capaces de aumentar nuestro sufrimiento, por ejemplo, a través de los pensamientos distorsivos. Pero también tenemos la habilidad de poder potenciar nuestro bienestar.

Como dijimos, la ciencia se encarga de estudiar los procesos que involucran la felicidad para así poder establecer definiciones justas y precisas. Hoy en día la investigación se enfoca en describir estados que se relacionan con ella como el placer y también el llamado "bienestar". Veamos de qué se trata.

Distintas corrientes filosóficas identificaron dos maneras de acceder al bienestar: una es la vía *hedónica*, que consiste en disfrutar de todo aquello que implica un placer inmediato (una comida, un paisaje, una reunión entre amigos, etc.); y la otra es la vía *eudaimónica*. Esta última reside en la satisfacción a largo plazo que se genera como consecuencia de los logros obtenidos, de conseguir los frutos que surgen del esfuerzo, el trabajo y la planificación. Ascender laboralmente, graduarse o superar un mal hábito son algunos ejemplos. Actualmente, más allá de que la ciencia mantiene esta división, la denominada "psicología positiva" la especifica a través de tres vías: la de la vida placentera; la de la vida con compromiso; y la de la vida con significado.

Para estudiar al ser humano en toda su complejidad es necesario contar con una disciplina que no solo resuelva sus problemas sino que también ayude a construir cualidades positivas que permitan potenciar las fortalezas de las personas. Si nos proponemos mejorar nuestras vidas, se vuelve fundamental rechazar algunas ideas falsas que resultan contraproducentes para alcanzar el bienestar. Una de ellas consiste en pensar que se lo encuentra un día de manera repentina. Por el contrario, este se construye y, generalmente, esta construcción requiere de un gran esfuerzo. Otra idea afianzada comúnmente es que el bienestar es algo que se tiene o no se tiene, sin medias tintas; mientras que, en realidad, podemos considerar que hay un *continuo* entre el malestar y el bienestar en el que nos hallamos a lo largo del día y, más aún, de la vida. Por último, las personas erróneamente tratamos de modificar las circunstancias de la vida (dinero, pareja, etc.) creyendo que eso traerá consigo un definitivo bienestar. Debemos saber que, producto de la adaptación hedónica (nuestra capacidad para asimilar grandes transformaciones en la vida), esos cambios *externos* no producirán bienestar duradero.

Existen numerosas actividades que, como ya hemos considerado, podemos realizar para aumentar el bienestar y la salud emocional. Esto significa que pueden ser entrenadas, es decir, pueden desarrollarse y eso depende en gran medida de la voluntad individual y del estímulo del entorno. Gracias a la neuroplasticidad, la capacidad del cerebro de crear nuevas conexiones neuronales e incluso generar nuevas neuronas ligadas a la experiencia, estas actividades también pueden producir cambios estructurales y funcionales en el cerebro.

Como fue dicho, el ejercicio físico es muy beneficioso para la salud, ya que reduce la ansiedad, el estrés y el riesgo de contraer enfermedades. También tiene un rol importante en las funciones cognitivas como la consolidación de recuerdos y la memoria de largo plazo. La ejercitación física, a su vez, mejora el flujo cerebral en estados de reposo, incluso a partir de períodos cortos de entrenamiento. Asimismo produce bienestar en el corto y mediano plazo, ya que el ejercicio genera endorfinas, las hormonas que generan sensación de placer y bienestar, además de tener un efecto analgésico en el organismo.

Muchas investigaciones han comprobado que meditar de manera regular modifica positivamente la estructura y el funcionamiento cerebral. Estos resultados también sugerirían que la meditación cumple un rol en la plasticidad sináptica, es decir, en la capacidad de las neuronas de generar mayor número de "conversaciones" entre ellas. También la meditación se correlaciona con mayores niveles de bienestar y menor número de enfermedades.

Tener y potenciar las emociones positivas es un recurso que también favorece el bienestar. En los últimos años empezamos a conocer el rol fundamental de las emociones positivas en nuestra vida. Una teoría muy aceptada demostró que no solo nos hacen sentir bien sino que buscan ampliar nuestro repertorio de recursos positivos y promueven la construcción de nuevas estrategias para mejorar la calidad de vida. Es así que cuando llevamos adelante un accionar que produce un resultado positivo, la emoción asociada nos impulsa a querer repetirla en el futuro. Podemos decir que la ciencia está comprobando que la expresión "ver la vida color de rosa" no estaría tan apartada de la realidad. Un estudio probó que cuando uno sonríe, el cerebro procesa la información proveniente de rostros con una expresión emocional neutra de la misma manera que cuando procesa rostros alegres.

Mantener relaciones sociales amistosas, afectivas y amorosas también son consideradas fundamentales por la ciencia para conseguir el bienestar. Se sabe que la presencia de seres queridos altera positivamente la respuesta del cerebro a situaciones amenazantes. Se demostró que las personas que atravesaban una situación estresante y recibían apoyo verbal de sus afectos tenían menores niveles de cortisol en el organismo, una hormona relacionada en el proceso que se activa ante el estrés, que aquellas que atravesaban por la misma situación pero recibían apoyo verbal de un extraño o no recibían apoyo alguno.

Algunas de las claves para lograr construir una vida plena se vinculan con la posibilidad de utilizar nuestras propias fortalezas para lograr estar satisfechos. Las fortalezas de carácter son rasgos positivos que todas las personas tenemos en mayor o menor medida. La bondad, la gratitud, el amor, la integridad, la curiosidad, la valentía y la generosidad son algunas de ellas. Ser generoso, por ejemplo, produce una sensación de bienestar ya que activa un circuito neuronal asociado al placer y la recompensa, además de activar diferentes *químicos* asociados a la felicidad como la dopamina y la oxitocina. Es más, tener conductas benéficas y solidarias, incluso obligatorias (como realizar una transferencia bancaria a una organización de ayuda) activa regiones del cerebro relacionadas con el circuito que se enciende ante las gratificaciones naturales de supervivencia básica (como la comida) y otras más comple-jas. Las personas generosas reportan tener más amistades, dormir mejor y superar de mejor manera los obstáculos que las personas mezquinas. Pero vale la pena decir que lo esencial de esto es que, más allá del favor particular, redundan en un bienestar general porque promueven beneficios para toda la sociedad. Así, maximizar nuestras potencialidades solidarias nos ayuda a *todos a estar bien*.

Como un círculo virtuoso, podemos reiterar que *sentirse bien* contribuye a nuestro bienestar. Una posibilidad de escribir nuestra propia historia con final feliz.

Proclama

Problems

> ▶ **Patriada**. *loc. sust. rur.* Acción tra-
> bajosa y desinteresada que se realiza
> en favor de un ideal. *Hacer una pa-*
> *triada*, hacer una revolución.

Nuestra gran apuesta como Nación en este siglo XXI
debe ser el conocimiento. La educación, la creatividad,
la innovación, la ciencia y el capital humano y social son
y serán cada vez más en el futuro la frontera que separe a
los países prósperos de los que no lo son. Y los argentinos
tenemos que decidir en qué lugar queremos estar.

Puede resultarnos tranquilizador pensar que *estamos
condenados al éxito* o que nuestras frustraciones son consecuencia de aquellos otros que no quieren que nos vaya
bien. Pero no es así. Esta decisión depende de nosotros.

El progreso y el desarrollo futuro no son inevitables.
Son el resultado, en gran parte, de las decisiones que tomemos en el presente. Y podemos tomar decisiones correctas o fallar. Lo que no podemos es no tomarlas. Es la

comunidad en su conjunto la que debe diseñar e intentar alcanzar su mejor futuro.

*

El mundo se está transformado de manera drástica. Esto que hoy estamos viviendo tiene poco que ver con lo vivido hace veinte o treinta años nada más. Son cambios que impactan en la manera de relacionarnos unos con otros, en la comunicación, en el acceso a la información, en el universo del trabajo, en los viajes, la salud, los modos de enseñar y de aprender. También a gran escala en los países, sus sociedades y sus economías.

El futuro se acerca rápidamente y es difícil anticipar qué forma tendrán los trabajos de próximas generaciones. Pero sabemos que esos trabajos serán distintos a los de hoy. De acuerdo a especialistas, 5 millones de puestos de trabajo desaparecerían en 2020 a manos de la tecnología. También sabemos que aquellos países que inviertan en el capital mental de sus ciudadanos contarán con una ventaja competitiva, porque podrán preparar a sus jóvenes en las habilidades necesarias para crecer y responder a las demandas laborales del siglo XXI. Ubiquemos a la educación como la prioridad máxima de la sociedad civil argentina para anticipar estos cambios y garantizar que los niños de hoy, adultos del futuro, tengan las capacidades para vivir y desarrollarse plenamente.

Hoy los países más desarrollados y aquellos que aspiran a serlo, apuestan a consolidar sociedades del conocimiento, en donde valores como la verdad, la creatividad, la justicia y el trabajo colectivo atraviesan una visión de país. ¿Cuáles son las metas que persiguen las sociedades del conocimiento? Educación de calidad para todos (todos son todos); protección prioritaria de los cerebros en desarrollo; la ciencia y la técnica atravesando estamentos y colaborando con las políticas de los Estados, de las empresas y de las instituciones del tercer sector; la innovación en el corazón de la inversión productiva; el impulso de la infraestructura; la tecnología como herramienta aliada; instituciones sólidas y transparentes; el cuidado del medio ambiente; y el establecimiento de estrategias de largo plazo.

El sueño debería ser lograr una Nación desarrollada e inclusiva. El camino para lograrlo es el paradigma del conocimiento. Los argentinos podemos mirar qué están haciendo los demás y elegir aquello que nos resulta mejor, rechazar lo que no, adaptar lo adaptable e inventar lo que falta.

*

Estos cambios mundiales no van a detenerse, más bien van a tomar cada vez mayor velocidad. Esto va a multiplicar las posibilidades de crecimiento, mejorar la calidad de vida y favorecer el desarrollo de muchos países del mundo. Pero también surgirán nuevos e inesperados desafíos y dificultades para nosotros y para las generaciones futuras. Debemos estar preparados. La mejor manera de aprovechar todas las oportunidades y afrontar los conflictos de esta nueva era será apostar por la investigación, la innovación y la creatividad. Nuestro capital mental es la herramienta que más debemos cuidar, estimular y potenciar. La clave del progreso de nuestro país está en el cerebro argentino y en la manera de conectarlos unos con otros.

*

En adelante, si queremos prosperar en medio de una sociedad global cada vez más interconectada y competitiva, ni los recursos naturales, ni la industria, ni el sistema financiero serán las piezas sobresalientes del progreso, sino las capacidades y talentos de sus ciudadanos.

El *Atlas de la Complejidad Económica* elaborado por el Centro de Desarrollo Internacional de la Universidad de Harvard estudia cómo los países trasladan conocimiento a los productos que importan y exportan. Muestra que un gran porcentaje de las exportaciones de nuestro país aún permanece ligado a las materias primas y que nuestra economía debe recorrer un largo camino para volverse más compleja y diversificarse. Podemos tener la fortuna de descubrir uno y mil yacimientos de petróleo o sembrar soja hasta en los jardines de las casas de familia, pero es conveniente agregarle cada vez mayor valor, inteligencia e innovación a todos nuestros productos. No vale lo mismo el lino que el aceite que se hace con él, ni el óleo que se fabricó a partir de ese aceite, ni el cuadro que pintó con óleo el gran artista y se subasta en las principales galerías del mundo.

*

Muchas veces no es la realidad la que coarta los proyectos sino nuestros propios sesgos. A través de estos, observamos como esferas antagónicas lo público versus lo privado, la generación versus la distribución de ingresos. ¿No sería conveniente verlos como mundos complementarios capaces de potenciarse? Y hay otras cuestiones que los restringen: la inversión en conocimiento madura en décadas y los gobernantes están siempre tentados con el anuncio de logros espasmódicos que puedan mostrarse pronto y los empresarios, de sacar el mayor rédito en el menor tiempo y con ningún riesgo. O nosotros como sociedad, que no nos conforma saber que hay una recompensa mayor al final del camino y la queremos ya. Debemos aprender que para llegar siempre antes hay que caminar. Eso no quiere decir no tener en cuenta las necesidades inmediatas. Pero hay que ir yendo.

*

La educación es el verdadero pilar para la igualdad de oportunidades y crecimiento de un país. La inversión en conocimiento, en nuevas ideas y en la investigación científica y tecnológica incluye y crea trabajo. No se trata de lujos de los países prósperos, sino de los cimientos de los países que quieren crecer. Pero ¿quién puede pensar que hay futuro si no se tienen en cuenta las necesidades del presente? ¿Quién puede pretender alcanzar el más eximio proyecto de largo plazo si no se atienden las urgencias? Esto es como si el gran hospital que queremos construir cuenta con los más sofisticados quirófanos y laboratorios para investigación, pero no con las guardias. Cuando decimos que los cerebros argentinos son el capital más importante que tenemos como Nación, lo decimos en serio. No es posible que nuestros niños estén mal nutridos y mal estimulados, porque esto es un crimen y una inmoralidad del presente y, al mismo tiempo, una hipoteca social para el futuro. Esos cerebros deberán ser los que sigan construyendo el país. La desigualdad y la falta de oportunidades desgarran el tejido social y empujan a las personas hacia la desesperanza, la apatía y la violencia.

*

La igualdad social es responsabilidad de todos: de los diferentes ámbitos de gobierno, de los empresarios, de los líderes sociales, pero también de la sociedad civil. Somos nosotros los que no debemos tolerar siquiera un día sin que se privilegie a los que más lo necesitan. No nos debe sensibilizar solamente el espanto de una foto desgarradora en un diario, una nota en televisión que visibiliza por un instante la desigualdad o una visita fortuita a una zona carenciada. Las crisis y las desigualdades sociales no las provocan las personas que viven en la pobreza, sino que son las víctimas constantes de esa situación. La pobreza produce un *impuesto cognitivo*: este contexto atrapa a las personas en un círculo del cual es muy difícil salir. Aquellos que no tienen garantizadas sus necesidades básicas cotidianas (o la de sus hijos) están obligados a pensar obcecadamente en ese día a día y están más condicionados para enfocar en el largo plazo que aquellos que tienen sus necesidades satisfechas. Se trata de una desigualdad de oportunidades en el presente y para el futuro.

*

Estudios científicos demostraron que las políticas públicas en favor de la nutrición durante la primera infancia tienen fuertes impactos positivos a nivel económico y cognitivo en la vida de las personas en situación de pobreza. Los investigadores observaron a un grupo de niños de entre 9 y 24 meses de barrios carenciados de Kingston, Jamaica, diagnosticados con un bajo desarrollo cognitivo y un crecimiento físico inferior al necesario. Una parte de esos niños tuvo acceso a una intervención compuesta por educación en cuidados infantiles de sus madres, programas nutricionales infantiles y la necesaria estimulación socio-emocional. La intervención mostró que esos niños superaron en habilidades cognitivas a aquellos que no habían participado del programa. Estamos a tiempo de intervenir. Pongamos ya en marcha un plan que tenga como meta lograr la erradicación del hambre y de la deserción escolar. No puede proyectarse lo uno sin lo otro. La educación reduce la desnutrición, la mortalidad infantil y aumenta la esperanza de vida. Muchos creen que para reducir la pobreza solo es necesario el crecimiento económico. Sin embargo, si ese crecimiento no está acompañado por un aumento y una mejora en la educación, no reduce la pobreza. La educación es un poderoso motor de desarrollo y es uno de los instrumentos más importantes para combatir la pobreza y mejorar la salud, lograr la igualdad de género, el reconocimiento y cuidado de las personas mayores, la paz y la estabilidad. La educación debe ser el principal plan de lucha contra la pobreza y la exclusión.

*

Así como la ciencia nos lleva a precisar la cruel realidad de lo que pasa con un cerebro desnutrido o poco estimulado, también nos abre la puerta al optimismo y, en eso, a la posibilidad y la necesidad de intervención urgente a través de políticas eficientes. Estas políticas deben tener en cuenta estos datos y de manera interdisciplinaria incorporar la visión de sociólogos, pedagogos y nutricionistas, entre distintos saberes específicos y experticias. Pero además es necesario ponerse en el lugar del otro. Las decisiones políticas sin empatía no son sociales, son arrestos de la tecnocracia, del capricho o la petulancia.

*

Más de 57 millones de chicos no van a la escuela en el mundo. Mayormente, esto se debe a guerras, emergencias y conflictos humanitarios. Nosotros no atravesamos estas tragedias humanas, entonces ¿cómo no vamos a poder garantizar que todos los chicos argentinos terminen la secundaria y tengan una educación de calidad? Así como muchísimos niños en nuestro país aún están fuera de la escuela primaria, otros tantos no terminan el secundario. Incluso muchos de los que lo terminan, a menudo lo hacen sin adquirir las habilidades básicas para el trabajo y la vida en el mundo global actual. Si no luchamos para poner la educación y el conocimiento como principal política de Estado y modelo de país, nuestros niños no podrán interactuar en igualdad de condiciones con niños de otros países y quedaremos marginados como sociedad. Este es nuestro principal desafío y negarlo nos atrasará aún más.

*

El conocimiento ayuda a los países a mantener su competitividad y crecer con equidad. Es importante y urgente concentrarnos en los estudiantes de nuestro país. Los factores detrás del deterioro educativo son múltiples, incluyendo el bajo presupuesto y la falta de infraestructura, el desempeño profesional y el contexto familiar. Por eso, familia, gobierno, sociedad y escuela deben trabajar urgentemente y de manera articulada para priorizar una formación de excelencia. Argentina enfrenta varios problemas estructurales en el sistema educativo, sobre los cuales coinciden especialistas de distintas instituciones y de los más variados espacios políticos. Tal vez el más importante sea la falta de un proyecto rector de largo plazo que retome la visión estratégica y la ambición de proyectos fundacionales para nuestro país, como los que sentaron las bases de nuestro actual sistema educativo y gracias al cual pudieron graduarse César Milstein y René Favaloro. Esta falla tiene múltiples consecuencias. Una de estas es la desigualdad educativa. La Argentina es una sola, por eso debemos erradicar esta desigualdad. Debemos comprometernos en garantizar que un alumno en Tierra del Fuego, Jujuy, Misiones o Buenos Aires tenga las mismas oportunidades reales de crecer y desarrollarse.

Pero mencionar hechos o procesos aislados reduce el análisis de un sistema que se destaca por su complejidad y su relevancia. Para esto, existe una dificultad de fondo: hoy las escuelas argentinas no preparan a nuestros alumnos para una sociedad del conocimiento. Cada estudiante que culmina su educación enfrentará problemas distintos y más complejos de abordar y resolver que los que enfrentaron sus docentes y sus padres. Pero justamente somos sus docentes y padres los que tenemos la responsabilidad de resolverlos. Depende de nosotros.

*

El rol del docente debe ser la clave. Debemos entenderlo más allá del lugar común y llevarlo a la práctica. Cuando hablamos de jerarquizar al docente, hablamos de algo más que de dinero. Es importante que la remuneración sea valiosa. Pero además debemos ubicar al docente como actor fundamental del desarrollo de un país y del ecosistema del conocimiento. Deben ser referentes para su comunidad, respetados por toda la sociedad y reconocidos en su labor. Y los docentes también deben asumirlo así, con el sentido del orgullo y la responsabilidad. Son los maestros los que forman a los futuros presidentes, pilotos de aviones, empresarios, obreros y potenciales colegas. ¿Habrá labor más importante? Debemos discutir la educación. Replantearnos los modelos de la pedagogía y las estrategias educativas, con docentes que deben ser formados de modo constante y con conocimientos nuevos cada día. Las sociedades que están logrando los mejores sistemas educativos se plantean estos desafíos sin miedo, forman a sus docentes, revisan los planes y estrategias y sobre todo tienen mucha confianza en ellos.

*

De cada 100 alumnos que ingresaron a primer grado en el país en el 2001, solo se graduaron 33 en el 2012. Debe ser prioridad de los argentinos revertir esta situación. Ahí tenemos que enfocarnos entre todos para comprender el poder real del conocimiento. No hay transformación sin convicción. Hoy la educación en la Argentina no es prioridad en el interés de los ciudadanos. La preocupación más mencionada desde hace mucho tiempo es la inseguridad. Es lógico, a nadie le gusta vivir con miedo en una sociedad violenta. Lo inconveniente es que traiga como corolario una discusión estéril sobre la dureza o no de la mano que reprima al delito. ¿Cómo puede ser que no hayamos logrado entender todavía la importancia que tiene la educación en la reducción de la violencia? La sociedad del conocimiento también tiene que ver con esto. Varios estudios confirman que un mayor nivel educativo está asociado a una menor tasa de delitos. Tanto es así que el impacto positivo de la educación es aún más profundo en contextos de adversidad. Un claro ejemplo de esto es que las personas privadas de su libertad que reciben educación reducen drásticamente el porcentaje de reincidencia. Un estudio realizado por la Universidad de Buenos Aires y la Procuración Penitenciaria de la Nación en 2013 dio cuenta de que 8 de cada 10 graduados en programas universitarios en la cárcel no volvieron a ser condenados. La educación otorga capacidades y oportunidades a todos y genera sociedades más integradas y pacíficas.

*

¿Todo esto solo se trata de una enumeración de buenas intenciones sin posibilidades reales de aplicación? No, de ninguna manera, y no hace falta irse lejos en nuestra historia para comprobarlo. A fines del siglo XIX, la sociedad argentina se encontraba ante un desafío mucho mayor y la ley de Educación 1420 fue el instrumento más eficaz para lograr la igualdad de oportunidades en el país.

Hoy nuestro desafío es generar un ecosistema del conocimiento que trabaje articuladamente. El problema educativo argentino no lo puede afrontar ni una ONG, ni un gremio docente ni un Ministro de Educación por sí solo. Lo resuelve una sociedad civil, sus instituciones comprometidas y la capacidad transformadora del Estado actuando de manera coordinada.

*

Así como el conocimiento hace la diferencia en la vida de las personas y entre la pobreza y la riqueza de los países, también hace la diferencia entre enfermedad y salud. En los últimos años, la mortalidad infantil ha disminuido en todos los grupos sociales. Aun las familias muy pobres sufren menos muertes de niños hoy que familias en condiciones semejantes diez años atrás. La razón principal fue el avance del conocimiento que ha hecho posible nuevas drogas y vacunas, mejores prácticas sanitarias, y campañas de salud pública más efectivas.

Conocimiento también significa un ambiente más limpio y, por lo tanto, mejor salud y calidad de vida. No podemos seguir intoxicando el aire, el agua y la tierra como lo estamos haciendo. El Riachuelo que divide el sur de la Capital Federal con la Provincia de Buenos Aires debe avergonzarnos por haber permitido que la contaminación llegue hasta donde llegó y, a pesar de los adelantos de la tecnología y la conciencia ecológica, no haberla resuelto hasta ahora. Los responsables directos son empresarios que, con angurria y mezquindad, vierten sus desperdicios al cauce e inspectores y funcionarios que los apañan por desidia, incompetencia o corrupción. Y nosotros que miramos para otro lado y cuando algo huele mal, en vez de trabajar por resolverlo, nos tapamos la nariz.

*

La sociedad basada en el conocimiento promueve el bienestar general, ya que incluye factores claves para el desarrollo de una Nación. Es indispensable contar con una infraestructura adecuada para una sociedad compleja y moderna, y así los argentinos no nos tengamos que morir fatalmente en las rutas, las inundaciones no arrasen nuestras casas, tengamos agua potable y cloacas en todos los hogares en pleno siglo XXI. Un sistema productivo que incorpore a los cerebros innovadores, creativos y preparados. ¿No es este un futuro que todos deseamos?

*

Casi como inmersos en un efecto de estrés postraumático, el hecho de haber atravesado crisis tras crisis nos lleva a conformarnos con bastante poco, sin trabajar como un equipo con una mirada a largo plazo. Vivimos hablando del presente (inflación, inseguridad, etc.) sin considerar entre nuestras prioridades la construcción de un país mejor. Las comunidades pueden y deben imaginar su destino y actuar en consecuencia. En ese futuro imaginado y deseado está el principal fundamento de nuestra construcción común.

No es posible concebir una sociedad del conocimiento con una comunidad desorganizada, atomizada o desconectada. El Estado tiene la responsabilidad de asegurar la inclusión, la capacidad para transformar y el potencial para ubicar a la Argentina entre los países más desarrollados del mundo como soñaron nuestros fundadores. Pero solo si la sociedad civil se organiza en torno a una propuesta de largo plazo podremos impulsar las acciones políticas necesarias y garantizar su continuidad. Podemos recuperar nuestro liderazgo como país, pero debemos hacerlo en equipo y con el compromiso de todos.

Brasil, Chile, Colombia, México y otros países de la región ya cuentan con experiencias originadas desde la sociedad civil que reconocen la preponderancia del conocimiento. Varias organizaciones de la región ya generan impacto concreto ubicando al conocimiento como prioridad pública y se espera que su impacto crezca aún más en los próximos años.

Como los argentinos exigimos democracia en los 80, hoy reclamemos conocimiento y generemos así un nuevo clima de época. Esta es la mejor manera para cuidar y hacer madurar esta democracia. El conocimiento y la democracia interactúan en un círculo virtuoso. Aquellos países con los más altos niveles de escolarización muestran mayor apoyo por las reglas democráticas y en los niveles de participación. A su vez, las democracias invierten más en educación y presentan mayores tasas de escolarización.

Asimismo, las sociedades que invierten en conocimiento son más prósperas (la UNESCO informó que, en promedio, un año de educación se traduce en un salario un 10% superior) y presentan menores niveles de tolerancia con la corrupción. Las personas que entienden que los logros se consiguen con esfuerzo y reglas de juego no aceptan la corrupción. La educación enseña que la corrupción es un crimen y que el corrupto es un delincuente, y que la frase "roba pero hace" no es más que una coartada inmoral. Porque, en tal caso, sus acciones siempre van a privilegiar el beneficio propio en desmedro del de la comunidad. No puede haber progreso sin castigo para el que se queda con lo que es de todos. Esto requiere de la sanción social y de una justicia adecuada, imparcial y eficiente. Debemos considerar, más bien, que los más eminentes próceres de nuestra historia fueron líderes que no tomaron atajos. La Argentina de la viveza criolla se vuelve dramáticamente representada desde hace décadas en el despilfarro, en la evasión de impuestos, en el uso clientelar del Estado, en la vista gorda a la corrupción cuando hay un veranito económico, en el hambre en un país que genera alimentos para diez Argentinas, en el desmedro de la excelencia, del esfuerzo, del conocimiento. El atajo, el individualismo y la trampa debilitan la construcción de una sociedad civil solidaria y equitativa. Es una inmoralidad y una torpeza, aún más siendo un país pobre, descuidar las reglas del juego, trampear las leyes y falsear las estadísticas.

*

La educación también favorece el conocimiento del otro y eso promueve la tolerancia hacia otras culturas, religiones y grupos étnicos. La xenofobia y la discriminación no son solo síntomas del fundamentalista sino también del ignorante.

*

Desde mediados de 1990, nuestro país goza de una ventana de oportunidad demográfica única y no planificada: los habitantes de la población económicamente activa superan en cantidad a los niños y adultos mayores. Esto permite crecer más rápidamente y acumular capital para el futuro. Sin embargo, esta oportunidad solo existiría en nuestro país hasta el 2035 ya que cambiaría el diagrama demográfico. Por eso, debemos trabajar de manera articulada para lograr que la Argentina se desarrolle fuertemente en los próximos años a través de la inversión, la generación de empleos de calidad y de la educación. Cuando los gobiernos, las empresas, los centros de investigación y la sociedad civil se unen para impulsar la causa del conocimiento, el progreso social y económico es inexorable. Es decisión y es método.

*

La velocidad a la que crecen los avances tecnológicos se está acelerando exponencialmente. La primera computadora con fines científicos de la Argentina se llamó *Clementina* y se utilizó entre 1961 y 1971. En el último tiempo, el desarrollo y crecimiento de las llamadas TIC (Tecnologías de la Información y la Comunicación) tuvo un gran impacto en nuestra vida. De acuerdo a la Unión Internacional de Telecomunicaciones, hoy más del 50% de la población argentina tiene una computadora en su hogar y el 47,5% accede a Internet desde allí.

Es imprescindible que el 100% tenga conexión porque la tecnología brinda la oportunidad de comunicarnos, acceder a la información, compartir conocimiento e interactuar con los demás. Por eso, invertir en desarrollo tecnológico, es también avanzar hacia la sociedad del conocimiento.

*

La habilidad de distribuir y explotar el conocimiento se ha transformado en una ventaja competitiva y ha mejorado la calidad de vida. Si los gobiernos quieren sacar una ventaja de estos avances, deben ser flexibles y reaccionar rápidamente para cambiar sus políticas y prioridades. El Consejo Asesor de Ciencia de la Secretaría General de Naciones Unidas está compuesto por 26 reconocidos científicos de todo el mundo. Recientemente, este Consejo recomendó a los países invertir al menos el 3,5% de su Producto Bruto Interno en ciencia y tecnología. En América Latina, el promedio de inversión en 2007 fue de 0,7%. En nuestro país, cumplir con esta recomendación llevaría al fortalecimiento profesional, a una mayor producción científica de las Instituciones de Educación Superior y Centros Públicos de Investigación y al fomento de la transferencia del conocimiento creado. El desarrollo de la ciencia se logra promoviendo la calidad de la investigación hacia la excelencia e incrementando los vínculos internacionales. Hoy los equipos científicos de todo el mundo trabajan interconectados. Esa es una verdadera integración con el mundo.

*

El contexto es crucial para la creatividad y el aprendizaje. Son las sociedades las que brindan el estímulo para que surjan talentos creativos. Los talentos creativos se transforman así en emblemas de esas sociedades, y a su vez, se vuelven modelos que inspiran a que se desarrollen nuevos creativos. La denominada "economía creativa", que incluye tanto el arte, el entretenimiento, el diseño y la arquitectura, como la informática, la robótica, la educación, la investigación y el desarrollo de alta tecnología, representa un importante factor de progreso.

*

Los argentinos nos enorgullecemos por ser reconocidos en el mundo por nuestros vinos, por la carne y por la producción agrícola; también por haber generado grandes figuras del deporte admiradas internacionalmente y talentosos artistas, que son embajadores de nuestra cultura; y porque nuestro país tiene paisajes bellísimos, que son centros de atracción turística. Ahora bien, necesitamos que se nos conozca además por la regla y no solo por las excepciones: por la capacidad de los desarrollos y producciones de profesionales altamente calificados que puedan ofrecer proyectos de ingeniería y arquitectura, servicios de informática, de tecnología en medicina, productos audiovisuales y avances en la investigación científica. Bernardo Houssay, uno de nuestros cinco premios Nobel, decía sabiamente que Argentina era un país demasiado pobre como para darse el lujo de no promover la investigación científica. Esta frase nos puede iluminar muchas de las cuestiones que van más allá de la ciencia y que siempre se dejan para más adelante, para *cuando se resuelvan las urgencias*. Ese razonamiento de relegar lo importante por lo urgente es como un perro que se muerde la cola: es porque existen necesidades que debemos pensar en las causas que llevaron a esa realidad y atacarlas desde *el vamos*. Por supuesto que al mismo tiempo, deben paliarse esas necesidades. Es la única manera de crecer en forma sostenida, de capitalizarse cuando hay viento de cola para capearla cuando el impulso se da vuelta. Como el ajedrecista, pensar cada jugada adelantándose a las próximas.

*

¿Por qué esto que resulta tan sencillo de entender fue tan difícil de hacerlo hasta ahora? Una de las cualidades de la especie humana está en su capacidad de ver más allá de lo inmediato: poder imaginar escenarios futuros y actuar en consecuencia. Este es un elemento fundamental para conseguir eficacia en la táctica y en la estrategia. Muchas veces, lo que conspira contra esta cualidad es la imperiosa búsqueda de la satisfacción inmediata. Los que dan consejos sobre cómo comprar de manera conveniente siempre recomiendan no ir al supermercado con hambre, porque esa necesidad condiciona la capacidad de planificar para el futuro. A las comunidades les pasa lo mismo. Uno de nuestros problemas es que estamos permanentemente pensando en el presente, en la coyuntura, y no en el largo plazo. Los argentinos a veces parecemos tener miopía del futuro. Tomamos decisiones que benefician en lo inmediato pero que tienen un impacto negativo posterior. Es muy frustrante para las personas y también para las sociedades no perseguir un sueño y estar todo el tiempo chapuceando. Nuestro desafío es debatir qué país queremos ser más allá de lo inmediato. Tenemos que pensarnos como Nación: una comunidad con un pasado y un presente pero sobre todo con un destino común.

*

Una Nación puede definirse de diversas maneras: como símbolo, como territorio, pero como mejor puede pensarse es como comunidad. Tenemos que empezar a trabajar como si todos los argentinos estuviéramos conectados como una familia. Si un chico en el tercer cordón del conurbano hoy no puede comer, debemos sentirlo y actuar como si fuera nuestro hijo; si hay un desocupado en el frío sur argentino, ese desocupado debe ser nuestro hermano; si un jubilado no puede pagar su medicación en Jujuy, nos debe importar como si fuera nuestro padre. Hay una Argentina que debe mirar al futuro común de todos los argentinos.

*

Focalicémonos en resolver los problemas de nuestro país y buscar oportunidades en vez de pelear todo el tiempo. Quizás para las estrategias políticas la confrontación permanente sea buena, pero esto no mejora el mundo de miles de ciudadanos. Es más, muy probablemente lo empeora. Necesitamos una comunidad que piense el futuro y que vaya hacia allá sin tener que enfrentarnos a cada paso. Eso no significa que pensemos todos de la misma manera. Las diferencias entre las personas que integran una sociedad no son un defecto, más bien pueden considerarse una virtud. El problema es qué hacemos con eso. El gran desafío no es que seamos iguales, sino que logremos acuerdos que nos permitan emprender el camino hacia una dirección. Y eso se logra con convicciones y con diálogo. La gracia de la armonía es lograrla no solo cuando tenemos ideas comunes, que resulta siempre más confortable y menos estimulante, sino también cuando tenemos posiciones divergentes. La cualidad empática está en conseguir hacer de la diferencia una virtud.

*

Necesitamos un país en el que no estemos todo el tiempo inventando la rueda, el camino, el mapa y hasta la brújula. No es posible andar así. Para esto algo podemos aprender de la ciencia. Un científico no empieza de cero. No reniega de las experiencias previas. Por el contrario, se basa en ellas aunque no le agrade la persona que la hizo. Toma lo bueno y desecha los errores para trazar el camino a seguir. Luego consigue los recursos, realiza la investigación en equipo, comunica sus resultados y los pone en discusión con la comunidad. El conocimiento es un bien compartido.

*

Los argentinos nos reconocemos como un pueblo solidario y claro que lo somos. Pero esta idea de solidaridad también puede ser entendida de varias maneras. Cuando se produce una catástrofe, es fundamental ser solidarios y dar un reparo a las personas que perdieron todo. Antes que eso, se debería tener una estrategia eficaz que permita estar unos pasos antes de que la desgracia suceda. Una gran obra de infraestructura para que nuestras ciudades no se inunden es un acto de responsabilidad política, pero también es un modo inteligente de cooperación, ya que con las contribuciones que todos realizamos se logra organizar, planificar y realizar la obra para así intentar que la catástrofe no suceda. El bienestar público no puede quedar sometido únicamente a las buenas intenciones individuales una vez que ocurren las tragedias. Solo a través de la planificación y la inteligencia colectiva se puede lograr un poderoso sistema de cooperación y solidaridad de gran alcance.

*

Las grandes instituciones como los Estados cuentan en su haber con liderazgos que encauzan los deseos colectivos. Los *esquemas mentales* de las sociedades condicionan el tipo de liderazgo que entienden como propio. ¿Qué tipo de líder elegimos? Esto es importante en sí, pero mucho más en un momento de grandes transformaciones, búsquedas y construcciones de nuevos liderazgos en nuestro país. Las teorías sociológicas clásicas consideraban al carisma excepcional como una virtud para ejercer un tipo de autoridad. Así los buenos líderes eran capaces de utilizar sus talentos innatos para decirles qué hacer a sus seguidores. Esto puede ser virtud si el líder logra enamorar para la búsqueda del bien común. Pero en Argentina a veces confundimos carisma con *viveza* para trampear, para decir una cosa y hacer otra. Nuestros nuevos líderes deben tener voz pero también oídos, ser el ejemplo, inspirar y motivar a nuestra sociedad. ¿Qué ley universal indica que ser líder es imponer las ideas, subestimar o despreciar al que piensa distinto? El liderazgo que necesitamos debe estar basado en la cooperación y el apoyo colectivo y no de un exclusivo proceso de *arriba hacia abajo.* La pregunta que puede surgirnos es si nosotros terminaremos aceptando esta relación entre líder y sociedad en nuestra comunidad.

El pensamiento crítico es una herramienta provechosa contra los falsos dilemas o las fatalidades que se utilizan para restringir el surgimiento de una mejor opción. Muchas veces la política, la dirigencia en general, los consultores profesionales e, inclusive, los periodistas tienen ideas ancladas en el pasado sobre los tipos de liderazgo y les cuesta (o sencillamente no les conviene) ver los cambios del presente e imaginar el futuro. Una frase extendida es que las sociedades tienen los dirigentes que se merecen. Debemos cuestionar esto como verdad revelada. En diversos casos, los intereses de las sociedades están desacoplados de las potencialidades de sus líderes. Otras veces, el líder solo navega el presente y las sociedades se quedan sin deseos.

*

La política actual se podría resumir en la idea de "campaña permanente", en donde todo es una elección y nuestros líderes siempre son candidatos a algo, más allá de que exista o no una elección próxima. Pero la política no es únicamente ser votado, es construir, administrar, plantear objetivos y horizontes colectivos. La política es una herramienta muy poderosa de transformación social para que quede en manos de intereses sectoriales, mezquinos o espurios. Ni para plantearse como un campo minado, hecha de divisiones y falsas batallas. La batalla debe ser contra la ignorancia, la pobreza, la delincuencia, la corrupción, la desigualdad de oportunidades.

Debemos forjar nuevos líderes que sean creativos, inteligentes y audaces. Un líder debe tener la capacidad de entender las necesidades de su pueblo. Pero también debe saber anticiparse al futuro y no tener miedo. Y si creemos que todo esto es muy difícil, recordemos que un día en nuestro país Domingo Faustino Sarmiento llevó adelante una transformación social basada en la educación que fue pilar fundamental de la Nación Argentina. Y que si a Sarmiento un plantel de consultores o asesores timoratos le hubiesen aconsejado que no arriesgara tanto, él seguramente habría marchado igual hacia el futuro.

*

El concepto de "comunidad" puede ser entendido en función de tradiciones pasadas, presentes pasajeros o destinos comunes. Esto último es lo que permite un mayor acercamiento y labor conjunta de uno con otro. Es más, es lo que da razón de ser a la comunidad, la forja en proyección, la sustenta. Si hablamos de la "comunidad argentina", sin ir más lejos, quizá lleguemos a pensar que el pasado o el presente nos ha dividido entre unos y otros. Pero la construcción de una Nación cada vez más unida es posible si pensamos que el futuro común es una nueva oportunidad. Definamos qué país queremos y marchemos en esa dirección.

*

El desarrollo debe ser nuestra obsesión. Esto es mucho más que un mero indicador de crecimiento económico. Se trata de una evolución sustentable, integral y profundamente humana de la sociedad argentina. Debemos modificar nuestros esquemas mentales que nos impiden trabajar en equipo y mirar el largo plazo. No podemos seguir esperando con la excusa de que hay temas más importantes para esta etapa. La educación debe ser prioridad de la agenda pública. Claro que sería fundamental que los gobiernos por sí solos elevaran esta bandera, pero es la sociedad civil (somos nosotros) la que debe luchar para esto. Una sociedad civil comprometida con la educación pública de calidad es la que puede lograrlo. Hoy estamos viviendo en Argentina varias décadas de una democracia plena. Con sus defectos, pero plena. Esto es algo por lo que debemos sentirnos orgullosos. La sociedad argentina es la responsable de haberla conseguido y somos sus principales guardianes. Ahora debemos exigir y lograr una sociedad basada en el conocimiento que nos permita de una vez por todas dejar de vivir por debajo de nuestras posibilidades. Para esto no debemos ser mezquinos ni tener una visión de corto plazo, porque quizás no vayamos a ver ese futuro próspero nosotros mismos.

Eso no es importante. No es por ver el fruto que el fruto llegará, sino por la responsabilidad cotidiana de arar la tierra, plantar la semilla y cuidar que esos brotes no se sequen, no se quemen, no se ahoguen. Se trata de una verdadera revolución. La revolución del conocimiento en Argentina es imprescindible. Una revolución de la que debemos ser protagonistas.

Índice